Expérience religieuse
et
expérience esthétique

Expérience religieuse et expérience esthétique

par

MARCELLE BRISSON

1974
LES PRESSES DE L'UNIVERSITÉ DE MONTRÉAL
C.P. 6128, Montréal 101, Canada

Cet ouvrage a été publié grâce à une subvention accordée par le Conseil canadien de recherches sur les humanités et provenant de fonds fournis par le Conseil des Arts du Canada.

ISBN 0 8405 0268 0
DÉPÔT LÉGAL, 4e TRIMESTRE 1974
BIBLIOTHÈQUE NATIONALE DU QUÉBEC

Paul-Émile Borduas. *L'Étoile noire*.
(photographie du Musée des Beaux-Arts de Montréal)

Le pharaon est à la fois le roi, le dieu et la statue.

Quand le pouvoir conteste l'art contestataire.
À l'exposition des Jeunes peintres, patronnée par le gouvernement français, en juin 1972, les peintres du groupe Jeune peinture décrochèrent leurs œuvres le lendemain du vernissage quand ils virent la police charger contre les manifestants qui contestaient les critères de sélection ou d'autres points de l'organisation de cette exposition.

Et quand le peuple conteste l'art contestataire.
Jordi Bonnet. La murale du Grand Théâtre de Québec (photographie de *la Presse*)

Le pic, seigneur de la montagne : objet esthétique aussi.

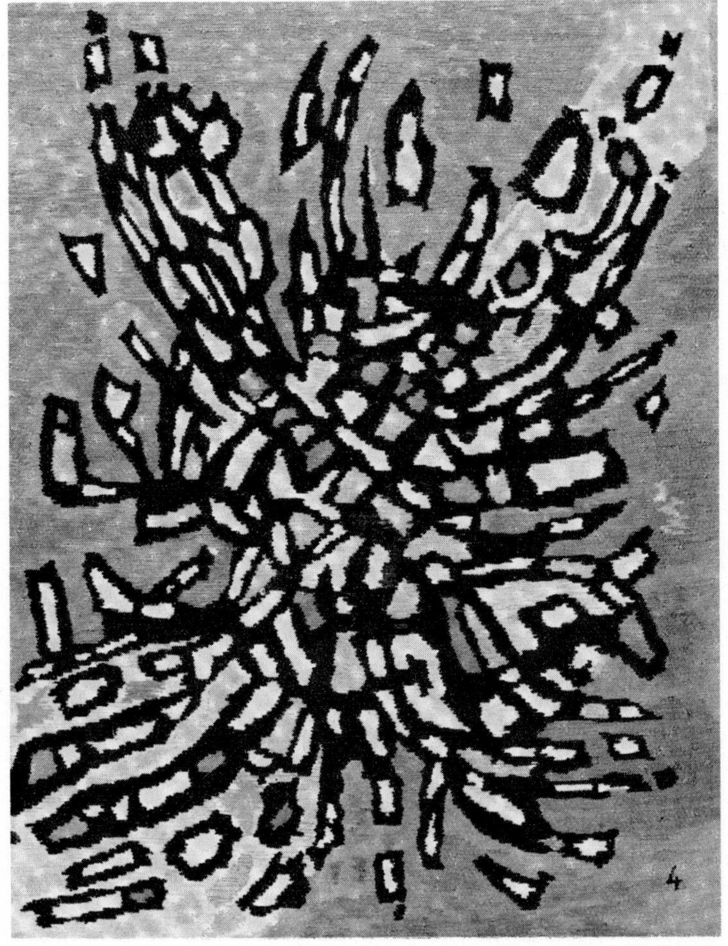

De Manessier, une des tapisseries inspirées par le *Cantique spirituel.* (©ADAGP)

Quelques formes d'art populaire.

«Dans la société communiste, il n'y aura plus de peintres, mais des hommes qui peignent.» — Marx.

(A) Portes de grange (photographie originale de Mme Georgette Laporte).

(B) *Vallée du berger*, tapisserie de Suzanne Côté-Gauthier (photographie de Pierre Gauthier).

(C) Une vitrine de boutique de la rue Prince-Arthur, près du Carré Saint-Louis (photographie de Giuseppe de Tollis).

L'utopie à l'œuvre : la poésie descend dans l'arène. «La nuit de la poésie» (photographie de *la Presse*)

Introduction

L'expérience religieuse et l'expérience esthétique, leur signification et les échanges entre elles : pourquoi traiter ce problème ? Sans doute parce qu'il concerne notre civilisation, et singulièrement le Québec où l'on constate actuellement un renversement radical de la relation hiérarchique entre les deux expériences. Un visiteur abordant sur les rives du Saint-Laurent dans les années cinquante voyait d'un premier coup d'œil de majestueux paysages partout ornés de multiples flèches d'argent des clochers, témoins d'une civilisation avant tout religieuse. Il n'était pas long à constater le pouvoir de l'Église en notre milieu : l'enseignement soumis à son contrôle donné surtout par des clercs ou des religieux qui détenaient pour ainsi dire le monopole du secondaire — même les universités françaises étaient à charte catholique. La structure paroissiale encore ferme rassemblait les familles autour du curé, le pasteur des âmes, lequel dispensait généreusement au prône de la messe du dimanche un enseignement très souvent d'ordre plutôt moral que doctrinal. Ses ouailles l'en remerciaient en lui construisant d'immenses églises à l'ombre desquelles s'abritait un riche presbytère. Le sacerdoce et la vie religieuse étaient les vocations par excellence : jamais l'on ne vit un pays inondé de tant de communautés religieuses, venues de tous les coins du monde ! C'est d'abord l'Église qui détient le seul pouvoir économique capable de rivaliser quelque peu avec les intérêts saxons. Plus précisément, le haut clergé s'allie avec le capitalisme anglais ; encore un exemple frappant en 1956 : Mgr Charbonneau, archevêque de Montréal, ayant soutenu les grévistes d'Asbestos, est obligé de remettre sa démission et de s'exiler dans l'Ouest du pays. Bien entendu dans un tel contexte, l'art, la littérature, comme toute la culture sont subordonnés à la religion. Non qu'il ne se trouve des poètes, des artistes, des intellectuels pour émerger du régionalisme de la foi et de la pensée, mais ils n'ont pas droit de cité : une égale censure les frappe tous, s'ils ne sont pas asservis au pouvoir. Le plus loin qu'ils pourront aller dans les années d'après-guerre, ce sera pour développer une idéologie de rattrapage intellectuel à l'égard de la culture française que quelques privilégiés vont découvrir sur place, à Paris surtout.

Aujourd'hui, revirement complet. Les églises sont toujours là, mais désertes. Les couvents se ferment, puisque les religieux les quittent en masse : ils sont affectés à des usages séculiers. Les anciennes structures éclatent : la paroisse n'est plus le centre de gravité de la société. L'enseignement se démocratise et se laïcise. L'*Establishment* est contesté par les syndicats, les partis politiques et même à l'occasion des groupes de guérilleros. L'on remarque surtout un débordement de vie, un désir de faire et d'être soi-même, envers et contre tous, tant au niveau individuel que collectif. C'est la débâcle du Saint-Laurent, annonciatrice du printemps québécois.

Que s'est-il donc passé ? La mort de Duplessis, le premier ministre dictateur qui dirigea les destinées du Québec pendant plus de vingt ans ? Elle ne suffit pas à tout expliquer. Ici, ce n'est pas le lieu d'analyser les multiples influences qui font d'un peuple colonisé, un pays en train de réaliser son indépendance. Mon intention est de souligner uniquement l'action des artistes et des poètes, car c'est chez eux que s'est d'abord *exprimée* la volonté de libération, et leurs œuvres, intimement liées aux destinées politiques du Québec, agissent à la fois comme un ferment et un modèle d'un nouveau mode d'être québécois.

Déjà, en 1948, Borduas avec le groupe automatiste prophétisait le réveil du Québec dans son *Refus Global* :

> Au diable le goupillon et la tuque ! Mille fois ils extorquèrent ce qu'ils donnèrent jadis.
> Par-delà le Christianisme nous touchons la brûlante fraternité humaine dont il est devenu la porte fermée.
> Le règne de la peur multiforme est terminé.
> Place à la magie ! Place aux mystères objectifs ! Place à l'amour !

Au refus global nous opposons la responsabilité entière. Un tel texte suivi de « manifestations » des auteurs eut d'énormes répercussions : d'abord Borduas perdit son emploi, mais surtout il réveilla, au sein de la réprobation générale qu'il subit, la conscience de jeunes appartenant à des groupes très dynamiques de l'action catholique (J.E.C., J.I.C.) ou d'étudiants fréquentant l'université particulièrement en lettres, en philosophie, en sciences sociales, avides de s'exprimer envers et contre tous.

C'est alors que se développe toute une pléiade d'artistes et de poètes au langage formellement contestataire qui, après la mort de Duplessis, donnèrent naissance à une conscience et à un discours politiques. Mais les uns et les autres demeurent à l'œuvre : ils organisent des manifestations, ils courent la province avec leur guitare et leurs chansons, ils réveillent le nationalisme. Tout leur est moyen d'action, même la canonisation du « joual » par quelques-uns et les formes les plus modernes du spectacle : nuits de poésie, *happenings,* discothèques (celles créées par Mousseau, par exemple) , etc. Nous sommes en présence d'un peuple qui se libère : moralement, politiquement. Économiquement ? Ça, ce n'est pas encore fait ! Et cette libération prend la forme d'une œuvre sauvage, que ce soit une peinture de Borduas, ou une sculpture de Vaillancourt ou un poème de Miron, ou une chanson de Charlebois. Mais Dionysos est dieu lui aussi. Est-ce qu'après les formes de religion d'abord très institutionnalisées qu'a connues le Québec, il vivrait aujourd'hui sous couleur de l'art une nouvelle expérience religieuse ? Est-ce que l'expérience esthétique, au contraire, suppléera de plus en plus, *par le jeu,* le besoin d'illusion qu'exprime la religion au dire de Freud et introduira, par son esprit de contestation, de nouvelles formes de vie politique ? Le passage est vite fait de la religion à l'idéologie. Le nouveau Québec répondra lui-même à ces questions. Mais il nous oblige, plus peut-être que d'autres pays, à nous poser le problème de l'art et de la religion dans leurs rapports communs.

À cette réflexion, j'ai été sollicitée aussi par une expérience personnelle : il serait inutile et indiscret d'en faire état ici. Mais si je la mentionne, c'est pour appuyer, sinon pour justifier, ce qui est en même temps le motif et la matière de mon travail : la nécessité d'un recours à l'expérience, à la fois pour provoquer la réflexion et pour en constituer l'objet.

En effet, si mon expérience a provoqué ma réflexion, une expérience qui n'est pas seulement mienne, va en devenir l'objet, je veux parler de l'expérience religieuse et de l'expérience esthétique. Mais il faut encore dire que si la philosophie explicite et justifie une expérience, l'expérience est déjà philosophique : elle est une vision du monde par quoi s'affirme une essence singulière, même si elle est irréfléchie [1]. Et c'est pourquoi, on ne ferait pas tort à la philosophie en l'éclairant

1. Précisons pourtant que l'expérience ne tient pas lieu de philosophie, que la première est du vécu et que la seconde est du connu qui s'explicite dans un langage rationnel. « L'expérience philosophique peut animer la philosophie, elle ne peut la suppléer en se substituant au discours. Pour la philosophie, l'expérience philosophique est toujours du vécu qu'elle n'a pas à vivre encore une fois, mais à conceptualiser. » Mikel Dufrenne, *la Notion d'a priori,* Paris, P.U.F., « Épiméthée », 1959, p. 291-292.

de l'expérience qui l'oriente, ou en la concevant comme expression de cette expérience : en cherchant ce que le philosophe vit à travers ce qu'il dit : le philosophe dit ce qu'il vit, autant qu'il vit ce qu'il dit.

En tout cas, réfléchir sur l'expérience, c'est une démarche qui engage toute une philosophie. Il nous faut donc dire en quelques mots quelle est notre propre thèse.

1. On ne peut pas faire complètement l'économie du sujet. On ne peut éviter, ni le langage du dualisme traditionnel, ni le fait ontologique de la séparation du sujet.

Mais cela n'implique pas que le sujet soit toujours et totalement séparé et qu'on doive le pourvoir des attributs de la transcendance : le sujet, c'est l'individu, et la pensée de l'individualité n'implique pas une théologie. Au contraire, nous pourrions contester la souveraineté du sujet en montrant :

a) qu'il a une naissance,
b) qu'il reste engagé dans le monde : conditionné et parfois aliéné,
c) que peut-être il a la nostalgie de l'unité perdue.

Mais c'est *à lui* que cela arrive. Et c'est de lui que parlent les philosophes, fût-ce pour le nier, en disant : l'homme, l'esprit, la conscience, le *Dasein*, ou nous [2] ...

2. On ne peut faire l'économie du vécu de ce sujet, c'est-à-dire de son expérience, non seulement pour saisir ce sujet, mais pour saisir l'objet lui-même : qui se révèle en tant qu'objet vécu, dans une expérience et à une expérience. Les deux approches de l'objet, objective et subjective, sont

2. Il faudrait citer ici plus d'une page du livre de Mikel Dufrenne : *Pour l'homme* (Paris, Seuil, « Esprit », 1968) auquel je me réfère principalement.

corrélatives. Nous en avons un exemple récent dans le livre de M. Sansot : *Poétique de la ville.*

J'ai choisi de privilégier l'approche subjective [3] parce qu'elle est première et irremplaçable : j'étudie donc l'expérience plutôt que l'institution. Mais cela ne signifie pas que l'autre approche soit moins intéressante et je l'esquisserai sur deux points au moins : l'étude des discours et celle des œuvres par quoi se prolongent les deux expériences.

Il nous faut dans les deux premiers chapitres justifier ce choix d'abord en cernant un peu mieux la notion d'expérience, puis en montrant que l'étude des institutions — religion et art — présuppose, ou en tout cas appelle l'étude des expériences religieuse et esthétique.

3. C'est-à-dire la phénoménologie au sens large où l'entend Merleau-Ponty.

I

Expérience et connaissance

Nous tentons de réfléchir sur les expériences religieuse et esthétique. Est-ce à dire que nous voulons faire une philosophie de l'expérience ? C'était le propos d'André Darbon, dans ses dernières années d'enseignement [1]. Après avoir traité surtout de problèmes de logique, d'épistémologie et de philosophie des sciences, il s'est préoccupé alors de l'expérience humaine dont il a voulu formuler une « conception critique, approfondie, élargie, une conception qui la rende applicable, en fin de compte, à tous les modes d'un exercice réglé de la pensée appliquée à des choses et, notamment à la pensée morale [2] » . Pour ce faire, l'auteur néglige l'expérience immédiate dont il ne peut parler avec rigueur, à cause du foisonnement du vécu qui la constitue, pour se consacrer davantage à la notion de connaissance, sur quoi débouche l'expérience. Il atténue donc ainsi le divorce qui existe entre philosophie et science.

Notre propos est tout autre. Nous ne travaillons pas sur l'expérience en tant que connaissance au service de la science,

---

1. André Darbon, *Une philosophie de l'expérience,* Paris, P.U.F., 1946.
2. André Darbon, *Une philosophie de l'expérience,* note des éditeurs.

mais sur l'*expérience religieuse et esthétique.* Or l'aspect totalisant de ces expériences, qui font appel à tout l'être, nous invite à considérer l'expérience davantage comme un *vécu* que comme un mode de connaissance ; pourtant nous ne refusons pas au vécu l'accès à la connaissance. C'est pourquoi, avant d'expliciter le thème de l'expérience comme vécu, et pour faire droit au sens le plus large du terme, il nous semble utile de dire quelques mots sur le rapport de l'expérience à la connaissance.

Si l'expérience est avant tout un *vécu,* est-ce à dire en effet qu'elle s'oppose à la connaissance ? On a tendance à le considérer ainsi depuis l'avènement d'une certaine épistémologie, selon laquelle une coupure — comme dit Bachelard — sépare radicalement le monde de la perception de celui de la science. La science serait-elle le seul moyen de connaître ? Nous dirions que c'est une source privilégiée pour arriver à une connaissance de l'univers, mais que ce n'est pas la forme unique du savoir. Il est une connaissance des choses plus liée à la vie, à l'équilibre de l'homme dans son monde, à ses relations avec les autres. Sans doute, l'on rétorquera que les sciences dites humaines ou sociales veulent donner des instruments de connaissance plus adéquats pour la conduite des individus et des sociétés. Souvent elles réussissent, mais pas toujours... et de toute façon si, à l'intérieur de leur méthode, elles se doivent de considérer comme suspectes les perceptions trop subjectives du sens commun, peuvent-elles s'imposer comme « sciences appliquées » à l'ensemble du genre humain ? Même à l'intérieur de la recherche pure, les modèles opératoires auxquels on arrive sont plus ou moins objectifs. Et même si ces modèles suscitent l'accord des savants, leur emploi dans le domaine pratique n'est pas justifié par le fait même. C'est d'autant plus vrai quand l'idéologie teinte à ce point les sciences que l'on peut parler de systèmes scientifiques propres à chacune d'entre elles, par exemple, marxiste, américain, etc. Il ne s'agit pas ici de contester les sciences humaines, mais de dénoncer un impérialisme, fût-ce celui de la science. L'homme a encore besoin de l'expérience, comme source de lumière pour éclairer ses pas et apprendre à vivre. Connaissance liée à sa vie, sagesse plus ou moins embryonnaire. C'est pourquoi il faut mettre l'expérience en rapport avec la connaissance.

Je distinguerai trois moments dans la relation entre le vécu et le connu dans l'expérience. Premier moment, sur lequel je reviendrai tout à l'heure : le moment initial de la perception ne donne lieu à aucune connaissance. Nous sommes encore dans le plan du pré-réflexif, si bien analysé par Merleau-Ponty et Mikel Dufrenne, où le sujet est « un corps plein d'âme capable d'éprouver le monde » , dans un plan existentiel où « se réalise la présence au monde, c'est-à-dire où se manifeste un pouvoir de lire directement la signification dont l'objet est porteur, mais en la vivant et sans avoir à déchiffrer et à épeler une dualité [3] » . Je dirai donc que l'expérience est d'abord vécue émotivement ; et ce n'est seulement qu'en un second temps, fût-il très rapide, que le savoir empirique naît. Ce second moment doit être accompli par le tout jeune enfant, car son expérience première ne lui donne pas la connaissance d'un objet ; il n'est en rapport qu'avec un objet partiel... et il faut attendre la répétition des événements vécus et le développement d'un principe d'intégration des expériences — que la psychologie génétique éclaire — pour qu'il en vienne à une certaine connaissance de l'objet total. Ceci est aussi vrai de l'adulte, pour qui certains événements sont toujours de l'immédiat de la présence.

Mais cet état de présence, moment indispensable de la perception, n'a pas sa fin en lui-même. Sous le pouvoir de l'imagination, le sujet prend ses distances vis-à-vis du donné — quand ce ne serait que pour se guider presque à tâtons

3. Mikel Dufrenne, *Phénoménologie de l'expérience esthétique,* Paris, P.U.F., « Épiméthée », 1953, p. 422-423.

à travers le quotidien. En effet, très souvent ces démarches se font d'une façon obscure, le rationnel n'arrive pas à s'organiser pleinement, le sujet est encore trop près de son expérience... mais il y a connaissance dès qu'il y a instauration d'une pratique, comme c'est le cas du savoir empirique. Celui-ci correspond d'ailleurs au sens courant du mot expérience depuis Aristote : il s'agit alors du rappel et de l'association d'un certain nombre de perceptions au moment même où on en a besoin pour résoudre un problème technique ou vital. Connaissance précieuse qui depuis toujours a guidé l'homme dans ses démarches. On peut suivre le développement de ce savoir concret, non soumis encore à des processus de rationalisation systématique, dans l'évolution des outils chez l'homme [4] jusqu'à ce que la science intervienne directement dans la fabrication de ces outils, et dans les trésors de sagesse populaire conservés dans les proverbes, les dits, les chansons, lesquels sont transmis — sans aucun sens critique d'ailleurs — de père en fils.

Combien de nos expériences restent à ce stade embryonnaire du sens commun ou du bon sens ! Mais si l'esprit en quête d'une plus grande rationalité pousse plus avant ses investigations, s'établiront en un troisième moment deux nouveaux rapports entre l'expérience et la connaissance selon les buts qu'il poursuit et les instruments qu'il se donne ; il s'agira alors soit du savoir scientifique, soit de la connaissance philosophique.

La science vit, en effet, d'un double rapport à l'expérience. D'abord, comme le dit Kant : « Toute connaissance commence avec l'expérience. » Malgré sa visée d'objectivité, le savant ne peut négliger comme point de départ le vécu de l'observation. C'est même par son attention extrême au foisonnement des apparences et aux mille et une relations déjà établies

4. André Leroi-Gourhan, *Évolution et techniques*, Paris, Albin Michel, 1945.

entre le monde et lui qu'il arrivera à se donner un appareillage critique qui le désimpliquera dans la recherche de son objet. Ensuite, la science monte elle-même des « expériences ». L'expérience est alors à la fois contrôlée et contrôlante, puisqu'elle porte sur un objet précis et doit répondre à une question précise, alors que l'expérience vécue n'est ni préméditée, ni organisée et qu'elle peut porter sur n'importe quoi. Cependant, si le même mot comporte ces deux sens, c'est qu'ils ne diffèrent pas tellement : en montant une expérience en laboratoire, on en revient à un contact avec les choses, avec ou sans la médiation d'un instrument. C'est encore l'œil sensible qui reçoit le message. Mais ce sujet connaissant ne fait pas nécessairement l'expérience de son expérience : il ne la vit pas, comme on vit l'expérience de la faim, de l'amour ou de la foi. Cependant le savant pourra parler de l'expérience d'une découverte, d'une recherche, en tant qu'événement vécu par lui dans sa totalité.

Quant à la philosophie, elle a aussi des liens avec l'expérience. Mais il ne s'agit pas pour elle d'une expérience passivement faite, ni non plus de l'expérience montée par un sujet qui reste impersonnel comme le savant. L'expérience philosophique engage au contraire le sujet qui la fait et oriente sa philosophie [5].

On a souvent dit depuis Platon que la philosophie commençait avec l'*étonnement*. L'ébranlement de tout l'être qu'est originellement la *miratio* suscite ordinairement une *question*. Il ne s'agit pas du tout ici des questions d'ordre technique que depuis toujours l'homme se pose devant des difficultés de pratique, ni des questions théoriques que suscite le déve-

5. « Oui, chaque système est la vision qu'impose à un homme son caractère complet, son expérience complète ; la vision qu'il préfère, en somme, — il n'y a pas d'autre terme exact — comme constituant pour lui la meilleure attitude de travail. » William James, *Philosophie de l'expérience*, Paris, Flammarion, 1910, Leçon première.

loppement du savoir : ces questions ne sont pas le fruit de l'étonnement, et elles trouvent leurs solutions dans un savoir empirique ou dans la science. Au contraire, l'interrogation philosophique implique la référence à un sujet : elle engage celui qui la pose, elle l'exprime ; il est celui qui pose cette question. Et réciproquement pourquoi la pose-t-il ? Parce qu'il est lui, parce que tel est son être au monde : autrement dit, parce que telle est son expérience, car son être au monde se constitue et se révèle dans son expérience, laquelle suscite sa réflexion et l'oriente.

Ainsi Platon et Aristote sont tous deux « étonnés » devant le spectacle de la nature, mais la question qu'ils se posent alors sera différente, tout comme la philosophie qui y répondra. Descartes, lui, est *frappé* par le peu de certitude sur laquelle se basent les connaissances de son époque, d'où son doute méthodique qui aboutira à la vérité fondamentale du cartésianisme : je pense, donc je suis. « Pourquoi y a-t-il quelque chose plutôt que rien ? » Cette question, posée explicitement par Leibniz pour introduire à l'idée de raison suffisante, sera reprise par Heidegger pour introduire l'idée de *Grund.* L'ébranlement de tout son être que ressent l'homme devant sa faiblesse et son impuissance engendre des interrogations très différentes selon que celui qui la pose est Épictète, Augustin ou Jaspers. On pourrait le vérifier sur les spéculations les plus abstraites de philosophes contemporains comme Blanchot et Derrida. Ici, je renvoie à la subtile analyse que fait M. Dufrenne de la philosophie de ces auteurs, dans un article intitulé : « Une théologie négative ». Entre Blanchot et Derrida d'une part et Mikel Dufrenne d'autre part, ce sont deux expériences et donc deux mondes qui s'opposent : monde de l'absence, de traces, de mort — monde de présence, de chair et de vie. Ainsi, puisqu'il y a autant d'expériences différentes que d'individus, l'on peut conclure ici avec J. Brun : « Et c'est ainsi qu'il y a une éternité de l'acte de philosopher sans qu'il puisse jamais y avoir de philosophie éternelle. »

Loin de moi d'ailleurs l'intention d'expliquer ces différences par un psychologisme réducteur (comme lorsque l'on explique l'œuvre d'un auteur par sa vie, sa pensée, par des influences ou des causalités, son génie par la maladie, etc.). Non, je parle ici d'une relation plus fondamentale vécue par le sujet dans la rencontre originelle avec l'objet, laquelle implique un type d'être au monde différent selon que cette relation est vécue dans la crainte ou le désir, dans la souffrance ou la joie, dans le repliement ou l'exaltation, la passivité ou l'activité, etc. Ce type d'être au monde commande et oriente les actes singuliers qui sont justiciables d'analyses psychologiques particulières. Ce que le style révèle, c'est le postulat fondamental du philosophe qui perce à travers la façon de poser les problèmes et à travers certaines connotations de l'écriture. D'où une certaine irréductibilité entre des philosophies qui relèvent de rapports au monde opposés. De l'admettre, je crois, rendrait chacun plus ouvert à l'autre et inviterait aussi à ne pas donner trop vite raison à l'un contre l'autre. Au vrai, ce qui donne raison dans le présent de l'histoire, ce sont peut-être les aléas de la mode, le capital de forces que détiennent les différents champs culturels, etc. [6] Mais si l'expérience, à condition qu'elle ne soit plus comprise comme immédiate, mais comme réfléchie, oriente et nourrit la philosophie, elle peut aussi bien susciter l'art et la religion. L'expérience initiale — cet immédiat que nous avons évoqué — se diversifie en se réfléchissant. Pour le comprendre,

6. Nous citerons ici bien volontiers William James, si son vocabulaire ne se ressentait par moment du milieu psychologique où il évolue. Voici cependant un passage que l'on ne peut désavouer : « Chacun cependant est porté à prétendre que ses conclusions sont les seules logiques, qu'elles sont imposées par la raison universelle. Or ce ne sont jamais au fond, et à quelque degré, que des particularités d'une vision personnelle. La vision d'un homme, en effet, peut avoir beaucoup plus de valeur que celle d'un autre et nos visions sont d'ordinaire notre apport, non seulement le plus intéressant, mais le plus respectable, à cet univers où nous jouons notre rôle. » William James, *Philosophie de l'expérience,* Leçon première.

il nous faut revenir sur elle, sur ce moment où elle n'est pas encore connaissance.

Nous pouvons définir l'expérience avec Granger « un moment vécu comme totalité par un sujet ou des sujets formant une collectivité [7] ». Comment faut-il entendre cette totalité ? À la fois comme une première organisation de l'expérience, — un premier visage du monde — qui mime déjà la systématicité du savoir, mais aussi comme la proximité du sujet et de l'objet dans la perception. Il peut, en effet, s'agir ici du moment initial de la perception, décrit par Mikel Dufrenne, à la suite de Merleau-Ponty, comme celui de la « présence » :

> L'objet nous dit quelque chose comme un certain poids de l'air dit la tempête au marin, ou comme une intonation plus vive dit la colère ; mais d'une part, il le dit par lui-même, sans suggérer la représentation d'autre chose, et d'autre part, il le dit à mon corps sans éveiller encore, par ce qui serait une représentation, une autre intelligence que celle du corps. C'est ainsi que nous sommes au monde, en formant une totalité objet-sujet où l'objet et le sujet sont encore indiscernables [8].

Il peut s'agir aussi de l'intensité de l'expérience qui fait éclater les limites temporelles du vécu, lequel est saisi comme valeur absolue, ainsi que le proclament les écrits d'un Bataille [9]. Les expériences religieuse et esthétique que nous analyserons peuvent nous renseigner sur cette expérience immédiate, dont André Darbon hésite à parler faute d'instrument adéquat pour la rejoindre. « L'expérience dont nous prenons conscience, dit-il, c'est toujours une expérience jugée, comprise, une expérience en voie d'organisation qui n'est donc plus primitive. » Et pourtant, comment développer une

7. Gilles Gaston Granger, *Essai d'une philosophie du style,* Paris, Armand Colin, 1968.
8. Mikel Dufrenne, *Phénoménologie de l'expérience esthétique,* t. 2, p. 424.
9. Georges Bataille, *l'Expérience intérieure,* Paris, Gallimard, 1954.

philosophie de l'expérience sans se référer à l'expérience immédiate et à la prise qu'elle nous donne sur le réel ? A. Darbon voit l'importance du problème, sans se hasarder à y répondre. Pourtant la psychanalyse, la philosophie de l'art, et celle des religions ne peuvent se dispenser de réfléchir sur cet immédiat, même si leurs conclusions ne présentent encore qu'un degré de certitude infime ; et notre propre travail, s'il n'apporte qu'une très faible lueur au problème de l'expérience immédiate, témoignera du moins du droit de la philosophie à traiter ces problèmes.

L'expérience, c'est ce par quoi tout commence. Mais on pourrait ajouter : ce par quoi tout continue : les résultats de l'expérience s'accumulent, laissant des marques ; c'est qu'on *a* de l'expérience, qu'on *est* homme d'expérience. L'expérience qualifie alors l'individu et devient une sorte d'aptitude, voire de sagesse, qui s'est constituée en lui progressivement et qu'il possède comme être propre. Elle travaille à l'élaboration de son moi, dirait Freud [10]. Il y aurait beaucoup à dire — et nous y reviendrons — sur le retentissement de l'expérience et sur les qualités qu'il confère au sujet : l'expérience qu'on a est-elle comme la marque de l'expérience qu'on fait ? Pas toujours. « L'expérience n'est pas seulement le fruit de ce qu'il nous a été donné d'apercevoir : elle est fille de notre capacité de comprendre, de notre réflexion, de notre initiative [11]. » Mais pour l'instant, c'est le caractère initial de l'expérience qui nous intéresse : toute connaissance commence

10. « Le moi est la partie du ça qui est modifiée par l'influence directe du monde extérieur, par la médiation de Pc-Cs, d'une certaine façon il est une continuation de la différenciation superficielle » (cité par Laplanche et Pontalis). Cf. Freud, *l'Avenir d'une illusion*, p. 80 : « Notre organisation : c'est-à-dire notre appareil psychique, s'est développée justement en s'efforçant d'explorer le monde extérieur, et a par suite dû réaliser dans sa structure un certain degré d'adaptation. »
11. Ferdinand Alquié, *l'Expérience*, Paris, P.U.F., « Initiation philosophique », 1957.

avec elle, nous dit Kant. Mais elle ne dérive pas toute d'elle, ajoute-t-il. Nous n'entrerons pas ici dans le débat de l'expérience et de l'apriorisme, qui porte sur les conditions de possibilité de l'expérience, qui implique donc une philosophie transcendantale. Aussi bien F. Alquié observe-t-il que Kant entend l'expérience en deux sens : tantôt au sens des empiristes où « le mot désigne alors, dans la connaissance, les données sensibles vis-à-vis desquelles l'esprit est réceptif et, en une acception déjà plus large, les enseignements théoriques que nous tirons de ces données » , tantôt au sens rationaliste, où il désigne « la connaissance constituée, telle que la présente, par exemple, la physique [12] ». C'est de celle-là qu'il se demande comment elle est possible. De la réception du sensible, on ne peut chercher les conditions de possibilité ; bien plutôt rend-elle possible, à sa façon, le processus de la connaissance : il « commence » avec elle.

C'est donc sur cet immédiat que nous voudrions réfléchir. On sait combien cette notion est suspecte aujourd'hui. S'agit-il bien d'un immédiat, puisque déjà nous devons tenir pour l'expliciter un langage dualiste et distinguer le sujet et l'objet ? En tout cas, ce qui nous intéresse c'est le premier contact entre le sujet et cet objet, et comme leur épreuve réciproque. Il ne s'agit pas encore de connaissance [13]. Car, premièrement, la connaissance suppose précisément une distance creusée entre le sujet et l'objet, qui fait du savoir une médiation. Et deuxièmement, l'objet que le sujet rencontre ici ne deviendra pas nécessairement un objet de connaissance ; ce peut être un objet de désir, ou un objet imaginaire : l'expérience n'est pas toujours expérience d'un réel qui sera promu au savoir et

12. Ferdinand Alquié, *l'Expérience,* p. 20.
13. Et c'est justement pour cela qu'André Darbon ne veut pas en parler, lui qui relie son concept d'expérience à la connaissance. Il parle alors plutôt « d'intuitions primitives », qu'il considère comme au-dessous de l'expérience. André Darbon, *Une philosophie de l'expérience.* p. 51.

à la praxis rationnelle. On peut parler aussi bien de l'expérience de la douleur, ou de l'horreur, ou du fantastique que de la saveur d'un vin, de l'absolu, de Dieu, ou de la présence du mana. Et en effet, plutôt qu'au connu, l'expérience en appelle au vécu. Rappelons-nous la définition de Granger, et explicitons-la pour notre compte : la référence au vécu a de multiples implications.

1. Vivre pour le vivant est quelque chose de singulier et d'irremplaçable ; de même le vécu est irréductible pour un vivant qui est en même temps conscience : tout commence avec lui. Ce thème est le point de départ de la phénoménologie husserlienne, amenée tout de suite à découvrir l'enchaînement du vécu, qui nous force à étendre le vécu de conscience bien au-delà du cercle formé par les cogitations au sens spécifique.

2. Que le vécu soit grammaticalement passif, signifie le caractère de passivité propre à l'expérience. C'est ce que dit Alquié : « Le mot expérience désigne l'élément non isolable de passivité qui semble présent en toute connaissance humaine. » Élément non isolable dans la perspective kantienne d'Alquié, parce que la passivité est inséparable d'une activité de l'esprit : « L'apport de l'extérieur se joint toujours dans l'expérience à quelque réaction active ou intelligente [14] » en sorte que « l'expérience pure n'est à proprement parler jamais expérimentée [15] ». C'est pourtant cet insaisissable que vise notre réflexion. Et ce qu'il y a de passivité dans l'expérience est bien exprimé ; je fais une expérience lorsque j'éprouve une contingence : lorsque quelque chose m'arrive, ou lorsqu'il m'arrive que quelque chose me soit donné : don gratuit, événement imprévisible.

3. Reste que je dis : quelque chose *m'*arrive. C'est dire que, passif ou non, le sujet est présent à l'expérience qu'il

14. Ferdinand Alquié, *l'Expérience*, p. 4.
15. *Ibid.*, p. 5.

fait : le vécu est vécu d'un objet par un sujet. D'une part, un objet est vécu. Le participe « vécu » peut prédiquer l'objet : ainsi parle-t-on d'une réalité vécue ou aussi bien, répétons-le, d'imaginaire vécu. D'autre part, cet objet est vécu par un sujet ; le sujet se réalise dans ce qu'il vit, au point qu'un vécu peut prédiquer, non l'objet mais le mode d'être du sujet : ainsi parle-t-on d'une attente ou d'une souffrance vécue. Et il n'est pas nécessaire que l'être du sujet constitue le contenu même de l'expérience : quel que soit ce contenu, le sujet s'éprouve en l'éprouvant. Nous retrouvons ici un thème longuement développé par Sartre : toute conscience est indivisiblement conscience d'un objet (au sens large) et conscience (de) soi, la parenthèse signifiant que pour cette conscience, le soi n'est pas un objet au même titre que l'objet qu'elle vise, autrement dit que la conscience (de) soi n'est pas connaissance de soi, qu'elle est pré-réflexive et non réflexive ; le soi de la conscience ne définit pas un rapport originaire à soi. Dire avec Granger que l'expérience est un moment vécu par un sujet, c'est dire que le sujet se manifeste et s'éprouve — sans pour autant se connaître — dans l'expérience qu'il fait.

Faut-il le dire aussi des sujets formant une collectivité ? Y a-t-il une expérience collective ? Nous aurons à nous le demander, car l'affirmer requiert peut-être d'introduire l'idée d'une subjectivité elle-même collective ; en tout cas, il y a assurément une expérience singulière du collectif, par exemple, d'une situation sociale, d'un événement politique, de tout ce que Durkheim appelait un « fait social ».

Mais il faut encore dire un mot de la référence à la totalité. Que l'expérience soit un moment vécu comme totalité, cela signifie deux choses. D'abord, et c'est ce que nous avons voulu souligner, cette totalité est celle que, dans l'expérience même, le sujet forme avec l'objet, tous deux à la fois déjà séparés et encore indissociables. Ensuite, cette totalité suggère une autre dissociation : si immédiate qu'elle soit, l'expérience se laisse analyser : on peut en discerner des formes différentes, selon la diversité de ses contenus. C'est ainsi qu'Alquié distingue expérience sensible et expérience intellectuelle, expérience morale et expérience esthétique, enfin expérience religieuse, expérience mystique, expérience philosophique, sans s'arroger pour autant le droit d'ordonner ces diverses expériences en un système général de l'expérience, car « chaque expérience spécifique demande pour être reconnue ou même simplement atteinte une attitude également spécifique [16] » . Cette description de l'expérience en moments spécifiques nous autorise donc à discerner, parmi les expériences, l'expérience religieuse et l'expérience esthétique, dont l'examen et la confrontation sont notre propos. Or, ces deux expériences se diversifient-elles en produisant ou en rencontrant des institutions ? Car l'art et la religion sont des institutions. Quel est donc le rapport entre institution et expérience ? C'est ce problème qu'il nous faut maintenant examiner avant même de décrire les expériences.

---

16. Ferdinand Alquié, *l'Expérience,* p. 57.

II

Expériences et institutions

Nous avons donc choisi de décrire et de confronter les deux expériences esthétique et religieuse. Mais ces deux expériences sont nécessairement en rapport avec l'art et la religion. Quel que soit ce rapport — et nous tenterons de le cerner —, on ne peut examiner un terme sans prendre l'autre en considération. C'est pourquoi il faut nous arrêter un moment sur l'art et la religion. Que sont-ils, comment existent-ils ? Nous croyons pouvoir dire : comme des institutions. Définissons donc d'abord l'institution.

Institution, ce mot appartient au vocabulaire du droit et de la sociologie. L'institution, à bien des égards, est la réalité sociale par excellence. Pour saisir ce que cette réalité a de consistant et de contraignant, on peut définir l'institution, en un sens large, par rapport à l'individu.

Au sens large, l'institution peut être comme ce qui apparaît à l'individu sous forme d'un système, antérieur et extérieur à lui-même, et qui lui impose une certaine forme de pensée et d'action. La langue, par exemple est une institution ; s'il veut communiquer, l'individu doit l'apprendre et se conformer à ses règles, ou plus profondément se laisser former par son génie. Mieux vaut toutefois chercher le sens plus précis que les sociologues donnent au mot. Une institution dans la sociologie de Gurvitch (et bien que lui-même n'aime pas le mot), c'est à peu près ce qu'il nomme, parmi les divers « niveaux » de la réalité sociale, les appareils organisés :

> Les appareils organisés sont des conduites collectives préétablies qui sont aménagées, hiérarchisées, centralisées d'après certains modèles réfléchis et fixés d'avance dans des schémas plus ou moins rigides, formulés d'habitude dans des statuts. C'est ce palier qui exerce des contraintes sur les participants et même les non-participants [1].

Ces appareils constituent par eux-mêmes des « groupements particuliers ». Gurvitch les définit ainsi :

> Le groupe est une unité collective réelle, mais partielle, directement observable et fondée sur des attitudes collectives continues et actives, ayant une œuvre commune à accomplir, unité d'attitudes, d'œuvres et de conduites, qui constitue un cadre social structurable, tendant vers une cohésion relative des manifestations de la sociabilité [2].

On pourrait ainsi étudier telle ou telle institution en lui appliquant le subtil schéma de classification des groupements que propose Gurvitch [3]. On aurait saisi une idée de la nature, et surtout — on sait combien Gurvitch tenait à cette idée — de la « vie » de l'institution.

Par contre, si l'on voulait mettre l'accent sur ce qu'il y a d'organisé, de fixé et d'autoritaire dans l'institution, on peut se référer à l'analyse qu'en donne Malinowski [4]. L'institution, telle que la saisit l' « analyse institutionnelle » dont l' « analyse fonctionnelle » est inséparable, est alors, au sein du social, « une unité élémentaire d'organisation ». Terme consacré, dit Malinowski, mais qui n'est pas toujours claire-

1. Georges Gurvitch, *Traité de sociologie,* Paris, P.U.F., 1958, p. 162.
2. *Ibid.,* p. 187.
3. *Ibid.,* p. 197.
4. Bronislaw Malinowski, *Une théorie scientifique de la culture,* Paris, Maspero, « Points », 1968.

ment défini, ni utilisé rigoureusement. L'institution groupe certains membres de la société : ils entretiennent alors un certain rapport les uns avec les autres, et avec un élément physique précis de leur environnement naturel et artificiel. Ils coopèrent ensemble à certaines activités sociales réfléchies et spécifiques, et ils s'accordent sur certaines valeurs que ces activités présupposent ou promeuvent. « Liés par la charte de leurs desseins ou de leur mission traditionnelle, respectant les normes propres de leur association, agissant par l'intermédiaire de l'appareil matériel qu'ils manipulent, les êtres humains œuvrent de concert, et par là trouvent à satisfaire certains de leurs désirs, tout en produisant un effet sur leur environnement [5]. Soulignons, en citant encore Malinowski, les termes qui spécifient la structure et la fonction de l'institution :

> J'appelle *charte* ou statut d'une institution, le système de valeurs au nom duquel les hommes s'organisent ou s'affilient à des organisations déjà sur pied. J'appelle *personnel* d'une institution, le groupe qui s'organise d'après certains principes d'autorité, de division des fonctions, de répartition des droits et devoirs. Les *règles* ou les *normes* d'une institution sont les acquisitions d'ordre technique : savoir, faire, habitudes, normes juridiques, injonctions morales, qui sont acceptés par les affiliés, ou imposés contre leur gré. Il est clair que l'organisation du personnel et la nature du règlement observé sont toutes deux liées à la charte... Toute organisation est fondée sur ses entours matériels et leur est intimement liée... Le groupe entreprend les *activités* au nom desquelles il s'est constitué... Enfin nous avons introduit le concept de *fonction,* c'est-à-dire le résultat brut des activités organisées, en l'opposant à la charte, c'est-à-dire le but, la fin recherchée, qu'elle soit traditionnelle ou originale [6].

Le schéma suivant peut nous servir d'instrument d'analyse pour n'importe quelle institution :

Statuts

Personnel Normes

---

5. Bronislaw Malinowski, *Une théorie scientifique de la culture,* p. 48-49.
6. *Ibid.,* p. 49.

Matériel
Activités
Fonction

Ce terme d'institution, qui semble désormais attaché à la sociologie fonctionnaliste, se retrouve dans le vocabulaire de la sociologie marxiste — comme aussi d'ailleurs, le terme d'appareil. Althusser, en effet, donne souvent le nom d'institutions aux appareils idéologiques d'État (A.I.E.) [7]. La théorie des A.I.E. est un apport personnel d'Althusser à la théorie marxiste de l'État, et plus particulièrement des appareils d'État, distingués du pouvoir d'État. Ce qui importe aux yeux d'Althusser, c'est de situer et d'établir « l'autonomie relative » des supra-structures, c'est-à-dire du politique et de l'idéologique, par rapport à l'infrastructure ; « l'État et son appareil répressif appartient à la sphère du politique. Les A.I.E., leur nom l'indique, à la sphère de l'idéologie, qu'il ne faut pas entendre comme un royaume d'idées, mais comme un système de représentations, de pratiques et aussi bien d'objets. » Mais ce qui nous importe le plus, c'est que ce système se décompose en instances ou en appareils différenciés, et eux-mêmes relativement autonomes les uns par rapport aux autres. Sans doute ces diverses instances ne sont-elles pas totalement distinctes ; leur unité relative est assurée, « souvent dans des formes contradictoires, par l'idéologie dominante, celle de la classe dominante » . Mais il reste que les appareils idéologiques d'État désignent « un certain nombre de réalités qui se présentent à l'observateur immédiat sous la forme d'institutions distinctes et spécialisées... » Althusser discerne huit de ces appareils qui sont :

— A.I.E. religieux (le système des différentes Églises)

— A.I.E. scolaire (le système des différentes écoles « publiques ou privées »)

7. Louis Althusser, « Les appareils idéologiques d'État », *la Pensée*, nº 151, juin 1970, p. 3-38.

— A.I.E. familial
— A.I.E. juridique
— A.I.E. politique (le système politique, dont les différents partis)
— A.I.E. syndical
— A.I.E. de l'information (presse, radio-télé, etc.)
— A.I.E. culturel (lettres, beaux-arts, sports, etc.)

On voit donc qu'Althusser aussi recourt au terme d'institutions et que la religion et l'art figurent parmi ces institutions (l'art du moins à titre de sous-institution de l'A.I.E. culturel).

Ne cherchons pas d'autres références. On voit ce que désigne l'institution : un système social organisé, qui constitue à la fois un groupement et un champ d'activités spécifiques, et qui peut apparaître comme transcendant à l'égard de l'individu et des expériences qu'il peut faire. Vérifions donc que l'art et la religion sont bien des institutions.

Que la religion le soit ne fait aucun doute. Pour Durkheim, elle constitue le fait social par excellence puisqu'elle suppose et manifeste la transcendance du collectif. Pour les sociologues contemporains, ceux qui étudient les mythes ou se spécialisent dans la sociologie religieuse, un Le Bras par exemple, elle est sans contredit une institution au sens même où l'entend Malinowski. Elle constitue, à l'intérieur de la société globale, une totalité organisée, une petite société dans la grande, parfois coextensive à la grande. « Les religions constituent des sociétés, analogues à toutes les sociétés d'hommes ; elles se perpétuent par une incorporation réglée, répartissant en catégorie leurs membres, qui se coordonnent par obéissance nécessaire ou par volontaire association [8]. »

8. Le Bras, « Problèmes de la sociologie des religions », *in* : Georges Gurvitch, *Traité de sociologie,* p. 81.

Le meilleur modèle de cette société pour des Occidentaux est sans contredit l'Église [9]. De cette société, on peut faire l'anatomie et la physiologie. « Quand nous avons achevé l'anatomie d'une société religieuse, notre curiosité se porte sur toutes les manifestations de sa vie [10]. » Sa vie tient à la vie de ses membres : le sociologue recherche les signes très divers de la fidélité apparente à la religion impliquée par l'appartenance à l'Église. La pratique religieuse constitue l'un de ces signes, facilement observable, mais qui doit être plus rigoureusement appréhendé par la psychologie des pratiques collectives. Quel est l'état de santé du corps religieux : résiste-t-il au temps ? Quels sont les rapports entre l'Église et la société globale, leur influence mutuelle ? Autant de questions que se pose le sociologue, auxquelles il essaiera de répondre de façon précise, à l'aide de méthodes appropriées. Pour nous, il importe seulement de remarquer ici comment l'institutionnalisation de la religion est pour lui hors de doute, puisqu'il en fait l'objet de sa recherche.

Que l'art soit une institution, au même titre que la religion n'apparaît pas aussi clairement à notre époque. Il a fallu les travaux d'un Francastel, d'un Bourdieu et tout récemment d'un Le Bot pour cerner la réalité sociologique de l'art. Ce que Francastel nous enseigne, c'est que l'art constitue un système qui a, au sein de l'histoire globale, son histoire propre. Cette histoire peut nous instruire de celle de la société, mais elle obéit à des lois propres. Cette histoire de la pratique artistique est l'histoire d'un certain langage. Car les œuvres ont leur propre langage. Si nous voulons communiquer avec elles et si nous voulons comprendre leur production, il nous

---

9. Pour Althusser, l'Église fut un appareil idéologique d'État dominant dans la période historique précapitaliste. Cf. Louis Althusser, « Les appareils idéologiques d'État », *la Pensée*, nº 151, juin 1970, p. 43.
10. Le Bras, « Problèmes de la sociologie des religions », *in* : G. Gurvitch, *Traité de sociologie*, p. 83.

faut apprendre ce langage. En ce sens, le corpus des œuvres, considéré dans la synchronie et dans la diachronie, et selon les rapports qu'il entretient avec la totalité sociale et culturelle, constitue déjà une institution au sens le plus large du mot : un ensemble, un champ. Mais une institution proprement sociale ? Oui, il importe de le reconnaître, nous disent Bourdieu et Le Bot. Déjà dans les sociétés archaïques, et jusque dans la société médiévale, l'art est fortement institutionnalisé. Que ce soit dans les mythes ou dans les statuts de la corporation, sa finalité didactique ou rituelle est clairement établie. De même, les pratiques sont réglées, fixées et enseignées en laissant fort peu de place à l'initiative et à l'innovation : sorciers ou artisans obéissent à des normes strictes d'exécution, lorsqu'ils fabriquent le masque, l'image, la statue, la cathédrale qu'on réclame d'eux. La coutume de la guilde ou de la corporation régit leur travail. Non seulement elle légifère sur le « métier » , mais elle organise ceux qui le pratiquent en une profession qui exerce une fonction propre au sein de la société : transmettre par l'image l'idéologie religieuse et politique du groupe, et intégrer ainsi les membres à la communauté. Au moment où l'artiste conquiert un statut qui lui est propre, à la Renaissance, là on peut discerner une organisation de l'art qui se fait ordinairement à la Cour grâce à la bienveillance du Roi et de quelque mécène. Les *fins patentes* de l'œuvre d'art peuvent être déterminées par les artistes, ainsi que les *normes,* mais la *charte* et la *fonction* de l'œuvre n'ont pas tellement changé. Au lieu de faire connaître Dieu, il s'agit de propager l'image du Roi, d'« imiter » un réel réduit au vraisemblable, c'est-à-dire convenu et convenable, sans extravagance, et de faire ainsi accepter l'ordre établi.

Au dix-neuvième siècle, à côté de l'art traditionnel surgira, avec l'image de l'artiste solitaire et maudit, un autre aspect de l'art qui se voudra marginal par rapport à la société et qui contestera les académismes. Dans une certaine mesure, cette marginalité est une garantie d'autonomie. Mais Bourdieu nous montre comment, à mesure que l'artiste et l'intellectuel s'affranchissent, économiquement et socialement, de la tutelle de l'Église et de l'aristocratie et de leurs valeurs, éthiques et esthétiques respectives, en même temps apparaissent des instances spécifiques de sélection et de consécration proprement intellectuelles et placées en situation de concurrence pour la légitimité culturelle. Ainsi donc la vie intellectuelle s'est organisée progressivement en un *champ intellectuel, régi par ses lois propres,* qui a bien les caractères de l'institution [11]. Par ses lois propres ? Pas exactement : l'institution — comme toute supra-structure — n'a qu'une indépendance relative. Elle n'échappe pas aux contraintes économiques et sociales. Les lois du marché pèsent lourdement sur l'art à mesure que la production n'obéit plus à la commande directe et entre dans le circuit de distribution. Tous les agents de la commercialisation — éditeurs, marchands de tableaux, agents de l'État — s'insèrent dans le champ intellectuel, en même temps que tous ceux qui font office d'intermédiaires culturels entre l'œuvre et le public [12]. D'autre part, l'idéologie propre de l'institution est largement contaminée par l'idéologie dominante qui met l'art, à son insu, au service des pouvoirs. Ainsi Dubuffet dénonce-t-il un art qui est prisonnier de l'« asphyxiante culture » comme il l'était autrefois de la religion : la culture tend à prendre la place qui fut naguère celle de la religion. Comme celle-ci, elle a maintenant ses prêtres, ses prophètes, ses saints, ses collèges de dignitaires [13].

Sans doute, il semble que l'artiste au vingtième siècle veuille lucidement renoncer à l'art pour l'art, pour se trouver une *fonction sociale,* mais qui ne soit pas celle que veut lui

11. Pierre Bourdieu, « Champ intellectuel et projet créateur », *Temps modernes,* nº 246, novembre 1966, p. 865-906.
12. C'est ce qu'a très clairement montré Raymonde Moulin dans son livre : *le Marché de la peinture en France,* Paris, Éditions de Minuit, 1967.
13. Jean Dubuffet, *Asphyxiante culture,* Paris, J.J. Pauvert, 1968, p. 13.

faire jouer le pouvoir, mais au contraire celle d'une contestation globale ou d'une critique révolutionnaire qui serait vécue au niveau des masses. C'est le sens de mouvements comme l'avant-garde russe, le dadaïsme, le *pop art,* le *happening,* la jeune peinture, etc. Mais le système semble avoir bientôt raison de ces enfants terribles : la « culture » les prend en charge et les rend inoffensifs, l'économie les récupère : leurs œuvres circulent dans des réseaux d'échange. Il est difficile d'être un guérilléro de l'art ! Pourtant les artistes ne se découragent pas : d'autres prennent la relève, et tirent parti de la liberté qui reste concédée à l'art dans nos sociétés [14]. Cette liberté est le privilège de l'institution. Aussi pouvons-nous conclure que l'art, comme la religion, est bien, dans la structure présente de nos sociétés, une institution.

La réalité des institutions et leur disponibilité à une étude positive opposent une objection importante à notre projet d'examen de l'expérience : pourquoi ne pas étudier l'institution plutôt que l'expérience ? Pourquoi différer d'entreprendre une sociologie de la religion ou de l'art, et s'attarder à décrire l'expérience ? L'objection est d'abord une objection de principe : c'est que l'expérience comme telle, à la différence de l'institution, ne peut faire l'objet d'un savoir positif, d'un discours rigoureux. Pourquoi ?

D'abord parce qu'elle n'est pas elle-même savoir. Elle peut comporter du savoir comme on l'a dit au chapitre premier : l'homme d'expérience n'est pas un ignorant, ni un naïf ; mais c'est un sage plutôt qu'un savant : ses connaissances sont

14. C'est à partir de là qu'on peut concevoir l'avenir de l'art : d'une part, le multiple dans des petits groupes d'artistes — guérilléros qui font naître de nouvelles formes, lesquelles anticipent sur la société à venir, et d'autre part la valorisation au niveau populaire du faire artistique qui seul peut éveiller les capacités perceptives (art naïf-populaire nécessairement assez près des normes sociales). Mais cela demanderait de longs développements. Je me réserve d'y revenir plus tard.

intimement liées à la vie. Elles lui servent à s'accomplir dans un vivre raisonnable plutôt que dans une pensée rationnelle. Davantage, l'expérience est encore moins une connaissance — elle ne l'est plus du tout — quand nous la situons, comme nous l'avons fait, au premier niveau de la perception, que nous pouvons appeler présence, en deçа de la représentation et *a fortiori* de la coupure épistémologique. Le sujet y est encore tout mêlé à l'objet et du même coup le réel à l'imaginaire.

Ensuite et surtout parce que le savoir positif porte sur un objet, préalablement déterminé au sein du donné par un appareil conceptuel, et non sur du vécu comme tel. Sans doute, cet objet n'est pas coupé radicalement de l'expérience. Des épistémologues comme Granger réservent le nom d'objet justement « au couplage des choses (visées dans l'expérience) et du modèle abstrait que propose la science [15] ». Car l'expérience seule ne suffit pas à livrer l'objet : l'objet est une réalité déterminée : élaborée, schématisée, inscrite dans un système de relations syntagmatiques et paradigmatiques, donc en voie de conceptualisation et en même temps offert à une pratique qui le maîtrise. Il n'y a d'objet de savoir que déjà théorisé : c'est l'intervention de la théorie, si primitive soit-elle, qui marque le seuil du savoir, opère une coupure épistémologique. Quant au vécu, à l'immédiatement donné, qui est subjectif, confus, évanescent, — par exemple une douleur ou un ravissement —, il ne peut devenir objet de savoir qu'à condition d'être réduit ou transformé, faute de quoi l'on retomberait dans « une méthodologie archaïque des sciences humaines, consistant à décrire une expérience vécue et non un objet [16] ».

Il faut donc substituer à ce vécu un objet proprement dit : par exemple, au lieu d'étudier la souffrance en ce qu'elle a de singulier et à la limite d'indicible, étudier le comportement de la douleur, qui peut être observé du dehors, mesuré, modi-

15. Gilles Gaston Granger, *Essai d'une philosophie du style*, p. 209.
16. *Ibid.*, p. 131.

fié, structuré, ou encore des faits statistiques comme l'ensemble des comportements de la douleur dans un groupe donné, comparable avec un autre groupe. Ainsi l'épistémologie contemporaine retrouve-t-elle la vieille idée d'Auguste Comte : l'introspection n'est pas justiciable de la science. Donc, si la science se réfère à l'expérience, ce n'est pas pour la décrire, mais pour la réduire.

Que répondre à cette objection ? Lui accorder d'abord que la description de l'expérience n'est pas l'affaire de la science. Mais ne peut-elle l'être de la philosophie ? Sans doute, les épistémologues veulent que la philosophie soit principalement — quand ce n'est pas uniquement — une réflexion sur des « savoirs » : ils se donnent comme objet d'analyse les résultats obtenus par les sciences mathématiques, physiques et humaines pour en montrer la genèse et en justifier la légitimité. Mais certains d'entre eux reconnaissent à la philosophie le droit à une autre entreprise, dans un autre champ d'investigation. Ainsi Granger admet qu'à côté de la science qui reste première, la philosophie peut entreprendre une herméneutique (il ne dit pas une phénoménologie) des significations vécues dans l'expérience : elle opère alors au niveau du rapport entre expression et expérience vécue, mais à condition, ajoute-t-il, de déterminer au préalable, par un essai critique, le contour et le mécanisme de l'activité structurante [17].

Au savant, il appartient de se déterminer un objet, sur quoi portera ses investigations. Pour nous, nous ne prétendons pas faire œuvre de science, mais seulement de décrire et confronter des expériences. Nous croyons :

1. que cette description peut être intéressante : il n'est pas indifférent de reprendre ce que les hommes vivent, car c'est en fonction de cela qu'ils agissent et ni leurs actions, ni leurs motivations ne sauraient laisser la ré-

17. Gilles Gaston Granger, *Essai d'une philosophie du style,* p. 144.

flexion indifférente. Althusser le sait bien, si soucieux qu'il soit de promouvoir un savoir rigoureux. L'idéologie, dit-il, ne disparaîtra jamais pour faire place nette à la science, même dans une société sans classe. Pourquoi ? Parce qu'elle exprime le rapport vécu des hommes à leur monde : les hommes seront toujours au monde. L'idéologie, c'est ce qu'il y a d'imaginaire dans ce rapport ; mais ce rapport n'est pas tout entier imaginaire : il comporte aussi ce que nous appelons l'expérience. Et cette expérience est indéclinable. C'est même en fonction d'elle que les savants font une science qui la récuse ! Car l'impérialisme du savoir peut se comprendre par un désir de savoir qui appartient au vécu personnel de savants. Il se peut assurément que l'expérience soit non seulement confuse, mais illusoire, ainsi pour la girouette de Spinoza ; reste que l'illusion commande l'activité ; et il ne suffit pas de la dénoncer pour la supprimer, il faut opposer une expérience à une autre (Spinoza dit : opposer une passion joyeuse à une passion triste). On verra ainsi qu'une certaine expérience peut aujourd'hui s'opposer à l'expérience religieuse. D'ailleurs décrire une expérience ne signifie pas que nous la tenons pour vraie, mais pour réelle ;

2. que cette description peut être rigoureuse ; elle peut constituer une eidétique : il s'agit de dire l'essentiel même si l'essence est fausse. Mais d'après quels critères déterminer cet essentiel ? Nous n'aurons garde de l'établir d'après un schéma psychanalytique ou sociologique, si la personne qui a vécu l'expérience ne l'a elle-même fait : ce serait faire encore de la science ! Mais nous nous contenterons de mettre en relief le vécu qui s'exprime dans des discours étudiés (car l'expérience, chez qui la vit, tend à s'exprimer). Nous essaierons de donner une analyse rigoureuse des textes, mais sans les démystifier trop vite.

Mais l'objection à laquelle nous nous heurtons peut rebondir : même si nous ne prétendons pas faire œuvre de science, il reste, maintenant dans l'ordre des faits, deux raisons pour préférer l'étude de l'institution à l'étude de l'expérience. La première, c'est que l'étude de phénomènes collectifs est plus facile et plus positive que l'étude de phénomènes individuels. Ainsi quand on étudie la science elle-même, comme domaine de l'activité humaine, on étudie le plus souvent une coupe synchronique, un certain moment du savoir ou de l'*épistémè,* par exemple la chimie du temps de Lavoisier, la physique du temps de Newton. Si, en outre, on étudie la démarche d'un savant (Koyré sur Galilée), ce n'est pas selon son vécu, mais dans ses procédures et ses résultats : cette démarche est exemplaire d'un mouvement d'idées qui s'accomplit dans la science sans rien devoir à la subjectivité du savant, et c'est de cette façon qu'on peut étudier l'histoire d'un concept ou d'une théorie. Or la religion et l'art sont bien des phénomènes collectifs : des institutions qui produisent des œuvres. À ce titre, ils sont doublement justiciables du savoir : d'une part, selon qu'on les étudie dans leur organisation interne : ils relèvent alors d'une analyse historique et sociologique, et aussi d'une étude comparative qui permet seule de préciser leur fonction et leur sens en les saisissant à l'échelle de la collectivité. D'autre part, selon qu'on les étudie dans leurs produits respectifs : les discours où ils s'expriment, les œuvres qu'ils suscitent. Dès lors, nous dira-t-on, pourquoi ne pas étudier l'art et la religion dans leurs dimensions collective et historique ? Plutôt que d'étudier l'expérience dans sa singularité mal saisissable, pourquoi ne pas étudier des états de la conscience religieuse ou de la conscience artistique selon qu'ils se laissent discerner à travers des œuvres et des institutions ?

À cela, nous pouvons répondre tout de suite que nous avons bien conscience des difficultés d'une description de l'expérience, et qu'en fait, nous allons recourir à l'examen des discours et des œuvres, faute de quoi l'analyse risquerait de se perdre dans les sables. La belle âme aussi s'évapore, si son intériorité ne s'actualise pas dans l'extériorité ! Mais nous procéderons à cet examen au bénéfice d'une étude de l'expérience : c'est la réalité de l'expérience que nous chercherons à travers œuvre et discours. Car cette réalité, nous le redirons bientôt, nous paraît irréductible.

Cependant, cette irréductibilité peut être contestée. Elle l'est lorsqu'on oppose une deuxième raison à l'étude de l'expérience : c'est que l'individuel est subordonné au collectif et donc l'expérience à l'institution. Si l'on veut se référer à l'expérience, on ne peut oublier qu'elle est conditionnée par l'institution ; plus précisément on peut montrer que l'institution *suscite* l'expérience, qu'elle la *contrôle,* et parfois qu'elle la *réprime.* Qu'elle suscite l'expérience religieuse, c'est bien la leçon de Durkheim : l'expérience religieuse, c'est l'expérience de l'effervescence du groupe. Et cet état se reproduit dans l'exercice du culte que le groupe organise [18]. Cette expérience peut naître aussi à l'intérieur d'églises et de sectes variées qui l'imposent à leurs adhérents dès leur plus jeune âge, par des rites appropriés. Elle peut d'ailleurs apparaître comme le produit de la névrose collective du groupe, selon que l'interprète déjà Freud. Il en va de même pour l'expérience esthétique : dans les sociétés fortement intégrées, cette expérience s'inscrit dans la vie du groupe, elle est très souvent provoquée par des rites religieux, mais elle peut aussi être mise au service des pouvoirs séculier et religieux, qui font assumer à l'art des fonctions didactiques et éthiques (pyramides, sculpture des églises, hymnes guerriers, etc.). Mais même dans les sociétés dites ouvertes, où cette expérience semble offerte à l'initiative

---

18. Émile Durkheim, *Formes élémentaires de la vie religieuse,* Paris, P.U.F., 1960, p. 598-599. « ... il faut évidemment que la vie religieuse soit la forme éminente et comme une expression raccourcie de la vie collective tout entière. Si la religion a engendré tout ce qu'il y a d'essentiel dans la société, c'est que l'idée de la société est l'âme de la religion. » « Nous avons vu, en effet, que si la vie collective, quand elle a atteint un certain degré d'intensité, donne éveil à la pensée religieuse, c'est parce qu'elle détermine un état d'effervescence qui change les conditions de l'activité psychique... »

de l'individu, producteur ou consommateur, n'est-elle pas à la fois organisée et réservée à la classe dominante ? Elle n'est reconnue comme telle que lorsqu'elle obéit à des normes qui sont transmises par des institutions. L'expérience esthétique n'est pas une fête privée, même dans le cas de la lecture solitaire. Ainsi « pour connaître l'extension et la compréhension de la catégorie des réalités reconnues pour esthétiques par chacune des formations sociales qui l'étudient, l'ethnologue et le sociologue ne peuvent que situer leur analyse au plan des institutions artistiques... et de la lutte idéologique [19]... ».

Aussi bien, l'institution, pour être logique avec elle-même, après avoir suscité l'expérience religieuse ou esthétique, les *contrôle-t-elle.* Ainsi en est-il de l'Église quelle qu'elle soit qui revendique un pouvoir nécessairement infaillible — indépendamment du dogme de l'infaillibilité pontificale ! — et réclame de ses sujets une totale obéissance. Le vécu des sujets n'est-il pas alors entièrement conditionné par les normes dogmatiques et rituelles qui leur sont imposées ? Être chrétien, par exemple, consiste à dire telles prières, à éprouver tels sentiments, à faire tels gestes. Les livres de spiritualité et de théologie ainsi que l'enseignement oral des prêtres règlementent les actes et même le vécu intentionnel du croyant. Plus les pressions sont fortes comme dans les communautés religieuses et surtout dans celles qui sont cloîtrées, plus les expériences risquent d'être uniquement le produit de l'institution. En effet, la voix du supérieur y joue alors le rôle d'un rappel constant de toutes les normes de la foi et en outre de la règle propre du couvent. *Memento mori ! Memento orare ! Memento... memento !* L'organisation entière de la communauté — qui devient souvent un clan, un groupe « primitif » quand le pouvoir de l'autorité est absolu et que le milieu est fermé à toute influence étrangère — concourt alors à rappeler le type idéal d'expérience qui

19. Marc Le Bot, *Peinture et machinisme,* Paris, Klincksieck, « La collection d'esthétique », 1973.

convient à un saint de tel ordre. Ainsi dans la Règle bénédictine, présente-t-on comme modèle à imiter le moine qui n'est plus qu'une « bête de somme » en face de l'autorité, un numéro dans la communauté, c'est-à-dire un pur reflet du groupe [20].

Ainsi en est-il aussi pour l'expérience esthétique des académies et des écoles — quoique leur influence soit plus difficilement circonscrite — qui, selon les théories de Bourdieu auxquelles nous nous référions plus haut, édictent des normes à la fois pour la création et pour la réception de l'œuvre d'art. Tels sont ces préceptes du convenable, du beau, du bon goût, qui changent selon les époques, mais qui ont toujours la même autorité. Ici l'école joue un rôle de premier plan comme institution au service de l'État. D'abord elle ne présente comme modèles que les chefs-d'œuvre qu'elle a elle-même déterminés comme tels : résultat « d'un choix spécieux fait par les gens de culture de leur temps, certainement très conditionnés, et ensuite, comme nous délivrant des pensées altérées — pensées qui ne sont d'ailleurs que celles, très particulières, de gens de culture, appartenant à une minuscule caste [21] ». Puis elle exige comme normes que les étudiants se conforment pour leur compte aux règles qu'elle dégage de l'étude de ces chefs-d'œuvre. (Influence que l'État perpétue d'ailleurs en dehors des cadres de l'école proprement dite par des institutions comme le musée, les maisons de culture et même les expositions qu'il organise.) À toute époque, l'« honnête homme » est celui qui parle, écrit, crée, selon ces règles. Et bien entendu, cet honnête homme est en même temps celui qui a le pouvoir politique et économique ! L'expérience esthétique peut-elle y échapper ?

Bien plus, l'institution qui est naturellement conservatrice réprime non seulement sournoisement, en les empêchant de

---

20. Saint Benoît, « Règle des moines », *Sources chrétiennes*, Paris, Cerf, 1971, chap. 7e, Les degrés d'humilité.
21. Jean Dubuffet, *Asphyxiante culture*, p. 27-28.

s'épanouir toute velléité d'expérience différente de ses normes, mais officiellement et souvent violemment tout vécu spontané et anarchique qui réussit à percer en son sein : l'Église se méfie des mystiques, des réformateurs, voire même des saints, car ils s'éloignent tout comme les pécheurs notoires de la norme institutionnelle qui est nécessairement une moyenne, puisqu'elle est constituée de toutes les caractéristiques d'une essence qui intègre des vertus souvent opposées : charité et contemplation, silence et ouverture, obéissance et responsabilité ; ces vertus doivent donc être réduites pratiquement à l'état de vertus cardinales dont on dit : *in medio stat virtus ;* les musées et les expositions se ferment aux artistes trop novateurs — Pompidou aurait-il été leur Messie ? —, les salles de théâtre officielles aux pièces nouvelles trop hardies. L'État condamne ceux qui de près ou de loin le contestent. Ainsi tout récemment Jean-Louis Barrault qui vit l'Odéon occupé par les contestataires de mai 1968 : lui-même n'était pas très impliqué dans la situation et pourtant il perdit son théâtre ! Le public aussi subit la répression et la propage ; la censure est intériorisée : il y a un surmoi esthétique. Parfois la répression est plus subtile : elle prend la forme de la récupération : en reconnaissant, en légitimant l'expérience, on l'apprivoise, on lui ôte son sens, on en fait un divertissement toléré ou une mode inoffensive. C'est pourquoi les artistes contestent violemment le pouvoir quand ils croient déceler dans son approbation une forme habile de récupération [22].

---

22. N'est-ce pas dans ce sens qu'il faut comprendre la dénonciation massive de l'exposition Pompidou par l'avant-garde des peintres de l'école de peinture de Paris, au printemps 1972 ? Mais le Président de la République ne semble pas à court de moyens — puisqu'il est un homme de goût et de culture ! : d'une part, il se dit personnellement d'accord avec les artistes les plus révolutionnaires — le projet de l'architecte Aillaud, par exemple, qui veut fermer la perspective des Champs-Élysées — mais d'autre part, quand il s'agit de passer à la réalisation des projets, en tant que Président, il se retranche dans une sage prudence, d'où la conclusion de Pierre Schneider dans *l'Express* du 29 octobre 1972,

Tout cela est vrai, nous ne le dirons jamais assez. Quand on ne se limite pas à *décrire l'expérience,* et qu'on veut *l'expliquer,* savoir comment elle est possible, et comment elle varie d'une société à l'autre, il faut voir comment elle est conditionnée de par son rapport aux institutions et aux structures sociales. Mais il est aussi vrai que l'expérience, quelle qu'elle soit, est une réalité vécue dont aucune théorie ne peut rendre compte entièrement et qu'il faut décrire pour elle-même. Des sociologues eux-mêmes, tant de l'art que de la religion, en témoignent. Ainsi Le Bras écrit-il dans le *Traité de sociologie* de Gurvitch :

> Il nous paraît certain qu'aucune science n'atteindra toutes les profondeurs du sentiment religieux. L'expérience intime, qui est l'essence de la religion, échappe à notre vue : nous n'en percevons que des manifestations superficielles et dont l'interprétation reste conjoncturale [23].

Et Francastel affirme-t-il de son côté :

> Toute image figurative est le terme d'une expérience et, en même temps, le point de départ d'une nouvelle expérience qui la réintroduit dans l'esprit de son auteur comme un point fixe autour duquel se cristallisent ensuite des processus combinés de pensée et d'action [24].

Qu'il y ait dans la subjectivité du vécu quelque chose de singulier et d'irréductible, on peut d'abord le vérifier à ceci que de l'institution même, il y a une expérience. C'est ainsi que Duméry propose une phénoménologie de la religion. C'est en quoi l'expérience *accomplit* l'institution. Nous pouvons encore ajouter que le rapport s'inverse, que l'expérience à son tour est

---

n° 1 111 : « L'amateur éclairé qui se livre au monde conclut : « Voilà ce que je pense dans un domaine où je m'empresse de dire que j'ai mes idées, mais ne cherche nullement à les imposer. » Visiblement, en effet, cet homme sait ce qu'il faut faire. Oui, il est vraiment dommage que monsieur Georges Pompidou ne soit pas installé à l'Élysée. »

23. Georges Gurvitch, *Traité de sociologie,* t. 2, p. 96.
24. *Ibid.,* p. 284.

conditionnante par rapport à l'institution parce qu'elle la *suscite* et parce qu'elle la *modifie.*

Voyons d'abord comment l'expérience *accomplit* l'institution. Que l'expérience accomplisse l'institution, cela signifie deux choses. D'abord que, même si l'institution finit par se prendre pour fin, comme bien des régimes totalitaires l'attestent (et déjà la bureaucratie, telle que l'analyse Marx !) elle a d'abord l'individu comme fin. C'est ce qu'exprime Malinowski dans sa théorie fonctionnelle : elle répond à des besoins, même si elle les crée pour se justifier ; et si elle ne les satisfaisait pas de quelque façon, si elle n'assumait pas des fonctions latentes autant que des fonctions officielles, elle disparaîtrait. Ensuite, elle ne se perpétue que parce que l'individu la vit : s'il n'y avait plus de croyants, c'est-à-dire d'hommes qui vivent une expérience religieuse, l'Église disparaîtrait, l'appareil ne pourrait se maintenir indéfiniment lui-même.

De plus, elle peut *susciter* l'institution : quand elle veut se communiquer et se régler. Il est courant que des sectes ou des groupes marginaux se fondent pour organiser des expériences qui ont d'abord été individuelles. À l'origine du protestantisme, il y a sans doute l'expérience intime d'un Luther et d'un Calvin. Et Weber aurait-il pu parler d'une action du protestantisme sur le capitalisme naissant, si l'idée que la prospérité individuelle est le signe de la bénédiction divine de l'élection n'avait pas été vécue par certains croyants ? Le groupe des automatistes au Québec s'est constitué autour de l'expérience de l'art d'un Borduas, et de nombreux groupes d'artistes français ne s'expliqueraient pas sans l'expérience de mai 1968. (Car les événements que l'historien dira politiques sont vécus aussi comme des expériences). Ce rôle dynamique de l'expérience, nous le retrouvons encore quand l'expérience *change* l'institution. Car il faut dialectiser l'institution, le système : il y a toujours en lui des fissures, du négatif, que l'expérience peut exploiter et développer. C'est ce que montrent les prophètes et les saints. À l'origine de leur vocation réformatrice, il y a une expérience fondamentale : celle du Dieu pur et saint, comme chez un Isaïe, qui veut nettoyer la maison d'Israël, ou celle du Christ pauvre et plein d'amour, comme chez François d'Assise, qui désire dépouiller l'Église de ses richesses pour les communiquer aux déshérités. Les mystiques aussi deviennent souvent des militants qui modifient l'institution (Jean de la Croix et Thérèse de Jésus réformeront le Carmel) ou en créent de nouvelles. De même l'art, comme institution, est ordinairement autoritaire et conservateur ; mais l'expérience du créateur n'est pas totalement soumise au système, même si elle est récupérée par lui. Car si l'on analyse le système du champ culturel lui-même, on s'aperçoit que les impératifs qui y règnent n'empêchent pas des formes neuves de surgir. Le phénomène de la « Jeune peinture » est éloquent. Si la recherche d'un « art de signification » semble être requise, d'après Le Bot reprenant ici une idée de Lévi-Strauss [25], par le mouvement artistique de Cézanne à nos jours, le retour du figuratif par une équipe qui produit l'œuvre collectivement, à des fins contestatrices, témoigne bien d'une création originale, capable de s'opposer à des conceptions antérieures et de vivifier le champ culturel. De même, le goût de certains groupes du public peut s'opposer à l'idéologie régnante, même s'il en produit une autre : par exemple, les groupes de jeunes dont les goûts sont nettement différents de ceux des gens en place parviennent à avoir leur théâtre, leurs expositions, etc. Même à l'égard du système social, qui la conditionne en dernière analyse à travers l'institution, l'expérience esthétique peut revendiquer une certaine liberté et exercer une certaine action. Comme le dit si bien M. Revault d'Allonnes qui, tout en constatant la force du système, se refuse à voir en lui un absolu de la contrainte, le système social est obligé non seulement

25. Cf. Marc Le Bot, Notes de cours, Nanterre, 1971-1972, à propos d'un texte de Claude Lévi-Strauss que l'on trouve dans les entretiens avec Charbonnier.

d'« aménager » le domaine de l'art mais de le « ménager ». Il ne peut mettre tous les artistes récalcitrants en prison ou dans un hôpital psychiatrique ! Il préfère « reconnaître à l'art un statut propre, en faire un mode de production non atteint et non régi par la loi du rendement [26] ». Au lieu d'ostraciser les contestataires, il les adopte : il fait appel à des architectes comme Le Corbusier, Aillaud ou Schœffer pour renouveler l'urbanisme. Bien sûr, c'est dans l'espoir de les désarmer, de les contrôler, comme nous l'avons dit ; mais il ne gagne pas toujours à ce jeu, et son inertie peut être ébranlée. Il en est ainsi dans bien d'autres domaines.

Ainsi il y a une histoire des institutions, non seulement culturelles mais sociales ; et si elles changent, c'est en partie par l'effet d'expériences vécues et communiquées par des individus. Le social passe par l'individuel : par l'expérience de l'individu, et ceci nous autorise à privilégier ici cette expérience.

Mais il nous faut encore revenir sur l'opposition du collectif à l'individuel. Ici une remarque importante. Réhabiliter l'expérience, c'est réhabiliter le sujet, la subjectivité. Mais le sujet est-il uniquement individuel ? Ne peut-on faire place à un sujet collectif ? Les sociologues le font ainsi que les psychologues sociaux : Gurvitch parle du *nous* qui est autre chose que toi et moi. Bien des expériences ont été faites, *brain storming, team teaching,* groupes de formation qui mettent en relief le dynamisme producteur du groupe : l'œuvre produite n'est pas le total des œuvres individuelles, mais une réalité nouvelle qui n'a été faite que par le dit groupe, au moment exact de son expérience vécue collectivement. C'est ce qui caractérise les productions de groupe comme celles des « Malassis » à l'intérieur de la « Jeune Peinture ». Pour

26. Olivier Revault d'Allones, *la Création artistique et les promesses de la liberté,* Paris, Klincksieck, « La collection d'esthétique », 1973, p. 271.

eux, il s'agit de « passer du fantasme individuel à l'image collective... plus proche de l'expression politique ». «L'œuvre ainsi réalisée, ajoutent-ils, ne doit ressembler à aucune de celles d'entre nous, elle doit être plus qu'une simple addition ou juxtaposition ; le résultat doit faire apparaître des images spécifiques qui rendent l'expérience — sans préjuger de sa qualité — irremplaçable [27]. » On peut évoquer encore une autre expérience qu'analyse longuement M. Revault, au chapitre six de son livre à propos du *rebetiko* [28]. Le *rebetiko,* chanson populaire grecque du prolétariat urbain de la fin du dix-neuvième siècle aux années 1950, a ordinairement à son origine un compositeur individuel, mais il est tellement assumé par la communauté marginale qui le chante qu'il s'identifie pour ainsi dire à elle. Ainsi l'on ne dit pas le *rebetiko* de tel auteur, mais de telle communauté. C'est souvent le cas du folklore et encore aujourd'hui de la chanson populaire religieuse ou profane. À l'origine, il n'y a pas d'auteur connu. Mais si donc il n'y a pas l'expérience d'un créateur, il y a une expérience de la création, qui se diversifie d'ailleurs selon les groupes qui adoptent la chanson, chacun y apportant sa nuance : il y a donc expérience. C'est l'institution de l'art qui individualise le créateur et lui confère des droits. Et en particulier, le régime de la propriété capitaliste. La publicité aussi : elle ne supporte pas ce statut anonyme de l'œuvre : la création de vedettes est plus rentable. C'est pourquoi même si un groupe social s'identifie bien à une chanson, cette identification ne sera jamais totale, parce que l'auteur-vedette sera toujours là pour faire écran et réclamer applaudissements, hommages et bénéfices. Dans ce contexte de *best-seller* commercial, la chanson populaire est peut-être l'expression d'une aliénation, plus que d'une expérience de groupe originale. On est loin de la remise en cause du système par le *rebetiko* ou de l'esprit critique des vieilles chansons folkloriques.

27. *Le Bulletin de la jeune peinture,* novembre 1971, p. 5.
28. Olivier Revault d'Allones, *la Création artistique et les promesses de la liberté,* chap. 6.

On peut donc parler d'expériences collectives comme d'un sujet collectif : mais reste à en préciser le sens et à faire quelques réserves. L'expérience collective peut avoir plusieurs sens.

Sujet collectif, cela peut être :

1. *Un sujet dépersonnalisé* : le schizophrène qui renonce à dire : « moi », dont parle Deleuze ; le moine ou le religieux qui, parvenu au huitième degré d'humilité selon la règle de saint Benoît, se considère comme un numéro dans la communauté, n'ayant rien en propre, pas même sa volonté. Ce peut être aussi le rêveur qui se fond dans la nature, la pythie, écho du cosmos. Mais se dépersonnaliser n'est pas se collectiviser : le « je » n'est pas remplacé par un « nous », même quand l'individu prétend être l'incarnation, l'oracle du groupe comme dans le cas du *führer* charismatique ;

2. *Un sujet élaboré statistiquement* : une population, un groupe qui agit en tant que tel (nous, les élèves de telle école, les membres de tel syndicat, etc.) ou que le sociologue détermine comme tel (groupes d'âge). Selon les cas, il y a ou non, conscience de soi du groupe.

Expérience collective, cela peut vouloir dire :

— *Expérience par le collectif* : apprentissage, socialisation, culture. Nous retrouvons ici l'idée que l'expérience même singulière est conditionnée par la culture ;

— *Expérience du collectif* : ici je distinguerai les expériences des microgroupes et celles des macrogroupes. Les premières sont vécues à des fins précises de travail ou de loisirs. Or quel que soit l'enthousiasme d'une équipe de hockey au jeu, ce qui la constitue c'est la maîtrise de chacun des joueurs, qui donne son meilleur rendement, tout en coordonnant son jeu à celui de l'équipe. Cette même exigence est imposée aux compagnons par le maître d'atelier ou le maître d'œuvre. Les secondes sont celles qu'on fait dans la foule, la cérémonie, la manifestation, etc. jusqu'à se dépersonnaliser, ne plus se reconnaître (dans l'effervescence ou la panique), comme tout à l'heure dans l'inspiration pythique. Mais devient-on alors anonyme ? Oui, peut-être, mais pour un temps très court, à moins que la multiplication de ces événements à des fins de propagande atténue graduellement la conscience de l'individu. Cependant, même si le sujet perd momentanément conscience de lui ou est aliéné par le groupe, il ne perd pas tout à fait son individualité. Si on allait jusqu'à l'assimiler à la machine, il serait un type spécifique de machine ! Par exemple, il peut y avoir création collective comme dans le *happening,* mais à condition que les individus jouent ce jeu, tiennent chacun leur rôle, même s'ils improvisent. Nous nous voyons donc autorisés à dire que l'expérience esthétique ou religieuse passe toujours par l'individu. À quoi il faut évidemment ajouter que l'individu est toujours plus ou moins le produit et le représentant de la collectivité, donc que son expérience n'est pas complètement solitaire et personnelle.

III

L'unité interne des deux expériences

Notre propos est donc de confronter les deux expériences, religieuse et esthétique, de les évoquer simultanément pour voir d'abord ce qui les unit, puis ce qui les oppose. Remarquons au préalable que nous sommes invités à cette confrontation par les institutions elles-mêmes. Car les institutions sont solidaires dans leurs pratiques : la religion peut recourir à l'art et inversement, l'art peut devenir religion. Suivre l'histoire de leurs relations serait une entreprise considérable. D'abord parce qu'il faudrait cerner au préalable le champ et la réalité des institutions : on verrait que l'art n'est jamais institutionnalisé aussi nettement que la religion, sauf, justement, lorsqu'il existe comme pratique artisanale au service immédiat de la religion, et quand il l'est, c'est tardivement, dans notre société occidentale du moins. Il est donc pratiqué avant d'être reconnu comme tel, alors que c'est peut-être l'inverse pour la religion aujourd'hui, qui est souvent reconnue sans être pratiquée : l'institution subsiste sans être vivifiée par l'expérience de tous ses adhérents [1]. Ensuite parce que, tout au long de l'histoire, les relations entre art et religion donnent lieu à de multiples conflits. L'art, par exemple, doit-il être mis au service de

1. S'il n'y avait aucune expérience, elle ne subsisterait pas.

la religion, ou doit-il être condamné par elle ? Lui est-il permis de représenter les réalités sacrées ? C'est la question qui hante l'Église, du haut moyen-âge au 17e siècle. Les uns défendront l'image moyennant certaines conditions surtout d'ordre pédagogique, les autres la condamneront sous prétexte qu'elle ternit la pureté de la religion en conduisant à l'idolâtrie ou au luxe excessif des lieux de culte. L'iconoclasme, la Réforme et la contre-réforme témoignent de victoires de la religion sur l'art. Notre époque semble nous présenter la situation opposée : l'artiste et le public ont libéré l'art du contrôle et des normes de l'Église. Et il est arrivé que l'art soit proposé comme une nouvelle religion. Nous le verrons en évoquant certains manifestes, comme ceux de Marinetti et des futuristes.

Mais notre propos est de tenter une phénoménologie, non d'esquisser une histoire. Et c'est pourquoi nous n'étudions pas les institutions elles-mêmes. Car ce sont elles qu'affecte l'historicité : il y a *des* religions, comme il y a *des* états de la pensée et de la production artistique. Certes, nous ne récusons pas la nécessité de l'histoire : elle seule peut dire ce que sont, dans une société et à une époque déterminée, la réalité, c'est-à-dire la fonction et le sens des institutions. Mais il nous semble que, sous cette évidente diversité, il y a peut-être, — l'appellerons-nous essence ou source ? — quelque chose de commun aux religions et quelque chose de commun aux arts, peut-être même quelque chose de commun originairement aux deux. Nous présupposons donc, sinon une identité de la nature humaine, du moins une permanence de la condition humaine : du rapport, fondamental et fondateur, de l'homme au monde dans la perception et le désir (peut-être déjà dans le besoin, sur quoi s'étaie le désir). Nous savons bien que les visages du monde sont divers, et donc divers les contours et les expressions des expériences. Mais il y a quelque chose de constant dans l'être au monde qui se constitue dans chaque expérience. Et c'est de là que nous allons partir pour tâcher de saisir à leur source les expériences religieuse et esthétique.

Mais auparavant, nous avons encore une question préalable à affronter. Ces deux expériences, auxquelles nous allons chercher une racine commune, ne sont pas seulement diverses, elles sont toutes deux divisées. Il nous faut donc d'abord les considérer séparément, et, avant de voir ce qui les unit, voir si elles ont chacune, en dépit de cette division, une unité interne.

Et en effet, à travers toutes les formes que revêtent les institutions religieuses et esthétiques, une constante se manifeste : c'est le dédoublement de l'expérience. Il est facile à observer pour l'expérience esthétique : il y a l'expérience du créateur et celle des spectateurs ou du public. Les termes de l'opposition varieront selon les divers discours que l'on tient dans le champ culturel qui organise l'art : discours du marchand, du critique, du philosophe, mais la distinction sera toujours posée. Ainsi opposera-t-on émetteur et récepteur, encodage et décodage, production et consommation, action et contemplation, activité et passivité, « pas encore » et « après coup ». De même si l'on évoque comme E. Souriau un besoin esthétique [2], faut-il opposer un besoin de faire — à l'appel de l'œuvre —, et un besoin de sentir ou de jouir — en réponse à l'œuvre. Cette division à l'intérieur de l'expérience esthétique est consacrée par l'institutionnalisation de l'art : lorsque l'artiste commencera à exister comme tel et à acquérir un statut social, à la Renaissance, c'est lui-même qui organisera sa peinture selon les lois de la perspective pour créer le « spectateur ». Tout comme le théâtre, son œuvre sera un spectacle, et le spectateur sera placé à un lieu déterminé devant la boîte où se situe la scène. L'institution du musée, même si, à ses débuts, elle marque une réaction contre le fait que l'art soit l'apanage

2. Cette notion serait elle-même à examiner : ce besoin n'est-il pas créé par l'existence même des pratiques et des œuvres, et sans doute, dans des structures sociales comme les nôtres, par la commercialisation de l'art ? Tout au plus peut-on alors parler d'un besoin dérivé, non d'un besoin primaire.

d'une classe dominante, n'en maintient pas moins la division dont nous parlons. Les gens vont là spécifiquement pour « voir », « contempler » : ils défilent passivement dans des salles pour admirer l'œuvre du créateur, de l'artiste qui a été reconnu comme tel. À notre époque cette dualité artiste-amateur se redouble de la dualité vendeur-client, propriétaire-acheteur : le créateur revendique « ses droits », que le système juridique, lié à la production capitaliste fondée sur l'échange généralisé et le profit, l'autorise à exercer.

On peut voir se dédoubler pareillement l'expérience religieuse, bien qu'on l'ait moins souvent observé. Pourtant, comme l'institutionnalisation est beaucoup plus marquée dans la religion que dans l'art, ces deux versants de l'expérience sont plus aisément repérables ; ils suivent la dualité du couple du sorcier et du client, du prêtre et du fidèle, de la hiérarchie (sous toutes ses formes) et du peuple de croyants. Par son action, le prêtre, d'une part, produit les signes ou sacrements. Il est habilité à le faire parce que lui-même a été initié : il a reçu la science de la divinité (ordinairement par l'intermédiaire de l'école ecclésiale), il a été revêtu de ses pouvoirs par des rites appropriés. Son expérience comporte une relation privilégiée avec le Dieu ou les forces (le mana). Sa relation au fidèle est donc celle de l'autorité à l'obéissance ; et aussi bien de l'acteur au public. Car l'expérience du fidèle est plus passive ; et elle est organisée, médiatisée par le prêtre détenteur de la Parole et maître du rite ; le fidèle a plus affaire à l'Église qu'au Dieu. Et il reçoit (il écoute ou il voit) beaucoup plus qu'il ne fait. Même si à certaines périodes on requiert davantage sa participation au niveau des rites, son rôle sera codifié, et jamais essentiel, comme le rôle accessoire du servant. Bien plus, le domaine de son action en dehors des célébrations religieuses devra aussi se conformer à l'interprétation que fait l'Église de la Parole divine : ensemble de commandements et de normes, gardé soigneusement par la tradition et commenté par le prêtre les jours de service religieux. Et s'il ne s'y conforme pas, si son expérience s'avère trop personnelle, par un contact qui semble privilégié avec le Dieu, il devra être ramené aux normes du groupe, à moins que le secret qu'il a percé ne lui donne accès à la caste sacerdotale [3].

Cependant, cette division interne des deux expériences n'est peut-être pas le dernier mot, et sans doute parce qu'elle n'en est pas le premier. Elles sont moins différentes qu'on ne le croit, et on verra que la réflexion et la pratique visent à atténuer cette différence quand elles tentent de revenir aux sources de l'expérience. Remarquons d'abord que, comme nous venons de voir que l'institution manifeste cette différence, de même elle l'accuse. C'est l'institutionnalisation qui consacre l'autorité de ceux qui détiennent le pouvoir et réclament l'obéissance ; il faut pour cela que la fonction magique ou religieuse devienne un métier, la propriété de spécialistes, que s'organise dans telle tribu un syndicat des sorciers ou que se constitue dans telle société une Église détentrice du « pouvoir spirituel », avec sa structure propre et sa hiérarchie, dont les fidèles deviennent les sujets. De même pour l'art : l'artiste peut revendiquer une expérience propre, qu'il opposera, parfois dédaigneusement, à celle du public (du « bourgeois »...) lorsqu'il se distingue de l'artisan et qu'il réclame à la fois un statut propre — en marge, mais cette marge le distingue plus qu'elle ne l'exclut — et un pouvoir propre, « spirituel » lui aussi. Sans doute cet individualisme dont il se recommande ne lui permet-il pas de s'organiser de façon aussi stricte que le prêtre dans son Église, mais il suffit à le distinguer du non-artiste et donc du public en général. Cette distinction est confirmée dans nos sociétés par la commercialisation de l'art dont nous avons parlé plus haut.

---

3. Cf. Michel de Certeau, *l'Étranger ou l'union dans la différence*, Tournai, Desclée de Brouwer, 1969, p. 10 : « Il n'est pas jusqu'au mystique qui ne survienne toujours dans l'Église comme un trouble-fête, un gêneur et un étranger. »

Ainsi la division du travail (la création de spécialistes pour assumer des tâches et des fonctions différenciées) qui est sans doute à la source de l'institutionnalisation, la constitution de groupes plus ou moins organisés et la revendication d'un monopole (d'une compétence et d'un pouvoir, eux-mêmes liés à une initiative et une liberté) aménagent la séparation entre les deux expériences.

Pourtant il arrive qu'à certains moments l'institution elle-même tende à neutraliser cette différence au lieu de la durcir, à faire sauter la clôture hiérarchique qui sépare les deux versants de chaque expérience. Et notre époque vit particulièrement un de ces moments [4]. Du côté de la religion, l'on parle de participation des fidèles, l'on offre des rôles inédits aux laïcs, les prêtres eux-mêmes veulent ressembler le plus possible à eux, etc. Du côté de l'art, de nouvelles formes apparaissent, qui tendent aussi à mettre le public en position de créateur : *happening*, théâtre de participation, œuvres collectives ; mais finalement n'iront-elles pas s'intégrer à l'héritage culturel occidental tout comme les productions révolutionnaires du dadaïsme ? Car il s'établit une dialectique des expériences à l'intérieur de l'institution : d'une part, le pôle traditionnel qui organise les expériences vécues selon les normes, d'autre part, le pôle « marginal » qui filtre les expériences marginales pour les intégrer au premier. Rien d'étonnant à ce phénomène ! Les institutions œuvrent sur le réel, qu'elles ont pour fonction d'aménager et d'ordonner à la fois conceptuellement et matériellement. Elles n'ont rien à faire avec l'imaginaire, le préréel, tant qu'il n'aboutit pas à des « faits » qu'elles peuvent maîtriser.

4. Nous reviendrons plus longuement à la fin de ce travail sur les perspectives que notre modernité ouvre aux expériences religieuse et esthétique. Mais dès maintenant, il nous faut distinguer l'expérience des artistes et des croyants qui innovent des pratiques marginales dans lesquelles la division des rôles tend à disparaître, et la récupération que l'institution en fait, même si pendant un certain temps l'expérience semble exercer un effet révolutionnaire.

C'est donc uniquement en transgressant les schémas imposés quotidiennement par les institutions que l'expérience peut être elle-même, c'est-à-dire un vécu original. C'est ce que nous signifient les artistes qui veulent revenir aux origines de l'art, tout comme les croyants qui veulent retrouver les sources de leur foi. *Les uns et les autres postulent un « avant » ou un au-delà de l'institution,* où leur expérience leur apparaîtrait dans son jaillissement, sa naissance même. C'est ce qu'il nous faudra bientôt approfondir.

Mais sans revenir encore à ces sources, nous voudrions montrer que, même dans les régimes institutionnels où les deux expériences semblent se diviser selon les deux versants, les deux rôles se médiatisent, l'activité et la passivité s'échangent plus qu'elles ne s'opposent. D'une part, le *faire* qui semble réservé à l'officiant ou au créateur est provoqué par le *sentir* : par un voir, sinon par un recevoir qui semble réservé au « public ». D'autre part, ce recevoir s'éprouve dans une participation au faire, dans une ébauche de faire.

Considérons d'abord l'expérience esthétique. Si on distingue en elle une expérience active et une expérience passive, on a tendance à donner une priorité au faire, à l'initiative du créateur qui produit l'œuvre. Pourquoi ? Parce qu'on subordonne l'esthétique à l'artistique : parce qu'on pense qu'il n'y a d'expérience esthétique que de l'œuvre d'art, autrement dit — et malgré Kant — que ne saurait être donnée une beauté naturelle, au sens d'un prédicat immanent aux choses perçues. « Les prétendues « beautés naturelles » ne sont telles que dans un contexte pratique qui les interprète — au lieu de les fabriquer — comme artefacts d'une activité humaine ou surhumaine [5]. » Il nous semble au contraire que l'homme est sensible à la beauté des choses sans l'interpréter d'abord comme artificielle, produit d'un art divin comme lorsqu'on dit : *caeli et terra enarrant gloriam Domini* ; cette rationalisation est

5. Gilles Gaston Granger, *Essai d'une philosophie du style,* p. 206.

postérieure à l'expérience. Et surtout cette expérience de la beauté naturelle commande, oriente la pratique de l'art. Au XVIIe siècle, le mot d'ordre : imitez la belle nature, même s'il réfère en fait à une nature conventionnalisée, au « vraisemblable » plutôt qu'au réel [6], subordonne la pratique de l'art à une relation à ce qui n'est pas encore l'art. Ceci permet de répondre à la question : dans cet échange des rôles ou des expériences, s'il y a une priorité, à qui l'accorder ? On peut dire : à l'expérience passive (du récepteur), si c'est la sensibilité au beau naturel qui suscite la créativité. Mais voyons de plus près cet échange.

Pour ce qui est de l'artiste, avant de créer, il fait l'expérience d'un désir de faire. Expérience d'une certaine passivité : il s'agit de répondre à un appel, non de prendre l'initiative. En effet, pourquoi créer ? Pour rien : c'est gratuit, ça ne sert à rien (au moins tant que l'art n'est pas au service de la magie ou de la religion) ; l'ornement, le luxe, cela ne satisfait pas un besoin. Et pourtant, il y a ce désir, cette impulsion de créer. Comment la comprendre ? Comment est-elle vécue ? Malraux nous propose deux réponses que j'analyserai successivement. La première maintient l'artiste enfermé dans le cadre de l'art : la création, c'est d'abord, nous dit Malraux, le désir de s'égaler aux autres artistes, donc d'entrer dans une tradition qui offre des modèles, pour faire mieux qu'eux. Moi aussi, je serai peintre ! « Ce ne sont pas les moutons qui donnent à Giotto l'amour de la peinture, ce sont précisément les tableaux de Cimabuë. » Ce qui fait l'artiste, ajoute-t-il avec force, « c'est d'avoir été dans l'adolescence plus profondément atteint par la découverte des œuvres d'art que par celle des choses qu'elles représentent, et peut-être celle des choses tout court [7] ». Mais Malraux ne s'arrête pas là. Il n'ignore pas que l'art vise le monde. Mais ce n'est pas parce qu'il procède de lui, c'est parce

6. Cf. *Communication,* n° 11.
7. André Malraux, *les Voix du silence,* Paris, La galerie de la Pléiade, 1952, p. 279.

qu'il entre en concurrence avec lui. Le grand artiste se mesure avec le réel, soit en le transfigurant, soit en l'annexant [8] : ces deux termes définissent chez Malraux la relation au monde, la première de l'art classique, la deuxième de l'art moderne. Dans les deux cas, l'artiste est un Prométhée en mal d'exercer sa volonté de puissance, un nouveau Dieu qui veut recréer l'univers. De telles conceptions sont loin d'être gratuites. Elles expriment bien l'interprétation de l'histoire de l'art dans une tradition bourgeoise et capitaliste, et elles manifestent exactement les critères qui président au choix des grands artistes et des chefs-d'œuvre dans un champ culturel où fonctionnent ce que Bourdieu appelle des instances de légitimation. Mais en fait l'idéologie de l'artiste n'est pas toujours cette apologie du génie. À côté des artistes reconnus, n'y en a-t-il pas toute une pléiade qui ne le sont pas, non seulement parce qu'ils n'ont pas vaincu dans la lutte (Van Gogh de son vivant), mais parce qu'ils n'ont pas voulu y entrer ? Faire une œuvre leur importe davantage que d'être reconnus. Non pas qu'ils ne visent un public, mais celui de leurs amis et de leurs intimes leur suffit. N'y a-t-il pas aussi l'art des enfants, des fous, du peuple qui nous renseigne sur le faire artistique ?

Certes, ce que ces œuvres nous disent, c'est d'abord la spontanéité et le dynamisme du désir de faire, qui semble écarter toute passivité. Chez l'enfant, il n'y a pas cette terreur de la toile blanche dont parle Picasso. Pour lui, peindre, c'est jouer, c'est se développer, c'est imprimer son geste sur un objet qu'on s'empresse ensuite d'offrir. Peindre, c'est une fête. La nature inspire-t-elle l'enfant ? Pas immédiatement. L'enfant dessinera son chat, sa mère, son père, ses amis avec le soleil, la rivière, etc., mais à l'intérieur d'un récit qu'il se fait plus ou moins consciemment. Par là du moins ce qu'il y a de « nature » en lui s'exprime à travers son œuvre, il symbolise ses émotions, il révèle un inconscient que le moi n'a pas encore complètement

8. André Malraux, *les Voix du silence,* p. 459.

refoulé. Le « désir » le guide dans le choix des sujets, des couleurs. Et même si, contrairement aux fous, son œuvre n'est pas surtout symptômale, car c'est bien plutôt l'urgence d'un faire qu'elle manifeste, on peut quand même dire qu'elle procède d'une certaine passivité [9].

Cette même passivité — mieux vaudrait dire cette passion — se retrouve chez les malades mentaux, comme ceux que Dubuffet a mis à l'honneur dans son musée d'Art brut. Ce qui les porte à créer, ce sont les monstres qui les étouffent, la force du désir, qui, tout à coup, au contact de la matière, trouve une symbolique. Pour eux, s'exprimer dans un art, c'est déjà apprivoiser ses fantasmes par le contact de la matière, c'est devenir productif.

Quant à l'art populaire, celui qui n'est pas catalogué comme tel, dont parle François Gagnon [10], que l'on peut reconnaître dans une modeste affiche artisanale ou dans la décoration des maisons et des intérieurs, ou dans des jouets taillés au couteau par les Indiens du Guatémala, ou dans les peintures naïves réalisées avec des feuilles de bananier par des Zaïrois, il nous parle éloquemment du désir de faire. Mais sans doute lui aussi est-il inspiré par la fantasmatique du désir.

Cependant, ce n'est pas cette seule passivité que nous trouvons mêlée à l'activité créatrice (au principe de la production des machines désirantes, dirait Deleuze). C'est aussi et surtout la passivité — d'ailleurs toute relative — propre au récepteur, à celui qui perçoit le monde. Nous voulons dire que l'exercice de l'activité par laquelle se définit l'artiste est suscité

9. Peut-on reprocher aux enfants un manque de conscience de l'œuvre ? Ils deviendront conscients assez vite, si cela implique conscience des normes de l'école ! Mais l'enfant réfléchit en peignant : c'est déjà la réflexion plastique. Il peindra de plus en plus lucidement si la culture ambiante ne s'y oppose pas.

10. Cf. François Gagnon, « Réflexion sur la peinture populaire à Montréal », *Revue d'esthétique,* t. XXIV, nº III, juillet-septembre 1971, p. 281-293.

par la perception qu'il a du monde. Qu'est ici le monde ? Tout ce qui peut solliciter l'artiste, nature — beautés naturelles — aussi bien que culture. « Ce que nous appelons le monde, dit Mikel Dufrenne, ce peut être le corpus des œuvres — de Chateaubriand pour Hugo, de Tintoret pour le Gréco — un paysage — la montagne Ste-Victoire pour Cézanne —, un chant d'oiseau pour Messiaen, un événement historique ou une situation sociale [11]. Et le signe que le monde fait à l'artiste peut revêtir des formes très diverses, celle d'un problème technique à résoudre — comme la représentation d'un espace court pour le Picasso des Demoiselles d'Avignon, l'utilisation du chromatisme pour Wagner, le développement d'un rythme décasyllabique pour le Valéry du Cimetière — celle d'un message à transmettre ou d'un parti à prendre [12]. » Or ce monde offre, en même temps que sa richesse propre, du non-être à combler : des blancs (comme le papier de Mallarmé !), des trous qui sollicitent une intervention : quelque chose à faire. Mais quoi ?

---

11. Le monde de *quel* événement historique ou de *quelle* situation sociale ? Si l'artiste n'est sensible qu'au milieu fermé d'une galerie d'art où il est exposé régulièrement et où il est acheté, son œuvre ne pourra être que réponse aux exigences de sa clientèle. S'il adhère à une idéologie qu'il veut promouvoir, son univers peut être commandé par les impératifs missionnaires de cette idéologie. Aussi faut-il insister dès maintenant sur une activité de l'artiste, autre que celle du faire pictural, qui doit chez lui orienter son attitude à l'égard du monde, c'est celle de la fonction critique. Remarquons que les grands artistes assumaient souvent d'instinct cette fonction, quand l'art n'était réglé que par les lois du mécénat : ils savaient bien faire la part des choses : un Rembrandt sait discerner entre le monde du public facile que constituent les grands bourgeois d'Amsterdam et celui de la recherche picturale. Aujourd'hui le grand nombre d'écoles et de mouvements artistiques ne permet plus de voir aussi clair entre le monde de la peinture (problèmes — recherches — etc.) et le monde de la vente, des modes, de l'idéologie. Aussi l'artiste se doit de réfléchir sur son art et sur l'impact qu'il a dans notre société : la conscience qu'il prend du monde socio-culturel ne procède pas alors d'une perception passive, mais d'une perception lucide et donc active.
12. Cf. Mikel Dufrenne, « Phénoménologie et ontologie dans l'œuvre d'art », *in* : *l'Œuvre d'art et les sciences humaines,* Bruxelles, La connaissance s. a., 1969, p. 149.

« Pourquoi tant de mains humaines, nous dit Gilson, ne peuvent-elles laisser une feuille blanche sans la couvrir de signes ?... C'est un adage aristotélicien, que la nature a horreur du vide ; on s'en est beaucoup amusé depuis Descartes et l'idée semble aujourd'hui naïve ; pourtant dans son Salon de 1846, Baudelaire écrivait : « la peinture de Delacroix est comme la nature, elle a horreur du vide » ; et il disait vrai, non seulement de Delacroix, mais de toute peinture et de tout art en général. Le peintre a horreur du vide, parce qu'il est homme, que l'homme fait partie de la nature et que la nature a horreur du vide. Qu'il s'agisse de l'homme ou de tout être capable d'opérer — disons donc, de toute nature —, c'est pour lui une seule et même chose d'être et de tendre à déployer hors de soi son actualité en produisant des actes ou des objets qui lui ressemblent... Ce sentiment a été exprimé avec force par Piet Mondrian, qui l'associait d'ailleurs, peut-être avec raison, à cet autre plus profond encore qu'est l'horreur de l'homme pour la solitude... L'impression que produit l'espace vide est intolérable. Bref, conclut-il (Mondrian) « l'action de l'art plastique ne consiste pas à exprimer l'espace, mais à le déterminer [13] ». Mais d'autre part, ce monde perçu donne en quelque sorte l'expérience de la créativité. Imiter la nature, cela peut vouloir dire : imiter ce par quoi elle est naturante, sa prodigalité, sa force, sa beauté qu'on peut définir par l'ordre, la richesse, l'éclat, l'unité et la diversité.

Ainsi le créateur n'a-t-il pas totalement l'initiative du désir de faire qui l'anime et qui lui est insufflé par le monde. Et de plus, lorsque le désir a suscité un projet, l'initiative appartient de quelque façon à ce projet lui-même : le désir devient réponse à un appel, non seulement l'appel du monde, mais l'appel de l'œuvre à faire, l'exigence du projet. Ce thème a été longuement médité par E. Souriau qui lui confère une signification ontologique. Ce que vit alors l'artiste, c'est plus qu'une rêverie de la volonté, telle que l'évoque Bachelard :

13. Émile Gilson, *Peinture et réalité,* Paris, Vrin, 1958, p. 198-199.

il se met à l'ouvrage. Mais alors, d'autres formes de passivité peuvent encore interférer avec son activité, il devient le spectateur de son œuvre à mesure qu'elle progresse, afin de « combler l'écart qui subsiste entre ce qui est et ce qui veut être [14] » et il vit parfois l'expérience de son « impouvoir ».

Ainsi son expérience esthétique est-elle partiellement passive : quand il répond à l'appel de l'œuvre en projet, puis en gestation, il est responsable, mais sans l'avoir totalement voulu, tout comme l'est la créature selon Lévinas. « L'artiste ne fait pas proprement ce qu'il veut (ni non plus ce qu'il ne veut pas, même quand il ruse avec sa conscience et se livre à l'aléatoire), il fait ce qui est attendu de lui... parce qu'il est sensibilisé à tel message du monde, à tel creux dans le plein des choses, à tel problème dans les pratiques du métier, à tel bien dans le royaume souvent désordonné des valeurs, il inventera tel geste, il exprimera tel thème, il fera lui-même tel signe. Et l'on comprend que ce ne soit pas *ex nihilo.* Si l'artiste sait où il va et quand il doit s'arrêter, c'est que l'objet à créer lui est en quelque façon, obscurément, mais impérieusement, donné en creux dans le monde [15]. »

Inversement, pour le récepteur, ce que nous avons appelé passivité est mêlé d'activité. Certes, il n'a pas de métier comme le créateur : lorsque le métier est institué et enseigné, dans les écoles ou les ateliers, il sait qu'il n'y est pas initié, il a conscience de son incompétence et se sent paralysé : il accepte son rôle de récepteur, voué à la contemplation. Mais il peut protester. D'abord négativement — ce dont il ne se prive pas ! — en ne se rendant pas dans les lieux de culture où l'œuvre s'offre à lui, ou alors en critiquant certaines productions avant-gardistes qu'il ne comprend pas [16]. Ces réactions manifestent

---

14. Mikel Dufrenne, « Phénoménologie et ontologie dans l'œuvre d'art », *l'Œuvre d'art et les sciences humaines,* p. 150.
15. *Ibid.,* p. 150.
16. Il y a eu une polémique populaire très vive au sujet d'une peinture murale inaugurée au nouveau théâtre national de Québec en 1971.

que le récepteur tient un rôle actif même quand il regarde les œuvres d'art. D'une part, il faut qu'il se déplace pour aller à la rencontre de l'œuvre, que ce soit au musée ou au concert ; et s'il la trouve sur son parcours, il doit lui *prêter attention.* Sent-il obscurément que l'œuvre a besoin de sa perception pour s'accomplir ? Peut-être, quoiqu'il éprouve sans doute davantage ce sentiment quand il contemple un paysage, surtout un coin de nature sauvage, qu'il est seul à découvrir. En tout cas, il dialogue avec l'œuvre, dès qu'elle force son attention, il est curieux de voir comment elle est accomplie : son œil ou son oreille suivent les chemins que l'œuvre lui propose, procèdent à une sorte d'analyse spontanée, comme s'ils voulaient retracer sa genèse, reviennent à une prise synthétique de la totalité, comme s'ils voulaient éprouver sa nécessité interne. Cette gymnastique est aussi celle du lecteur de poème ou de roman. Sans doute varie-t-elle considérablement selon le niveau de culture du récepteur, car il faut apprendre à voir ou à écouter. Mais sitôt que l'attention est éveillée, la réception la plus fruste ne se réduit pas à une contemplation passive, elle implique un engagement, une reprise du geste créateur.

D'autre part, pourquoi le récepteur ne créerait-il pas lui-même ? Ce désir, il peut en être animé secrètement. En témoignent des créations naïves que l'on n'ose pas appeler œuvres : graffiti, esquisses, chansons improvisées. De là aux arts populaires, il n'y a pas loin pourtant. Et le succès des arts dits autrefois mineurs, comme la tapisserie, la céramique, la décoration, auprès des gens simples atteste aussi les possibilités que chacun a de créer. Mais là où peut-être le désir de créer se manifeste davantage, c'est dans l'attrait qu'offrent les ateliers ouverts au grand public, où l'on peint, où l'on danse, où on monte des pièces, non selon les critères traditionnels des académies, mais selon l'inspiration de chaque participant. L'art total fait davantage appel à l'imaginaire des gens qu'à leur compétence spécifique dans un art déterminé.

Aujourd'hui, l'art s'efforce précisément d'abolir cette distance entre les deux expériences de la production et de la réception, en dénonçant à la fois le mythe d'un faire pur, d'un créateur solitaire et souverain, et le mythe d'une œuvre achevée, parfaite. Il met ainsi en relief ce qui nous semble appartenir intrinsèquement à l'expérience esthétique : chez elle, l'activité et la passivité s'échangent plus qu'elles ne s'opposent ; l'opposition des rôles est plus artificielle — institutionnelle — que réelle — inscrite dans la nature des individus.

Peut-on le dire également de l'expérience religieuse ? Oui, nous le croyons, même si ordinairement l'individu reçoit la religion comme un élément de la culture ambiante, soit celle de la famille, soit celle du clan : état alors éminemment passif, s'il en est un. Car si nous considérons l'expérience originelle du fondateur de la religion, ou même celle du sorcier dans les sociétés archaïques, et celle du mystique et du saint dans le christianisme, nous pouvons constater un échange des rôles, et ce phénomène est exemplaire pour tous les membres de la communauté ou pour les simples fidèles : ce sont les actifs qui sont d'abord en un certain sens passifs.

En effet, nous remarquons en premier lieu que, chez eux, l'expérience religieuse, comme l'expérience esthétique, se fonde aussi par rapport au monde ; mais ici il ne s'agit plus de l'expérience de la beauté naturelle, mais de l'altérité : le monde — nous le redirons — apparaît comme étrangement autre, et c'est cette altérité qui suggérera l'idée du Tout-Autre. C'est ce sentir en quelque sorte passif de l'Autre qui détermine la vocation, qui fait inventer le rôle avant que les rôles ne soient institués : le visionnaire est distingué parmi les gens de son clan, il devient sorcier ou prophète, on lui reconnaît des pouvoirs charismatiques, avant même qu'il les revendique et qu'il les exerce. C'est bien ce qu'affirme C. Lévi-Strauss [17], quand il essaie d'analyser la psychologie du sorcier. Même après avoir observé des cas curieux de vocation de sorciers en étroite

17. Claude Lévi-Strauss, *Anthropologie structurale,* Paris, Plon, 1958, p. 183.

dépendance avec le fonctionnement des groupes auxquels ils appartiennent, il n'en maintient pas moins une expérience propre du sorcier. « Il n'y a pas de raison de douter, en effet, que les sorciers, ou au moins les plus sincères d'entre eux, ne croient en leur mission, et que cette croyance ne soit fondée sur l'expérience d'états spécifiques. Les épreuves et les privations auxquelles ils se soumettent suffiraient souvent à les provoquer, même si on se refuse à les admettre comme preuve d'une vocation sérieuse et fervente [18]. » Mais Lévi-Strauss fait appel à des arguments qui pour lui sont plus convaincants, parce qu'indirects, qui tiennent à un certain discours : « ... Ainsi, l'indigène qui devient shaman à la suite d'une crise spirituelle conçoit grammaticalement son état comme une conséquence qu'il doit inférer du fait, formulé *comme une expérience immédiate,* qu'il a obtenu le commandement d'un Esprit, lequel entraîne la conclusion déductive qu'il a dû accomplir un voyage dans l'au-delà, à la fin duquel — expérience immédiate — il s'est retrouvé parmi les siens [19]. » Cette « passivité à l'Esprit », origine de la vocation shamanique, le sorcier la rappelle sous forme de représentation liturgique à son clan, chaque fois qu'il soigne un malade... « Nous dirons que ce spectacle est toujours celui d'une répétition, par le shaman, de l'appel, c'est-à-dire la crise qui lui a apporté la révélation de son état [20]. » Mais sous une forme éminemment active : « Mais le mot de spectacle ne doit pas tromper : le shaman ne se contente pas de reproduire ou de mimer certains événements ; il les revit effectivement dans toute leur vivacité, leur originalité et leur violence [21]. » Ce point est très important : c'est selon la puissance de son « abréaction » que la foule deviendra active et que le malade guérira : passage de la passivité à l'activité. Sans cette communication de son dynamisme, le shaman n'existera pas comme tel : il a besoin pour

18. Claude Lévi-Strauss, *Anthropologie structurale,* p. 197.
19. *Ibid.,* p. 198.
20. *Ibid.,* p. 199.
21. *Ibid.,* p. 199.

exister de l'adhésion collective de son public qui se manifeste sous forme d'enthousiasme collectif : « Dans le problème de la maladie, que la pensée normale ne comprend pas, le psychopathe est invité par le groupe à investir une richesse affective, privée par elle-même de point d'application. Un équilibre apparaît entre ce qui est vraiment sur le plan psychique, une offre et une demande ; mais à deux conditions : il faut que, par une collaboration entre la tradition collective et l'invention individuelle, s'élabore et se modifie continuellement une structure, c'est-à-dire un système d'oppositions et de corrélations qui intègre tous les éléments d'une situation totale où sorcier, malade et public, représentations et procédures, trouvent chacun leur place. Et il faut que, comme le malade et comme le sorcier, le public participe, au moins dans une certaine mesure, à l'abréaction, cette expérience vécue d'un univers d'effusions symboliques dont le malade, parce que malade, et le sorcier, parce que psychopathe — c'est-à-dire disposant l'un et l'autre d'expériences non intégrables autrement — peuvent lui laisser, de loin, entrevoir « les illuminations [22] ».

L'expérience du sorcier et du groupe social, analysée phénoménologiquement par Lévi-Strauss avec beaucoup de perspicacité, nous fournit un modèle en termes de passivité-activité auquel nous pouvons référer de nombreux comportements des religions plus récentes. Empruntons des exemples à la Bible, à l'histoire de l'Église chrétienne, qui ont joué un rôle clé en Occident.

Nous retrouvons ces rôles de passivité et d'activité dans un échange selon les temps entre les individus, en deçà des structures institutionnelles, à travers les thèmes de la vocation : élection — appel et ceux de la fidélité, de l'obéissance et de l'union. Depuis Abraham jusqu'au dernier des prophètes, le Christ (pour le christianisme), la Bible est le récit des prédilections de Jahvé : à travers une épiphanie, le prophète se

22. Claude Lévi-Strauss, *Anthropologie structurale*, p. 200.

sent appelé : le Dieu des montagnes, le Très Fort, Celui qui est ou fait être, le Seigneur des armées, le Dieu d'Israël, l'a choisi entre mille pour se révéler à lui et lui confier une mission. Le serviteur écoute dans la terreur et l'effroi, étonné de ne pas être foudroyé par la manifestation du Très-Haut, puis revêtu d'une force divine il se met à l'œuvre : me voici, que voulez-vous que je fasse ? Quand l'élu est peureux ou fruste comme Jonas ou Amos, l'ange de Jahvé le transporte lui-même au lieu de sa mission. Le prophète accomplit sa fonction, mais sous l'action du souffle de Jahvé. La sainteté de l'élu ne se révèle-t-elle pas justement à ce que son activité n'est que le comble de la réceptivité à l'action divine ?

Le Christ lui-même, tout Dieu qu'il se dise, respectera ce schéma des relations avec le Très-Haut. Son baptême par Jean est une sorte d'investiture : la théophanie du Jourdain manifeste son élection et sa vocation par le Dieu d'Abraham pour accomplir une mission : le salut d'Israël et l'évangélisation du monde entier [23]. L'Évangile de Jean met particulièrement en évidence à la fois la soumission totale de Jésus comme homme à son Père [24] : accueil à sa volonté et réalisation du plan divin, et la transcendance de sa personne [25] : lui aussi est Dieu. Comme Jahvé se manifestait à Moïse dans la nuée, ainsi se manifeste-t-il à ses disciples dans sa chair [26]. Ceux-ci l'accueillent et accomplissent sa volonté. L'Évangile de saint Jean, le plus tardif, reflète assez bien la communauté chrétienne primitive : les fidèles vivent la présence de Dieu par l'accomplissement du commandement de l'amour [27] et par la célébration de l'Eucharistie [28].

23. Jean, I, 31-34.
24. Jean, IV, 34 ; VI, 38-40 ; XVII, 4 ; XIX, 30.
25. Jean, particulièrement dans le premier chapitre. Du chapitre X à la fin, il y a un crescendo dans la manifestation de la divinité du Christ.
26. Jean, I, 14.
27. Jean, XIII-XV.
28. *Ibid.* Certains exégètes interprètent ces chapitres comme pouvant être le texte d'une prière eucharistique. Aussi VI, 51-58.

L'Église s'organise. Est-ce à dire qu'elle s'institutionnalise ? Nécessairement, mais pendant les premiers siècles, les structures semblent rester assez souples. Plusieurs documents l'attestent. J'évoquerai ici, en plus des évangiles, principalement des textes des Pères apostoliques (2e siècle) qui montrent bien une certaine liberté (ordonnée, sans doute) dans la célébration eucharistique (activité des fidèles), et une souplesse de la hiérarchie, plus soucieuse de vivre le mystère du Christ que d'exercer un commandement. Voyons d'abord avec Justin comment les chrétiens célèbrent le dimanche : ils se réunissent chez l'un d'entre eux dans la nuit du samedi au dimanche pour célébrer l'Eucharistie. Chacun apporte le pain et le vin. L'on échange des nouvelles : les peines et les joies de la semaine comme l'on fait dans les réunions amicales. Mais pour eux ils ne sont pas seuls, ils ont la certitude de la présence du Christ. « Là où deux ou trois sont réunis en mon nom, je suis là. » L'esprit de Jésus s'empare souvent de l'un des frères qui interprète les événements du petit groupe ou de l'Église. L'on chante des cantiques pour louer le Seigneur, dont la présence se fait de plus en plus sentir. L'ancien du groupe (presbyte) fait mémoire de la nuit où le Christ, avant de mourir, célébrant la Cène avec ses disciples, leur dit en prenant le pain : ceci est mon corps... et en élevant le calice : ceci est mon sang... Faites ceci en mémoire de moi. Ils se souviennent... le Christ est là ! Tous mangent et boivent en gardant soigneusement une partie du pain sacré qui sera apporté aux frères malades. Et la nuit s'achève dans des hymnes jusqu'au lever du soleil, symbole du Christ ressuscité [29].

---

29. Ce récit suit d'assez près la Première Apologie de Justin (67) où nous trouvons le premier récit important de la célébration du dimanche par l'Eucharistie. On pourrait aussi se référer à Paul (Premiers Corinthiens, chap. XI et XII), qui, dans son exhortation à la charité des disciples de Corinthe et dans ses conseils à propos des charismes, montre bien la liberté qui régnait dans ces premières réunions, qu'elles se déroulent avec une ferveur plus ou moins grande selon le développement de la foi des communautés. Voir aussi l'article « Eucharistie » *in* : *l'Encyclopédie du catholicisme,*

Avant le rite, il y a la transcendance du mystère : le Christ ressuscité. Ceux qui se rassemblent dans la nuit du samedi au dimanche savent pourquoi ils le font : célébrer l'Eucharistie, jusqu'au retour du Christ. (C'était alors une croyance que le Christ reviendrait — la Parousie — le jour même de sa résurrection.) Ce n'est pas un commandement de l'Église qui les y pousse. Ce n'est pas le besoin immédiat d'une guérison ou d'un salut. Non, c'est l'actualité d'une expérience du sacré qu'ils vivent intensément. Les rôles dans l'accomplissement des rites ne sont pas encore stéréotypés. Celui qui a l'Esprit parlera ou chantera et sera le maître de chœur des autres. Le fait qu'on reprenne le rite dit l'absence du Christ qui n'est pas encore venu en gloire et sa présence en Esprit.

Évoquons maintenant un autre exemple : voici comment Ignace d'Antioche décrit les liens qui unissent les membres de l'Église d'Éphèse : « Votre vénérable *presbyterium,* vraiment digne de Dieu, est uni à l'Évêque comme les cordes à la lyre, et c'est ainsi que du parfait accord de vos sentiments et de votre charité s'élève vers Jésus-Christ un concert de louanges [30]. » Mais c'est surtout dans sa splendide lettre aux Romains — ce joyau de la littérature chrétienne primitive... pleine d'une énergie étrange, au dire de Renan — qu'il nous met en présence d'un Évêque (lui-même) bien plus soucieux de vivre personnellement le mystère du Christ en donnant l'exemple du martyre à ses fidèles que de leur commander autoritairement. Le Christ le presse de se livrer à lui : je sens en moi « une eau vive qui murmure et qui dit : « Viens vers le Père »... Laissez-moi être la pâture des bêtes, par lesquelles il me sera possible de trouver Dieu. Je suis le froment de Dieu

t. 4, et un article de Louis Bouyer, intitulé : « L'improvisation liturgique dans l'Église ancienne », *la Maison-Dieu,* n° 111, 1972, p. 12-13. Bien entendu, notre propos ici se situe hors des questions d'écoles et des interprétations particulières, comme la théorie de Lietzmann ou la réponse que lui oppose Cullmann.

30. Ignace d'Antioche, *Lettres,* Paris, Cerf, « Sources chrétiennes », 1944.

et je suis mangée par la dent des bêtes, pour être trouvée un pur pain du Christ [31] ». Sans aucun doute, l'Évêque apparaît ici comme un personnage complexe, jouissant certes d'un pouvoir, mais pas encore défini précisément, et surtout il apparaît comme « la vivante icône du Père céleste, la source et le modérateur de cet amour du Christ, de cet amour dans le Christ qui fait la vie et la joie immortelle de l'Église [32] ».

L'expérience religieuse possède toute sa pureté quand elle est rapport direct à l'Autre, ouverture à sa transcendance et réponse à son appel. Elle perd nécessairement de son dynamisme, quand elle ne rejoint l'Autre qu'à travers une série de médiations comme l'ensemble de la doctrine, les commandements, la hiérarchie. Le saint est justement celui qui est capable de transcender ces structures institutionnelles pour rejoindre Dieu, et qui sait traduire dans une action conforme à son amour clairvoyant des hommes de son époque l'appel qu'il a reçu. François d'Assise, Vincent de Paul, Jean de la Croix, tout dernièrement le Père Kolbe [33] vivent des expériences religieuses authentiques. Pour nous, la pierre de touche de ces expériences, c'est qu'elles ne s'immobilisent pas dans les formes structurées de passivité ou d'activités fixées par des institutions.

Notre analyse de la division interne des deux expériences esthétique et religieuse nous révèle une constante de ces expériences : l'une et l'autre impliquent des formes tantôt passives, tantôt actives, et il nous semble que c'est l'interéchange de ces formes qui réalise le mieux leur essence. Il nous reste à pousser plus loin nos analyses pour mieux le montrer. Nous allons d'abord décrire et confronter les deux expériences.

31. Ignace d'Antioche, *Lettres*, p. 99-105.
32. Louis Bouyer, *les Écrits apostoliques*, Paris, Cerf, 1963, préface. Le Père Bouyer écrit ces lignes à propos du martyre de Polycarpe, postérieur à celui d'Ignace. Donc, on peut les appliquer *a fortiori* à celui-ci.
33. Un article du *Monde*, octobre 1972, rappelait l'anniversaire de béatification du Père Kolbe qui s'est offert volontairement pour remplacer un père de famille condamné à mourir à Dachau. Il est mort le dernier de son groupe, un chant sur les lèvres, après avoir soutenu les autres jusqu'à la fin.

IV

Genèse et différenciation des deux expériences

1. RACINE COMMUNE

Nous remontons maintenant plus haut que lorsque nous cherchions l'unité propre de chaque expérience. Nous cherchons à ces expériences une racine commune : dans le vécu primitif qui exprime la condition de l'être au monde. Être au monde, c'est être à quoi ? Aux choses, à la famille, à la société ? Cette énumération laisse pointer déjà des théories, des explications. Mais nous voulons simplement décrire sans discerner des régions ontologiques. Le monde alors, c'est la totalité où l'individu se situera, à quoi il s'affrontera, contre quoi il s'affirmera. Ce n'est pas encore la totalité des objets : nous nous situons en un point où sujet et objet sont encore indistincts ou à peine distincts : c'est le point où se situe Simondon (pour une entreprise dont nous nous inspirons), le point « de l'unité magique primitive », de « l'union primitive, avant tout dédoublement, de la subjectivité et de l'objectivité [1] ». Ici « le monde est une unité, un milieu plutôt qu'un ensemble d'objets [2] ». Dans une perspective différente, on pourrait évoquer la Nature.

1. Cf. Gilbert Simondon, *Du mode d'existence des objets techniques,* Paris, Aubier, 1969, p. 164.
2. *Ibid.,* p. 170.

Mais nous ne saurions nous situer avant l'homme, et surtout avant la culture. Dans la nature, il y a déjà la culture ; le monde culturel est éprouvé comme nature : la ville, par exemple, comme Sansot l'a bien montré, mais aussi ce qui se joue entre les individus dans la famille ou le groupe. Souvent, pour décrire le vécu primitif, on fait appel à l'enfant ; et cette démarche est légitime si l'on veut, à des fins thérapeutiques ou autres, traiter un individu : cet adulte qui porte, en effet, le poids de son enfance, qui est à lui-même son propre primitif. Mais le vécu primitif — le vécu de la Nature — peut être le fait de l'adulte comme de l'enfant, et surtout, celui de l'enfant n'exclut pas l'adulte : l'enfant découvre un monde où il y a déjà des adultes, qui dans une large mesure organisent le monde de l'enfant. C'est pourquoi, réciproquement, on ne peut comprendre le monde de l'adulte à partir du monde de l'enfant. Comme dit Deleuze : « Jamais l'adulte n'est un par-après de l'enfance [3]. » S'il fallait choisir entre le père et l'enfant pour accorder à l'un une priorité sur l'autre, il faudrait dire que : « Le père est premier par rapport à l'enfant, mais ce serait dire en vérité que l'investissement du désir est en premier lieu celui d'un champ social dans lequel le père et l'enfant sont plongés, simultanément plongés [4]. »

La nature, c'est aussi ce champ social, « historique [5] », inséparable, sinon pour la réflexion du champ naturel, en ce qu'il a de réel, d'inépuisable, de dynamique, on peut bien dire de naturant, mais de préhumain aussi, en tant qu'il se donne à percevoir, à éprouver, avant de devenir un objet pour un sujet et un champ social pour un sociologue. Au moment où ce qu'il faut bien appeler la conscience d'un individu s'éveille, ou, si l'on préfère, au moment où se constitue sa psyché, cette

3. Cf. Gilles Deleuze et Félix Guattari, *l'Anti-Œdipe,* Paris, Éditions de Minuit, « Critique », 1972, p. 327.
4. *Ibid.*, p. 327.
5. Herbert Marcuse, *Contre-révolution et révolte,* Paris, Seuil, « Combats », 1972, p. 82.

nature devient milieu. Et ce qui nous intéresse (et par quoi nous nous séparons de Simondon), c'est moins la nature de ce milieu que l'expérience que le sujet, qui n'est pas encore un sujet, en fait, et la tonalité de cette expérience.

a) La première structuration du monde

C'est l'expérience rassurante d'un milieu rassurant. Car on peut dire que toute l'éducation — et non seulement celle que l'individu reçoit, mais aussi celle que l'individu se donne lui-même en contractant des habitudes — conduit à familiariser l'individu avec le monde, à le sécuriser, à abolir ce sentiment d'impuissance propre à l'enfant prématuré. « De naissance, par ontogénèse et par sociogénèse, affirme J.P. Audet, nous entrons dans un monde qui est d'abord ressenti dans la sensibilité profonde, puis perçu dans la réflexion analytique, comme un monde de l'habituel, du régulier et du familier. Cet habituel, ce régulier et ce familier se rencontrent dans l'individu lui-même (respiration, veille et sommeil, faim et satiété, etc.), dans les personnes qui l'entourent (soins, attention et absence, usages, coutumes, règles expressément formulées, etc.), et de l'ensemble du cadre de vie (chaleur et froid, lumière et obscurité, habitation avec les objets faisant partie de l'aménagement domestique, paysage extérieur, saisons, etc. [6]). » Faire l'épreuve de la réalité, c'est réprimer l'imagination et l'émotion, ce n'est pas découvrir le réel comme l'impossible lacanien. Sans doute, le désir opère-t-il dans cette découverte, et s'investit-il sur des objets qui deviennent imaginaires lorsque les objets réels — partiels ou non — et partiels par rapport à une perception adulte — se dérobent. Et jamais l'imaginaire ne perd ses droits. Mais le réel aussi s'impose, et, sous peine de mort, impose certains comportements : il faut à la fois s'adapter et adapter le monde à soi : être au monde comme chez soi.

---

6. Jean-Paul Audet, *le Phénomène religieux,* essai d'analyse génétique et structurale. Résumé photocopié d'un cours donné à l'Université de Montréal, 1969-1970.

Ce monde de l'habitude — de l'habituel, du régulier, de l'attendu — est à l'homme ce que le monde de l'instinct est à l'animal. L'animal, selon son organisation sensible, est sensible à des formes, à des odeurs, à des saveurs qui lui font signe et déclenchent des mécanismes montés en lui. L'homme est sensible aux messages que lui apportent ses sens, qui lui font signe aussi, parce que le monde prend figure pour lui : des figures comme dit Simondon, qui reprend le vocabulaire de la *Gestaltpsychologie,* se détachent sur le fond. Mais ces figures ne sont pas seulement des formes, elles sont des forces. Pour cet être de besoin, les objets qui peuvent répondre à sa demande (nous ne distinguons pas encore le besoin et le désir qui s'étaie sur lui) ont du pouvoir : un pouvoir qu'ils exercent sur lui, en sa faveur ou non, ou qu'ils exercent aussi sur leur environnement, sur le fond d'où ils se détachent. C'est par là qu'ils viennent à exister vraiment pour lui : à se différencier, à se poser, à se lester d'être, et du même coup à composer un premier visage du monde. Car cette force n'appartient pas seulement au sein maternel, ou au père, mais à beaucoup d'autres figures, aux points clés du paysage, aux moments clés du devenir, aux hommes clés de la communauté [7].

Peut-être faut-il ici indiquer les moments clés où la communauté se rassemble pour quelque entreprise collective, avant même que ne s'instaurent des cérémonies rituelles. Cette dimension sociologique de la vie primitive n'a pas retenu l'attention de Simondon. Mais on sait avec quelle force la souligne, après l'école sociologique française, la pensée contemporaine.

7. Cf. Gilbert Simondon, *Du mode d'existence des objets techniques,* p. 164. « Un lieu privilégié, un lieu qui a un pouvoir, c'est celui qui draine en lui toute la force et l'efficace du domaine qu'il limite : il résume et contient la force d'une masse compacte de réalité ; il la résume et la gouverne, comme un lieu élevé gouverne et domine une basse contrée : le pic élevé est seigneur de la montagne, comme la partie la plus impénétrable du bois est ce en quoi réside toute sa réalité. Le monde magique est fait ainsi d'un réseau de lieux et de choses qui ont un pouvoir et sont rattachés aux autres choses et aux autres lieux qui ont aussi un pouvoir. »

Ainsi tout récemment Deleuze : « Nous disons que le champ social est immédiatement parcouru par le désir... *Il n'y a que du désir et du social et rien d'autre* [8]. » Dans les hauts moments de la vie collective, dans ce que Durkheim appelle « l'effervescence », on pourrait dire, en gardant le langage de Simondon, que le groupe apparaît à l'individu comme une figure majeure, elle aussi investie de puissance, cette puissance qui va se déployer dans la chasse ou le combat. L'individu se sent-il alors devenir autre, fait-il l'expérience de son aliénation ? Pas exactement, il se sent plutôt porté, entraîné par le groupe ; c'est encore un sentiment de sécurité qu'il éprouve : il est au groupe comme il est au monde, dans une familiarité native. Il éprouve bien, comme y insiste Durkheim, la transcendance de son groupe, mais de la même façon que la transcendance des hauts lieux qui constituent la première organisation de son environnement naturel.

Cette expérience d'une puissance à l'œuvre en ces hauts points du monde n'est pas encore religieuse, même si la religion en tire ensuite parti. Sous cette réserve, nous pourrions reprendre ici les études de maints anthropologues : ainsi Van der Leeuw ouvre-t-il son livre sur *la Religion dans son essence et ses manifestations* par un chapitre intitulé « Puissance » où il reprend les analyses du mana. Ce que Simondon invite à comprendre, c'est que ce mana est une vertu ontologique qui appartient aux figures, qui les caractérise. Mais cela ne signifie pas que les objets investis de cette puissance soient autres, surprenants, « qu'ils sortent de l'ordinaire [9] ». Non, ils sortent du fond, si l'on peut dire, et leur privilège est simplement

8. Gilles Deleuze et Félix Guattari, *l'Anti-Œdipe,* p. 36. Ce qui est souligné l'est par les auteurs. S'il est vrai que Simondon néglige la part du social dans la relation au monde, inversement Deleuze, et aussi bien la psychanalyse qu'il critique, semblent négliger la part du monde comme si l'enfant n'avait affaire qu'à la famille ou à la société, et jamais aux choses.

9. Van Der Leeuw, *la Religion dans son essence et ses manifestations,* Paris, Payot, 1953, p. 10.

d'être, d'exister pleinement : être signifiants, être puissants, avoir de la force, du rayonnement, comme le vivant a de la santé [10]. Et tout ce qui atteste cette force, toutes les manifestations du prestige sont mana : « Mana est aussi honneur, autorité, richesse ; un homme riche a du *mana,* c'est-à-dire de l'*auctoritas* [11]. » Ainsi se dessine une première structuration du monde, « mais, dit Simondon, selon un mode antérieur à la ségrégation de l'objet et du sujet [12] ». Assurément cette antériorité est difficile à penser — aussi difficile que l'idée de Nature — car penser est toujours distinguer : il faut donc bien admettre que la figure se distingue du fond, et que l'individu qui ne se définit pas encore comme subjectivité perçoit et vit déjà cette distinction. Cette réticulation constitue un monde magique « fait d'un réseau de lieux et de choses qui ont un pouvoir et sont rattachés aux autres choses et aux autres lieux qui ont un pouvoir [13] ». Et c'est ce monde qui devient d'abord familier : c'est en lui que s'effectuent les échanges entre l'individu et son milieu. Cette première forme d'expérience, l'expérience de figures douées de forces, qui articulent un fond

---

10. Pourrait-on parler ici du « mana » comme d'une « quatrième dimension », ainsi que le suggère Mauss ? « C'est aussi, comme nous l'avons vu, en même temps qu'une force, un milieu, un monde séparé et cependant ajouté à l'autre. (Les figures sur le fond de Simondon.) On pourrait dire encore, pour mieux exprimer comment le monde de la magie se superpose à l'autre sans s'en détacher, que tout s'y passe comme s'il était construit sur une quatrième dimension de l'espace, dont une notion comme celle de mana exprimerait pour ainsi dire l'existence occulte. » Oui, en tant qu'il s'agit à la fois d'un « monde » distinct (figure) mais non complètement détaché du fond. Autre appui important qui confirmerait notre interprétation du mana comme correspondant aux figures du schéma simondonien : le mana, dira Lévi-Strauss, exprime l'exigence d'une totalité non perçue (comme la figure exige le fond). (Marcel Mauss, *Sociologie et Anthropologie,* Paris, P.U.F., 1950, p. III et XLVI).
11. Marcel Mauss, « Essai sur le don », *L'année sociologique,* vol. 1, 1925, p. 97.
12. Gilbert Simondon, *Du mode d'existence des objets techniques,* p. 164.
13. *Ibid.,* p. 165.

indifférencié, rassure ou plutôt donne de l'assurance à l'individu, en ce qu'elle l'insère lui-même dans le milieu, l'embraye sur les forces qui animent ce milieu. C'est pourquoi l'étrange a alors peu de prise sur lui : à peine naît-il qu'une force est là pour le conjurer.

Cette expérience nous est-elle devenue étrangère, à nous « civilisés » ? Simondon suggère que non : « ... les superstitions sont des vestiges dégradés de la pensée magique... Il convient au contraire de faire appel à des formes hautes, nobles et saintes de la pensée, nécessitant un effort en pleine lumière, pour comprendre le sens de la pensée magique. Tel est, par exemple, le sous-bassement affectif, représentatif, et volontaire qui supporte une ascension ou une exploration [14] ». Davantage, peut-être la philosophie elle-même en appelle-t-elle à cette première expérience de l'être au monde et nous propose-t-elle de la revivre pour la réfléchir. Mais cette expérience, on le voit, n'est pas nécessairement celle de la déréliction ou de l'absurdité, ce peut être le sentiment d'être en prise sur de grandes images du monde, sur la réalité même.

Sans doute, à ce niveau, la magie n'est-elle pas encore instituée : elle est spontanée. Mais les premières institutions suivent cette expérience première : la culture se fonde sur elle. Et c'est à cette condition que ce premier visage du monde devient un visage familier. C'est pourquoi nous pouvons dès maintenant évoquer la figure du magicien. Nous disons bien figure, car le magicien est dans la communauté un homme clé comme le pic est un point clé, comme le monument ou l'échangeur seront peut-être des points clés dans le paysage urbain : il est investi d'un pouvoir particulier. Et pourquoi ? Parce qu'il est lui-même particulièrement sensible aux pouvoirs qui se manifestent dans le milieu, parce qu'il a avec eux une familiarité active, parce qu'il est capable de les invoquer et de les maîtriser. Ce qui définit le magicien, c'est son commerce avec

14. Gilbert Simondon, *Du mode d'existence des objets techniques*, p. 166.

le mana, qui lui permet de jouer un rôle de médiateur entre ce mana et les membres de la communauté [15]. En ce sens, il se situe dans un monde préreligieux ; l'expérience qu'il fait et qu'il joue devant ceux qui recourent à ses services, c'est l'expérience du pouvoir de certains objets, et du pouvoir qu'il a sur ces pouvoirs, c'est donc l'expérience de la réalité, et de l'efficacité que donne le contact avec cette réalité. Cette expérience non plus n'est pas étrangère à notre monde contemporain. Il suffit d'évoquer la place que prennent les chefs charismatiques, les vedettes et les psychanalystes, et le prestige dont ils jouissent.

Comment donc en venir à la religion et à l'expérience proprement religieuse ? Suivons encore Simondon. « La structure réticulaire, dit-il, se déphase lorsqu'on passe de l'unité magique originelle aux techniques et à la religion [16]. » Comment s'opère le passage ? En suivant le devenir du schéma hylémorphique : « en tant que figure, les points clés, détachés du fond dont ils étaient la clé, deviennent les objets techniques, transportables et abstraits du milieu... Cette rupture du réseau des points clés libère les caractères de fond qui, à leur tour, se détachent de leur fond propre, étroitement qualitatif et concret, pour planer sur tout l'univers, dans tout l'espace et toute la durée, sous formes de pouvoirs et de forces détachés, au-dessus du monde. Pendant que les points clés s'objectivent sous forme d'outils et d'instruments concrétisés, les pouvoirs de fond se subjectivent en se personnifiant sous la forme du divin et du sacré (Dieux, héros, prêtres [17]). » Ainsi la religion apparaît-elle en même temps que la technique, solidaire bien qu'inverse d'elle, et trouve-t-elle son sens dans cette référence au fond.

15. C'est ce qui fait de lui un puissant « abréacteur » dirait Claude Lévi-Strauss, *Anthropologie structurale*, p. 199.
16. Cf. Gilbert Simondon, *Du mode d'existence des objets techniques*, p. 167.
17. *Ibid.*, p. 168.

Mais cette référence définit « une pensée religieuse » plutôt qu'une expérience religieuse. Y a-t-il une expérience des « pouvoirs de fond » ? Peut-être, mais il semble aussi que cette expérience doit être éveillée par une expérience plus immédiate et pour ainsi dire plus sensible. La dissociation de la figure et du fond, l'avènement de la technique donneront sans doute son sens, son contenu à la religion, mais ne suffisent peut-être pas à susciter son avènement. C'est pourquoi, suivant maintenant la leçon des anthropologues et tout récemment d'Audet, nous voudrions placer aussi, à l'origine de la religion, une autre expérience : celle de l'extraordinaire, la révélation d'un monde autre.

b) L'insolite

Nous avons précédemment souligné que le monde magique était un monde familier, le monde de l'attendu, auquel on peut s'habituer. Ce monde peut même rester sécurisant lorsque apparaissent les techniques et avec elles le travail. D'une part, parce que les techniques elles-mêmes bénéficient de la puissance magique : « Parmi les choses pourvues de puissance, la première place revient à l'outil. Pour le primitif, le travail est le contraire d'une simple occupation technique ; le travail est créateur. L'ouvrier primitif n'a pas l'impression que la puissance en vertu de laquelle il accomplit son ouvrage soit sa propre puissance. Capacité pour lui signifie plus que la moderne efficience (*efficiency*) [18]. » D'autre part parce que, lorsque l'outil vient à faire défaut, lorsque le travail est impuissant à assurer le succès, la magie peut venir à la rescousse : il ne suffit pas de bien construire le kayak, il faut encore accomplir certains rites pour s'assurer qu'il tiendra la mer. Aussi la magie permet-elle à la technique de s'accomplir et le magicien garde-t-il son emploi.

---

18. Van Der Leeuw, *la Religion dans son essence et ses manifestations*, p. 26.

Mais il arrive qu'une tempête fasse sombrer le kayak. Encore la tempête peut-elle être prévue ; mais il y a de l'imprévisible. Ce monde ne reste pas toujours disponible et familier, complice de cette première organisation. Cette première structuration est déstructurée par l'apparition de figures insolites qui ont « la même singularité et le caractère exceptionnel » des points clés, mais qui, au lieu d'être des points d'échange entre l'individu et le milieu, sont des points d'opposition. Ce qui s'éprouve alors, c'est l'altérité de ce qui est autre, la violence qu'il peut exercer [19]. Sans doute, dira-t-on, cette altérité peut-elle avoir été déjà éprouvée. Si nous ne l'avons pas encore invoquée, c'est qu'elle n'est saisie que sur un fond de

---

19. Parmi les visages de l'altérité, nous pouvons mettre la violence, aussi bien la violence des hommes que celle des choses. Et c'est l'occasion d'évoquer la thèse que défend avec tant de vigueur René Girard dans *la Violence et le sacré* (Paris, Grasset, 1972). Girard met l'accent sur la violence des hommes (de la violence des choses, il ne dit qu'un mot, lorsqu'il évoque à la page 369, « le sacré sauvage » : en quoi nous sommes moins durkheimienne que lui). Pour lui, cette violence est première, et toute la culture — et d'abord la religion — s'emploie à la maîtriser pour instaurer un ordre social. Comment ? En produisant une contre-violence, exactement comme on fait un contre-feu pour arrêter la propagation d'un incendie. Dans nos sociétés, cette contre-violence est la violence légale du système judiciaire, qui met un terme à la vengeance en la « rationalisant ». Dans les sociétés archaïques, qui ne connaissent pas le système judiciaire, la contre-violence est le sacrifice du *pharmakos,* du bouc émissaire : « violence sans risque de vengeance » (p. 29) qui met fin aux rebondissements infinis de la violence réciproque, « violence fondatrice » qui réalise « l'unanimité » (moins un : le sacrifié) et qui permet l'avènement de la paix et de l'ordre... jusqu'à la prochaine « crise sacrificielle ». Il est assurément important de souligner le fait de la violence, et son impact : l'effroi qu'elle suscite, la terreur de la violence absolue, dit Girard, est plus forte que le désir et c'est elle qui est toujours et partout refoulée (p. 168). Mais peut-être n'est-il pas nécessaire de poser la violence comme première, et la contre-violence comme fondatrice : nous avons pensé la violence comme ce qui défait un ordre préexistant, si fragile soit-il, comme l'extraordinaire qui rompt l'ordre et déconcerte les habitudes. Quoi qu'il en soit, la violence est bien à l'origine de la religion, comme veut Girard, et nous reviendrons avec lui sur son rapport au sacré.

familiarité, qu'il faut décrire en premier. C'est aussi que les premières figures de l'extraordinaire sont prises en charge, en ce premier niveau, par la magie. La magie découvre les points clés, désarme et apprivoise ce qu'ils peuvent avoir d'insolite et de violent, intègre donc l'autre. Les expériences qu'il faut maintenant invoquer — celles qui suscitent l'expérience religieuse, donc le passage de la magie à la religion — sont celles où l'autre apparaît plus déconcertant, plus redoutable : expérience d'une violence anarchique dans les figures, du chaos dans le fond. D'autre part, cette altérité peut être éprouvée d'autant plus violemment lorsque, comme dit Simondon, « le déphasage de la médiation en caractères figuraux et en caractères de fond traduit l'apparition d'une distance entre l'homme et le monde [20] ». La symbiose originelle se disloque : à la présence, où l'homme est immergé dans le monde, succède la représentation : un écart se creuse entre l'homme et le monde, le monde devient théâtre, le milieu lieu de spectacle ou de travail. Tenues à distance, les choses deviennent étrangères, et c'est alors qu'elles peuvent devenir étranges. Des objets, des événements vont détruire la familiarité, faire sentir la précarité de l'ordre vécu dans l'habitude.

Que, dans les sociétés les plus archaïques, l'homme ait été sensible à l'insolite, les *curios* trouvés dans certains habitats l'attestent [21]. Mais collectionner les *curios*, c'est déjà les

---

20. Cf. Gilbert Simondon, *Du mode d'existence des objets techniques,* p. 168.

21. « La situation de ces objets, nous dit Leroi-Gourhan, et leur provenance imposent qu'ils aient été apportés volontairement. Ces pièces constituent donc le premier témoignage, du moins à notre connaissance, qu'on ait de l'intérêt porté par l'homme aux formes insolites. C'est en quelque sorte l'introduction lointaine à l'art figuratif, mais plus encore c'est la première manifestation d'un sentiment assez mystérieux en présence de formes rencontrées dans la nature et particulièrement de celles qui sont sorties du sein de la terre ou de la pierre » (cf. *les Religions de la préhistoire,* Paris, P.U.F., 1964). Cette dernière conclusion appuie singulièrement la thèse que nous développerons ici. Le témoignage de Leroi-Gourhan nous est d'autant plus précieux que nous connaissons sa prudence habituelle.

apprivoiser, se rassurer. Cependant, il y a tous ceux qu'on ne peut collectionner, toutes les figures de l'inhabituel et de l'imprévisible.

L'extrême du surprenant, c'est le monstrueux : ce qu'on ne rencontre pas généralement, dit Aristote, et dont la rencontre bouleverse. Ainsi, dans le monde, l'éclipse ou la tempête ; dans la société, le déchaînement de la sauvagerie ; dans l'ordre de la vie, la mort, peut-être le sang si l'on en croit l'expérience de William James et très récemment les analyses de Laura Makarius [22], l'épidémie, comme cette peste qui, à Loudun, contribua à déclencher le diabolisme. Ainsi encore, dans l'individu, la maladie où le schéma corporel se brouille, l'émotion qui bouleverse, comme pour la jeune Parque cette montée du printemps « qui rit, viole, on ne sait d'où venu ». Alors surgit un monde brouillé, sans chemins, qui nous jette dans l'errance : ef-frayant, écrit Blanchot.

Freud analyse une catégorie voisine de l'effrayant, l'*Unheimliche.* Ce qui la distingue, c'est sa relation nécessaire au refoulement. Car le mot signifie à la fois le familier et l'inquiétant. Le familier, c'est ce qui a été éprouvé autrefois, et dont le retour angoisse. L'*Unheimliche* surgit lorsque « les limites entre réel et imaginaire s'effacent, lorsque le fantastique s'offre à nous comme réel [23] ; il provient de l'intime refoulé ». Cette thèse reporte en arrière, aux temps primitifs, l'éveil de l'angoisse. Freud en a conscience, car il dit en conclusion : « De la solitude, du silence, de l'obscurité, nous ne pouvons rien dire : ce sont les éléments auxquels se rattache l'angoisse infantile [24]. » C'est cette angoisse qui nous intéresse, qu'elle

---

22. Laura Makarius, « Qu'est-ce que le mana ? », *Raison présente,* n° 21, janvier-mars 1972, p. 49.
23. Cf. Sigmund Freud, *Essai de psychanalyse appliquée,* Paris, Gallimard, « Idées », 1971, p. 193.
24. *Ibid.,* p. 210. L'expérience de l'effrayant peut être faite dans certains états pathologiques comme la schizophrénie. Marguerite-Albert Sechehaye livre, dans le *Journal d'une schizophrène,* (Paris, P.U.F., 1950) la description que fait une de ses malades du senti-

soit ensuite refoulée », « surmontée » ou non. Car l'effrayant — la violence des choses, de la scène primitive, de l'émotion — peut dans une certaine mesure être aménagé.

Une question se pose donc ici : l'imprévisible est-il susceptible à son tour sinon d'être prévu, du moins d'être organisé en un monde propre ? Audet l'affirme : « Mais ce qu'il importe d'observer ici avec non moins d'attention, c'est que l'inattendu, l'inaccoutumé et l'insolite, d'autre part ne se présentent pas à la conscience, quel que soit le niveau auquel on l'envisage, comme une poussière de faits isolés, sans liens les uns avec les autres, dont chacun, par suite, pourrait recevoir une interprétation séparée... En réalité, aux yeux de la conscience, il y a un véritable monde de l'inattendu, de l'inaccoutumé et de l'insolite, comme il y a un monde de l'habituel, du régulier et du familier. Par ontogénèse, par sociogénèse et par héritage historique, tout homme entre simultanément dans l'un et dans l'autre de ces deux mondes [25]. » Sans doute est-ce vrai lorsque l'expérience religieuse donne lieu à la religion : la religion a réponse à tout, elle explique et elle justifie l'extraordinaire ; elle est, dit Audet, le moyen par lequel les hommes donnent une signification à cet extraordinaire et s'adaptent à lui : pour cela, elle l'aménage, elle le constitue en monde. N'est-ce pas déjà une façon de l'apprivoiser ? de le désarmer ? Mais cette réponse à l'extraordinaire est précisément appelée parce que l'extraordinaire déjoue d'abord toute réponse, parce qu'il est d'abord indomptable, rebelle à la mise en système. Et c'est sans doute en revenant à cette expérience que la religion — et l'art aussi — se ressource, que l'expérience religieuse ou esthétique se réveille. Si de l'extraordinaire ne venait pas sans cesse transgresser l'ordre, la religion ne serait plus que discours ou administration et l'art ne serait plus que production commerciale.

ment d'irréalité qui surgit au sein même du « familier ». (cf. p. 11, 12, 17, etc.)

25. Jean-Paul Audet, *le Phénomène religieux*.

Quelle expérience est-elle induite par ce bouleversement de l'ordinaire, cette transgression du normal, cette figure de l'anti-monde ? D'abord, la perception se mêle d'émotion. (Et c'est à bon droit que Lyotard reproche à Merleau-Ponty de décrire une perception sans émotion [26].) Une première émotion : l'étonnement, qui vire ensuite à l'effroi ou à l'admiration. Cet étonnement s'explicitera plus tard par une batterie de questions qui seront formulées rationnellement : pourquoi y a-t-il quelque chose plutôt que rien ? Pourquoi suis-je là, qui suis-je, que fais-je là ? Ces questions portent sur l'origine (le fantasme originaire est le fantasme de l'origine) et sur la fin : archéologie et téléologie, qui sont liées, dit bien Ricœur. On va y revenir, mais ici, dans l'émotion, les questions restent implicites. Ce qui est vécu, c'est un bouleversement. Ce saisissement ranime le sentiment de l'être-là du monde, de sa nécessité. Certes les figures douées de mana éveillaient déjà ce sentiment ; mais il pouvait s'émousser dans la familiarité de l'habituel quand tout va de soi. Ici au contraire, c'est parce que le monde se dérobe, parce qu'il peut s'évanouir et se perdre dans le vide qu'il apparaît d'autant plus réel : comme par contraste. De plus, avec l'insolite, la réalité retrouve tout son poids, mais aussi prend un aspect nouveau, celui de l'adversité ; dans la complicité, c'est l'hostilité qui peut prévaloir. Ce qui est suscité en tout cas, c'est le sentiment de l'altérité. Car l'altérité n'est pas seulement le fait d'autrui, ou de l'Autre lacanien et elle n'est pas encore le fait du Tout Autre, elle est le fait de tout ce qui est étrange ou étranger, qui n'est pas le même, c'est-à-dire l'habituel. « Pris globalement, affirme Audet, le monde de l'inattendu, de l'inaccoutumé et de l'insolite se trouve de la sorte caractérisé, au premier stade de la perception acquise dans l'étonnement, comme un monde simplement « autre » que celui de l'habituel, du régulier et du familier par lequel se définit en premier lieu la condition humaine. Il est un monde de l'altérité ou, pour

26. Cf. Jean-François Lyotard, *Discours, figure,* Paris, Klincksieck, « La collection d'esthétique », 1971, 428 p., p. 137.

nous exprimer plus concrètement, il est le monde de l'« autre ». L'altérité est la première valeur du monde de l'inattendu, de l'inaccoutumé et de l'insolite, signalée à la conscience individuelle et collective par l'étonnement [27]. » Et dans cette expérience, je ne me reconnais plus, je deviens autre pour moi-même, je ne puis plus me fier à mon moi d'habitude, le moi que je vivais en l'ignorant : c'est l'opposé du stade du miroir où le sujet se découvre et se connaît avec bonheur. Car ici, les images se brouillent, l'émotion est vécue comme dérèglement, aliénation, parfois jusqu'à la perte de la conscience, qui ne signifie pas seulement un mouvement de fuite conscient, dit Sartre, mais l'impossibilité de rester soi.

Cette altérité bouleversante fait lever l'imaginaire dans le perçu. Quel imaginaire ? Le mot a de multiples emplois. Il y a un imaginaire qui procède du réel, qu'on peut appeler objectif. On dit bien que nous avons des images du monde, que le monde se donne à nous en images ; les figures qui s'y laissent discerner sont des images : images rassurantes, mais qui font place à des images blessantes lorsque surgit l'insolite. Mais il y a aussi des images qui procèdent de nous, qu'on peut appeler subjectives. Et il y en a de deux sortes : celles dont la conscience dispose en quelque sorte librement, qui sont l'objet d'une évocation volontaire, comme lorsqu'Alain demandait à ses élèves de compter en images les colonnes du Panthéon, et celles dont on suppose qu'elles hantent l'inconscient, qui n'accèdent à la conscience que déguisées et mutilées, sans qu'on puisse remonter au fantasme originel dont elles sont les expressions inavouées. Ce donné imaginaire n'a rien à voir avec le principe de réalité, mais il arrive qu'il interfère avec le réel, qu'il embrouille l'imaginaire, comme dans l'hallucination, mais il arrive aussi que ses expressions conscientes soient assumées par la conscience qui en fait un imaginaire apprivoisé, organisé, rationalisé ; ainsi en est-il de l'imaginaire qu'institutionnalisent les théologies.

27. Cf. Jean-Paul Audet, *le Phénomène religieux.*

À sa source, au lieu de se soumettre au principe de réalité, l'imaginaire procède d'une autre réalité : la réalité du désir. Et précisément, le désir est ranimé par l'expérience de l'altérité. Ranimé ou éveillé ? Préexiste-t-il à cette expérience ? Est-il même préreligieux ? Certaines pensées contemporaines — celles de Lyotard, de Deleuze — l'affirment : le désir (comme le champ social, nous venons de le voir) préexiste au sujet, et par conséquent serait *a fortiori* agissant déjà dans le monde magique. Question difficile à laquelle nous n'osons avancer une réponse. Mais en tout cas, il n'est pas difficile d'affirmer que le désir prend une forme repérable à partir de l'expérience de l'étonnement : en même temps que prend forme le sujet, quand se creuse sa distance à l'objet, quand le monde devient autre. Alors le désir prend forme en prenant sens. Quel sens ? Le désir n'est pas manque, comme on le dit trop souvent : il ne naît pas de l'expérience d'une absence radicale. Est-il production, comme dit Deleuze ? Oui : d'un imaginaire qui « réalise » sa fin. Car le désir est intentionnel : il est désir de, comme déjà le besoin est besoin de. De quoi ? Désirer, c'est désirer autre chose, pas une chose, comme le besoin qui trouve sa satisfaction dans un objet déterminé, mais un monde. Le désir est aux dimensions du monde. Il veut tout, tout de suite. Et cette impatience se manifeste bien déjà dans le comportement magique qui sollicite et obtient une réponse immédiate. Il est en quête d'un autre monde, et précisément parce que le monde familier, envahi par l'extraordinaire, est devenu autre. Il rêve d'un autre monde, qui ne serait pas autre : un monde qui n'aurait pas la fragilité de ce réel vulnérable, un monde où il ne se sentirait pas menacé, étonné, angoissé. Mais encore : un monde où il ne serait pas séparé, livré à lui-même en face de l'autre, sujet devant un objet, un monde où il ne serait pas encore né. Dans ce monde, il serait tout dans le tout [28]. On voit ici, bien sûr, poindre la religion. Mais ce désir n'est-il

28. Nous suivons ici un article encore inédit de Mikel Dufrenne.

pas aussi celui que Sartre, dans *l'Être et le Néant,* découvre en l'homme : le désir d'être à la fois en soi et pour soi, à la fois installé dans la plénitude et l'inertie de l'étant et dans la liberté de l'existant, c'est-à-dire le désir d'être Dieu ? Peut-être est-ce là le fantasme originaire : fantasme de l'origine, du retour à l'origine où on existerait sans connaître les affres de la naissance et la détresse de la séparation. On comprend en tout cas que le désir soit insatiable. Mais cela ne signifie pas qu'il ne puisse s'accomplir parfois, provisoirement, et c'est là sans doute ce que l'expérience esthétique nous enseignera.

On voit donc ce que produit le surgissement de l'insolite. Il introduit le moment d'une négativité, qui n'est pas récupérée par une dialectique. C'est l'expérience d'une coupure, d'une rupture de l'identité, ou de la coexistence encore possible de l'homme et du monde dans la magie. Au fond, c'est l'expérience de la naissance comme rupture du cordon ombilical, qui voue l'individu à la séparation, et aussi à la déréliction : le monde est un lieu d'exil où il éprouve son impouvoir. Certes, cette expérience d'un impouvoir peut être elle-même positive, lorsqu'elle est l'envers ou la rançon de l'exercice d'un pouvoir : nous le verrons de l'expérience de l'artiste. Mais lorsque l'artiste nous présente des monstres, ce qu'il ranime en nous, comme le montre Gilbert Lascault, c'est l'expérience d'un impouvoir plus profond : celui que suscite une altérité irréductible.

C'est donc ici que nous voyons la racine commune irréductible des deux expériences : toutes deux naissent dans la transgression du réel établi et répondent à l'insécurité et à l'angoisse. Comment ces réponses vont-elles diverger pour différencier les deux expériences ?

2. LA DIFFÉRENCIATION DES DEUX EXPÉRIENCES

Ce qui va différencier les deux expériences, on peut évidemment dire que c'est la situation sociale, le champ culturel :

l'individu réagit différemment à un monstre, à un orage, à une aurore boréale, à une guerre, selon l'époque, selon la culture, etc. Et ce sont les institutions qui, en gérant chacune de ces expériences, les amèneront à se démultiplier en expériences parallèles, comme on verra plus loin. Mais déjà donnons un exemple qui illustre bien ce phénomène. Julien Green nous raconte comment il a vécu, enfant, une de ces expériences premières en contemplant un spectacle de la nature particulièrement beau. « Ce mot de firmament, comme je l'aimais alors que je n'étais qu'enfant ! Il me paraissait plein de lumière. Ma première émotion purement religieuse, autant qu'il m'en souvienne, remonte à ma 5e ou 6e année... J'étais dans la chambre de mes parents, rue de Passy. Cette chambre était noire, mais, par une vitre, je voyais briller des milliers d'étoiles dans le ciel. C'est la première fois à ma connaissance, que Dieu m'a parlé directement, dans ce langage énorme et confus que les mots n'ont jamais pu rendre [29]. » Que Julien Green ait été saisi par la beauté du firmament étoilé, aucun doute à cela. Mais qu'il interprète son émotion comme étant religieuse, comme étant produite par Dieu et plus particulièrement par une parole divine à son cœur, signifie bien les interférences culturelles de son expérience. À peine la vit-il, qu'elle se teinte de la coloration chrétienne de son milieu familial. Prenons aujourd'hui des enfants à qui on n'a jamais parlé de Dieu, mais que l'on a familiarisés avec différentes techniques d'expressions comme la peinture ou le théâtre. Vivent-ils une expérience analogue à celle de Julien Green, ils tenteront de l'exprimer dans un gribouillis, un dessin ou même une sorte de jeu dramatique, comme chacun de nous l'avons maintes fois remarqué. Les milieux culturels différencient donc l'expérience de l'insolite. Mais si l'on se place, comme nous tentons de le faire ici, en deçà de la culture et de l'institution ? Alors la divergence provient à la fois de la différence des

29. Julien Green, *le Bel Aujourd'hui,* Paris, Plon, cité par Michel de Certeau avec un autre texte de Julien Green, à l'article : « Mystique » de *l'Encyclopaedia universalis.*

visages qu'offre l'insolite : tantôt l'effrayant, et tantôt l'admirable, et de la nature du désir : un désir qui cherche à s'accomplir tantôt dans un « autre monde », tantôt dans un monde à faire autre [30].

Nous parlons de l'effrayant et de l'admirable plutôt que de l'effroi et de l'admiration. Nous pensons, en effet, que les sentiments, comme les émotions, sont intentionnels : ils visent un certain « état de choses » — *Sachverhalt* dit Husserl —, ils constituent une réponse à cette image du monde. Assurément, il n'y a de l'effrayant que pour un être susceptible d'effroi : un caillou ne se laisse pas effrayer, et c'est bien parce que l'individu humain est irréductible, comme individu sentant et désirant. Mais il reste que, pour cet individu sensible aux aspects du sensible, l'expérience de l'effroi est commandée par l'effrayant.

D'autre part, nous assignons le ressort de l'expérience religieuse à l'effrayant et de l'expérience esthétique à l'admirable. En cela, nous nous écartons de certaines analyses comme celles d'Audet. Pour lui, l'autre éveille d'abord la crainte, qui

30. En fait, nous ne serions pas portés à diviser aussi systématiquement l'insolite en effrayant et en admirable, en faisant de la première catégorie le ressort de l'expérience religieuse et de la seconde celui de l'expérience esthétique, si nous ne voulions clairement nous opposer à la position du père Audet qui fait de l'admirable, comme nous le verrons bientôt, l'expérience propre au monothéisme. Nous pensons et nous tenterons de montrer que l'effrayant peut aussi susciter l'expérience esthétique, particulièrement chez les « écrivains maudits » étudiés par Bataille, mais même pour eux alors, l'effrayant n'est pas à l'état radical et se teinte d'admiration. Certes, l'« effrayant » déroute selon l'étymologie même du mot, il désarme, annihile tout effort d'action ou de création, il désintègre. Mais pour qu'un Blake, une Emily Brontë, un Artaud, etc., parviennent à exprimer cet effrayant, il faut qu'après un bouleversement premier, ils aient été saisis par l'aspect admirable de l'effrayant, que l'Eros ait trouvé un point d'appui en lui. Car l'admirable ne postule pas nécessairement le divin et ses attributs : surnature, futur, éternité, etc., mais insère dans la nature, réclame le présent, stimule à la jouissance et de là au faire et à la création.

induit à le percevoir soit comme impur et à écarter, soit comme magique si l'impur est maîtrisable (alors que nous avons placé la magie avant et non après l'expérience de l'insolite). Quant au « divin » qui est situé ici au cœur du religieux, le sentiment en est aussi inspiré par la crainte suscitée par « l'autre » ; il apparaît quand on reconnaît « dans l'autre » la puissance rectrice qui fait, en dernier lieu, que l'habituel est l'habituel, le régulier est le régulier, le familier est le familier. Dans cette perspective « se trouve la cellule-mère de toute religion [31] ». Mais cette perception du divin ne prend tout son sens qu'avec l'admiration : « Mais, dès le départ, l'homme possédait, de fait, en lui-même, le germe d'un autre facteur de différenciation, plus spécifiquement humain que la crainte, dont le mouvement spontané était au contraire, orienté biologiquement vers l'unique. Ce facteur, c'était l'admiration. En fait, c'est la croissance très lente, mais progressive du petit germe initial de l'admiration... qui a finalement frayé la voie à la perception décisive qui pouvait dissiper... l'apparence du multiple dans le divin [32]. » Somme toute, il faut l'admiration pour que la religion en vienne au monothéisme. Or, il ne me semble pas évident que l'expérience religieuse ne revête sa forme authentique que lorsqu'elle est liée à la doctrine monothéiste ; si elle est l'expérience du divin, cette expérience peut aussi bien se produire dans un contexte polythéiste : le divin, pour Heidegger, pour Höderlin, c'est la marque du « céleste », des Dieux. Et d'autre part, l'expérience qui me semble liée à l'admiration, c'est l'expérience esthétique plutôt que l'expérience religieuse.

a) L'expérience religieuse

Mais voyons d'abord comment, à partir de l'étonnement et plus précisément de l'effroi, se différencie l'expérience religieuse. Le désir, avons-nous dit, suscite, avec le refus de ce

31. Jean-Paul Audet, *le Phénomène religieux,* p. 8.
32. *Ibid.,* p. 9.

monde, l'image d'un autre monde, sur-nature, vrai monde ; l'ici-bas est dénoncé comme illusoire [33]. « Nous ne sommes pas au monde », dit Rimbaud — après saint Paul ! ; il y a un ailleurs pour une autre vie. Le propre de l'expérience religieuse, c'est de donner comme un avant-goût de cet imaginaire : pressentir, sinon sentir. Nous le voyons dans l'expérience mystique dont nous évoquerons à loisir le discours où elle se dit : ravissement, abandon et perte de soi dans l'Un ou le Tout. Car le désir veut que le soi ne soit comblé, apaisé qu'en se niant comme séparé : l'extase est retour au sein, et l'individu consent avec bonheur à son impouvoir : il s'applique à se décréer selon l'expression de Simone Weil, et peut-être que ce retour est un peu exprimé dans « le sentiment océanique » dont parle Freud [34] ; le Tout n'est pas le sein, mais l'autre monde.

Comment l'expérience vit-elle ce monde imaginaire? Quels caractères l'imagination lui prête-t-elle ? D'abord il est autre.

---

33. En ce sens, tout idéalisme — philosophie du langage, philosophie de l'absolu — est une théologie (et non une philosophie du plein).
34. Sigmund Freud, « Malaise dans la civilisation », *la Revue française de psychanalyse,* janvier 1970, p. 9-17. Je dis : « peut-être » et « un peu », car tel que le texte le commente, « ...sentiment particulier dont lui-même était *constamment* animé... sensation d'éternité ... donnée purement subective. Aucune promesse de survie personnelle... », l'on comprend que Freud, tout en reconnaissant dans ce sentiment « un élément affectif certain » l'ait taxé de « vue intellectuelle ». En effet, « l'idée que l'être humain puisse être renseigné sur les liens qui l'unissent au monde ambiant par un sentiment immédiat et l'orientant dès l'origine dans ce sens » s'intègre mal « dans un essai d'interprétation psychanalytique ». Cependant si le sentiment océanique désigne quelque chose « d'illimité, d'infini », propre à un moi qui, à l'origine, inclut tout et si ce moi, tel que le définit Freud peut survivre à côté d'un moi évolué, qu'est-ce qui empêche alors qu'il soit à l'origine de la religion ? « Un sentiment ne peut devenir une source d'énergie que s'il est lui-même l'expression d'un puissant besoin », dit Freud, et il conclut que seul l'état infantile de dépendance absolue ainsi que la nostalgie du père suscitent cet état. Mais le premier Tout avec qui l'enfant rentre en contact, n'est-ce pas le ventre maternel où il a été conçu ? La naissance n'est-elle pas coupure d'avec le Tout qu'il retrouve obscurément dans le sein maternel ? Tout bouleversement ne fait-il pas renaître le désir du Tout ?

Et l'on voit alors pourquoi nous ne pouvions suivre Simondon jusqu'au bout : pour lui la pensée religieuse (il ne dit pas : l'expérience) c'est la pensée de ce monde-ci, ou plus exactement de ce qui en apparaît après le déphasage de la pensée magique et la dissociation des éléments figuraux devenus objets techniques : le fond, comme puissance et surtout comme totalité « le fond devient... chose détachée du monde, abstraite du milieu primitif [35] ». Mais il ne constitue pas vraiment un autre monde, désiré et rêvé comme autre. Or il semble que cette altérité lui soit essentielle : le déphasage de l'unité magique ne produit pas seulement la disjonction du fond et de la figure, il produit l'écart du réel et de l'imaginaire ; l'altérité du surnaturel est la marque de l'imaginaire, et elle est ce que veut le désir.

Pourtant l'imaginaire n'est pas totalement coupé du réel ; l'imaginaire ne crée pas *ex nihilo.* Aussi pouvons-nous revenir à Simondon : l'autre monde garde bien les traits de ce monde, les traits du fond ; c'est la totalité qui signifie la transcendance. Car « la source de la transcendance, dit Simondon, est dans la fonction de totalité qui domine l'être particulier ; cet être particulier, selon la visée religieuse, est saisi par référence à une totalité dont il participe, sur laquelle il existe, mais qu'il ne peut jamais complètement exprimer [36] ». Ainsi l'individu fait-il l'expérience d'être immergé, absorbé dans cette totalité qui le dépasse. Et cette totalité confisque la réalité et la puissance : revanche du fond, qui revendique les privilèges qui appartenaient aux figures. Mais ce fond n'est pas exactement le fond donné sur lequel se profilaient ces figures ; ce n'est plus cet horizon, ce désert, cette plaine, cette mer, ce milieu humain, ce champ social, c'est un autre monde, surnaturel.

Mais parce que le fond est autre, parce qu'il est imaginaire, ou parce que le réel est perçu à travers l'imaginaire, il

35. Gilbert Simondon, *Du mode d'existence des objets techniques,* p. 173.
36. *Ibid.,* p. 172.

n'a plus les caractères qu'avaient les figures et l'on peut ici reprendre le mot : il est numineux [37]. Certes, Otto ne dit pas que l'objet numineux soit un imaginaire. Mais ce qui importe, c'est que le sentiment du numineux soit éveillé par ce qu'il appelle l'effroi, l'expérience du *tremendum.* Cet effroi, pour nous, ce n'est pas le numineux qui le suscite, bien plutôt, c'est l'effroi qui suscite le numineux. Mais lorsque l'expérience devient religieuse, l'effroi qu'éveillait dans ce monde le surgissement de l'extraordinaire se reporte sur l'imaginaire, et du même coup se métamorphose : c'est un « effroi mystérieux », comme dit Otto, qui se cristallise sur le numineux ; l'effrayant devient le saisissant, ce qui donne le sentiment d'une « inaccessibilité absolue », laquelle est la marque, le comble de l'altérité ; et pour caractériser le numineux, au *tremendum* Otto joint la *majestas,* le propre d'une « super-puissance » : on voit encore ici quelle mutation s'opère avec le passage de la magie à la religion : le mana était une vertu des objets qui sont à notre portée, une puissance somme toute domesticable, comme celle des animaux ; ici la *majestas* est le propre d'une « énergie », comme dit encore Otto, incontrôlable et par là effrayante [38]. « Cet élément de la *majestas* peut rester vivant, quand le premier, celui de l'inaccessibilité, s'efface et s'éteint, comme cela peut arriver, par exemple, dans le mysticisme », note Otto [39] : nous le vérifierons sur le discours mystique, même si ce qui s'y exprime est l'adoration plutôt que la terreur. En tout cas, c'est ce sentiment du numineux qui éveille à son tour « le sentiment de l'état de créature », c'est-à-dire « le sentiment de la créature qui s'abîme dans son propre néant et

---

37. Rudolph Otto, *le Sacré,* Paris, Payot, 1949, p. 20.
38. C'est la même mutation, qui se manifeste dans la conversion de l'autre en Tout Autre, ou de puissant, en Tout-Puissant : passage du fini à l'infini, en même temps que de la figure au fond. Il semble que les analyses de Van Der Leeuw ou d'Éliade ne mettent pas assez l'accent sur ce saut qualitatif, ni généralement les doctrines, qui ne discernent pas assez nettement le magique et le religieux.
39. Rudolph Otto, *le Sacré,* p. 37.

disparaît devant ce qui est au-dessus de toute créature [40] ». Ce sentiment, ajoute Otto, a bien été analysé par Schleiermacher ; mais le tort de celui-ci a été de le situer à l'origine de l'expérience religieuse, comme si cette expérience procédait d'une réflexion sur soi « d'un sentiment de soi-même, d'une détermination particulière du moi [41] ». En fait, ce sentiment n'est qu'un effet, l'ombre d'un autre sentiment : « Par contraste avec la puissance que nous pressentons en dehors de nous, il se précise en tant que sentiment de notre propre effacement, de notre anéantissement, conscience de n'être que poudre et que cendre, de n'être que néant. Ce sentiment numineux forme pour ainsi dire la matière brute de l'humilité religieuse [42]. » Peut-être cependant faut-il tenir compte — Otto ne le fait pas —, non pas assurément d'une réflexion sur soi ou d'une prise de conscience, mais d'un désir de l'individu, du désir de se perdre, de s'abolir : désir de mort, désir de néant ? Peut-être pas, mais désir d'une autre vie, comme nous disions. Reste que ce désir ne devient justement désir d'immersion dans le Tout, d'illimitation aux dimensions du Tout que si est éprouvé le sentiment de la place du Tout, de « la souveraineté absolue » du numineux [43].

Ce numineux, objet de la première expérience religieuse, nous venons de l'appeler le Tout ; nous pourrions dire aussi : l'Un, l'Absolu. Mais il faut prendre garde à ces noms : ils n'interviendront que lorsque l'expérience se conceptualisera, lorsque s'élaborera la pensée philosophique. Ici l'expérience est vécue sans concept. Les concepts apparaîtront dans un autre âge de la culture, une autre « couche de culture », comme dit Clémence Ramnoux, qui, étudiant « les phases d'une évolution culturelle » dans la Grèce archaïque, distingue successivement les histoires des dieux — théogonies —, la genèse du monde

40. Rudolph Otto, *le Sacré,* p. 25.
41. *Ibid.,* p. 26.
42. *Ibid.,* p. 38.
43. *Ibid.,* p. 39.

— cosmogonies — et les proto-discours de la Physis, qui donneront eux-mêmes naissance au discours philosophique, lorsque les sages façonneront des mots d'une espèce nouvelle comme « le Sans-limite, l'Un, l'Étant toujours [44] ». Le sens dont se chargeront ces mots, même lorsqu'ils s'inscriront dans un discours sobre et qui se voudra rationnel, s'alimentera sans doute à une expérience voisine de l'expérience religieuse. Mais au stade où nous le situons, le numineux, ce n'est pas encore un objet déterminé et conceptualisable, *c'est le fond, ou plus précisément l'ailleurs sans fond* [45].

Cependant ce surréel ne va pas rester indéterminé. L'imaginaire que le désir mobilise est capable de fabulation ; celle-ci va nommer les dieux, et produire des discours mythiques qui racontent les histoires des dieux. En se peuplant de dieux, l'ailleurs reçoit sa première organisation. Simondon l'exprime ainsi : « De même que la médiation technique s'institue au moyen d'une chose qui devient objet technique, de même, une médiation religieuse apparaît grâce à la fixation des caractères de fond sur des sujets, réels ou imaginaires, divinités ou prêtres [46]. » On pourrait joindre aux dieux et aux prêtres les héros, dont le statut est ambigu ; mais il faudrait aussi disjoindre dieux et prêtres, car ce sont les seconds qui introduisent la

44. Clémence Ramnoux, *la Nuit et les enfants de la nuit,* Paris, Flammarion, 1949, p. 93.
45. Que le fond soit en quelque sorte transféré dans l'imaginaire, soit autre, Simondon le dit à sa façon, en particulier, en parlant de « pensée » et non d'expérience : « Les fonds liés au monde dans la pensée magique, et par conséquent limités par la structuration même de l'univers, deviennent dans la pensée religieuse un arrière-fond sans limite, spatial aussi bien que temporel ; ils conservent leurs qualités positives de fond (les forces, les pouvoirs, les influences, la qualité), mais se débarrassent de leurs limites et de leur appartenance qui les attachait à un *hic et nunc*. Ils deviennent fond absolu, totalité de fond. Une promotion de l'univers se fait à partir des fonds magiques libérés et dans une certaine mesure abstraits. » Cf. p. 173.
46. Gilbert Simondon, *Du mode d'existence des objets techniques,* p. 173.

médiation entre nature et surnature, réel et imaginaire, tandis que les dieux résident dans l'imaginaire et lui donnent forme. Car ces sujets divins émanés du fond et qui en drainent les vertus y constituent de nouvelles figures ; par eux, le fond devient monde, — le monde propre de l'expérience religieuse.

Ici il faut faire deux remarques. La première, c'est que les dieux ne sont pas l'éternelle essence de la religion. Avant les dieux, il y a le divin qu'éprouve l'expérience religieuse — *pati divina* —, le divin comme caractère de l'arrière-fond vécu dans l'effroi et la fascination. Heidegger le dit lui-même, et les anthropologues que nous avons suivis le laissent entendre. Peut-être même le divin n'est-il intensément vécu qu'avant la naissance des dieux ou en période de crise du langage religieux, lorsque la figure des dieux devient incertaine [47]. Car il semble — c'est notre seconde remarque — que l'expérience religieuse s'amortisse dans la fabulation ; les mythes la refoulent ou la remplacent : parler des dieux, raconter leur histoire, déterminer leurs figures et leurs attributs, c'est se dispenser d'éprouver leur présence. Peut-être est-ce alors le monothéisme qui retrouvera l'expérience religieuse. Car le *Dieu* unique, même en trois personnes, peut rallier sur Lui toute la force, toute la densité, toute l'altérité du numineux : il invite le sujet à se perdre en Lui, jusqu'à l'extase, comme dans le fond : ce qui paraît être l'essentiel de l'expérience religieuse. À moins que les mythes ne donnent lieu à des rites où cette présence est de nouveau expérimentée ; mais le mythe a d'autres fonctions : il va servir à expliquer, lorsque le surnaturel sera pensé comme vérité de la nature, et à organiser certaines activités, lorsque le rite introduira le surnaturel dans la nature.

47. Ici nous renvoyons aux livres et articles de Michel de Certeau sur le discours mystique qui montrent bien comment l'expérience des mystiques et des possédés naît d'une crise sociale et d'une crise du langage religieux, et au langage des mystiques eux-mêmes : le Dieu qui se dérobe, la Nuit, le Dieu caché, etc., ces expressions semblent bien évoquer le flottement des figures divines.

Et en effet, l'ailleurs ne reste pas sans relation avec l'ici-bas. Sans doute, entre les deux, y a-t-il d'abord la distance radicale de la transcendance : l'ailleurs est hors temps, hors espace. Et c'est pourquoi l'expérience religieuse est l'expérience d'un ravissement : d'un rapt, d'un emportement ; on accède au divin par un saut comme dit Kierkegaard, ou au moins par une montée difficile, et ceux qui cherchent aujourd'hui un succédané de l'expérience religieuse dans la drogue parlent d'un *trip*. Cela signifie donc que l'autre monde n'est pas à une distance infranchissable : on peut au moins attendre la parousie. De plus, quelque chose de cet autre monde est pressenti, voire goûté dès maintenant, puisque l'expérience ouvre l'*homo religiosus* à lui. Dès lors, c'est l'autre monde qui donne le sens de celui-ci : les théogonies suscitent des cosmogonies. C. Ramnoux observe qu'en Grèce, à l'âge du présocratique ancien, ces deux types de discours, qui semblent assignables à des couches de culture différentes, coïncident et coïncideront même avec les discours de la physique et de la sagesse. C'est bien ce monde que le mythe explique et aménage. Dans la vision chrétienne du monde, la parousie n'anéantira pas ce monde-ci. Les corps ressusciteront, glorieux mais conservés, le Ciel descendra sur la terre ; qu'on songe aux vers étonnants de Péguy. Ils sont l'écho de la plus pure tradition apostolique [48].

Mais dès maintenant, l'autre monde pointe dans celui-ci, il se révèle par des *signes*, il intervient par des miracles, c'est-à-dire un extraordinaire nouveau, mais qui désormais n'est plus inintelligible et qui est même principe d'intellection. Ces points de jonction entre les deux mondes constituent des figures qui sont messagères de l'arrière-fond, et qui comme telles sont *sacrées*. Ce ne sont plus les figures du monde magique ; comme l'observait Gurvitch, le mana dont ces figures sont dotées est une force surnaturelle immanente, alors que le sacré est une

48. Cf. saint Paul, I Cor. XV, Apoc. XXI.

force surnaturelle transcendante [49]. Quelles sont ces figures annonciatrices ? Des événements, des lieux, des choses, des personnes. C'est ici qu'il faut évoquer les prêtres, ces sujets dont Simondon nous disait qu'ils ont fonction de médiateurs : des individus qui sont en contact avec l'autre monde, et qui dès lors, ont l'autorité propre aux médiateurs ; ils distribuent les sacrements parce qu'ils sont sacrés. Par leur médiation, l'expérience religieuse se diffuse, le sacré irradie dans le profane, beaucoup plus profondément que les civilisations modernes le laisseraient croire. Mais des objets aussi, des visages du monde, comme des gestes de l'homme peuvent se prêter à ces hiérophanies, qui sont « les épiphanies de la réalité ultime », comme dit Eliade [50]. Il en donne bien des exemples dans son

49. Cf. Georges Gurvitch, *la Vocation actuelle de la sociologie,* Paris, P.U.F., 1957, p. 450.

50. *Traité d'histoire des religions,* Paris, Payot, 1959, p. 40. Nous pouvons évoquer encore ici la thèse de Girard. Pour lui aussi le sacré est signe de l'autre, de l'extraordinaire : signe de la violence, lorsque la violence qui est de l'homme est posée comme extérieure à l'homme, déshumanisée (p. 52, 359, 435). La violence, dit Girard, est le cœur et l'âme du sacré, elle est le sacré. Et c'est d'elle que le sacré tient son ambivalence. Mais cette ambivalence n'est pas exactement celle que lui reconnaît Otto : le sacré est *tremendum,* il n'est pas *fascinans* ; mais le maléfique est en même temps le bénéfique ; car « la violence semble différer d'elle-même » (p. 358) ; dans son « unanimité fondatrice », lorsqu'elle se déploie contre le bouc émissaire, elle apporte « comme un don gratuit » la non-violence ; le désordre de la non-violence engendre l'ordre. « À travers la violence qui les terrifie, c'est donc la non-violence que vise toujours l'adoration des fidèles » (p. 358). L'adoration : c'est ici en effet qu'il faut pour Girard situer la religion, le mythe et le rite. « Le religieux dit vraiment aux hommes ce qu'il faut faire et ne pas faire pour éviter le retour de la violence destructrice » (p. 359). Il pose la violence comme transcendante pour la déshumaniser, il la représente « sous les apparences partiellement trompeuses du sacré » (p. 51), et instaure contre elle un système de « précautions rituelles » ordonné à la « catharsis sacrificielle » (p. 51). D'où la définition du religieux : « seront dits religieux tous les phénomènes liés à la remémoration, à la commémoration et à la perpétuation d'une unanimité toujours enracinée, en dernière instance, dans le meurtre d'une victime émissaire » (p. 439).

Traité d'histoire des religions : l'Arbre, le Centre du monde, la Pierre précieuse, l'Île fortunée. Kerényi, de son côté, en étudie deux sortes : l'Enfant et la Jeune fille. On pourrait en évoquer d'autres : toute chose peut annoncer le divin, dès que le désir la prend pour objet et que l'imagination la métamorphose ; mais c'est en elle-même que l'imagination la transfigure : l'imaginaire n'est pas coupé du perçu.

Ici intervient donc la notion de *sacré :* ces marques du surnaturel qui donnent un autre sens à l'expérience de l'extraordinaire ; au lieu de déstructurer, de bouleverser l'ordre, elles annoncent un autre ordre ; mais elles sont elles-mêmes bouleversantes ; elles suscitent la fascination et la peur, ou le respect : reconnaissance d'une transcendance. Nous retrouvons ici l'analyse que fait Otto du numineux. Mais peut-être faut-il ajouter un point qu'Otto ne souligne pas, faute de se référer à la psychanalyse : c'est l'ambivalence essentielle des images hiérophaniques, qui est peut-être l'ambivalence de tout imaginaire en tant qu'il procède du désir. Cette ambivalence n'est pas seulement dans l'expérience même, c'est-à-dire dans la coexistence de l'effroi et de la fascination, elle est dans la figure même du sacré, et jusque dans la figure des dieux, dont les traits et les fonctions ne sont jamais univoques. Kerényi l'a bien noté : « Artémis est présente dans la virginité des jeunes

---

Ainsi Girard retrouve-t-il Durkheim, qui « affirme que la société est une et que son unité est d'abord religieuse... Pour achever l'intuition de Durkheim, il faut comprendre que le religieux ne fait qu'un avec la victime émissaire, celle qui fonde l'unité du groupe à la fois contre et autour d'elle » (p. 426). Et sans doute Girard nous donne-t-il une des clés de l'institution religieuse et de la ritualité qu'elle promeut. Mais est-ce la seule ? Faut-il réduire tout le désir à un désir d'unanimité et de paix ? Il nous semble que l'expérience religieuse a d'autres aspects dont cette théorie encore sociologisante ne rend pas compte : le désir de se perdre et de se retrouver dans un autre monde, au sein d'une transcendance qui est peut-être l'image du fond, n'est pas seulement désir d'un refuge contre la violence. Et le lien originel de l'expérience religieuse avec l'expérience esthétique appelle aussi une analyse complémentaire.

animaux comme dans les affres de l'accouchement. Dans la figure classique de la déesse, ces affres et cette pureté virginale se trouvent aux limites ; elles sont en équilibre. Mais plus on pénètre dans la préhistoire de la déesse, plus on ressent comment ces contours qui sont associés au nom d'Artémis se dissipent. La ligne de démarcation s'élargit jusqu'à devenir domaine limitrophe entre la maternité et la virginité, entre la joie de vivre et le désir du meurtre, entre la fécondité et le monde des enfers [51]. » L'ambivalence est le propre du symbolique. Mais le symbolique n'est pas ce qu'invente la pulsion, dans un psychisme clos, pour se représenter, c'est ce que la pulsion découvre dans le perçu, et dont l'imagination s'empare pour fabuler : « Dans l'image de l'enfant originel, le monde parle de sa propre enfance, il dit quelque chose de soi qui est tout autant lever de soleil que naissance d'enfants [52]. »

Cette ambivalence du sacré éclaire les tabous : il faut circonscrire et protéger le sacré. Mais faut-il aussi se protéger contre lui ? Garder ses distances est ambigu ; car l'expérience religieuse comporte à la fois le sentiment d'être dépassé et d'être appelé (toujours une eschatologie ?) ; elle invite soit à participer en célébrant, soit à attendre. En effet, pour l'homme religieux, à partir de cette expérience désirante d'un autre monde, deux attitudes sont possibles : ou attendre l'autre vie en dévalorisant celle-ci (Nietzsche dira que c'est l'attitude des faibles, des esclaves : le ressentiment) ; ou s'efforcer de fonder sur l'autre, et par là de justifier ce monde où il faut vivre : le sacré organise et sacralise le profane en s'insérant en lui par le rite. D'où la mythologie : le mythe fondateur ; et la théologie : la somme qui explique tout. Mais ici la pensée logique écarte l'expérience ; le discours qui advient se suffit à lui-même : la rationalité de l'institué s'oppose au mysticisme.

51. Carl Jung et Ch. Kerenyi, *l'Essence de la mythologie,* Paris, Payot, p. 130.
52. *Ibid.,* p. 103.

Il est donc difficile de parler de l'expérience religieuse sans parler de la religion : sitôt qu'elle s'organise, la religion, nous l'avons dit, prend en main l'expérience. Nous avons tenté de montrer que l'expérience religieuse se situait en deçà de la religion, en ce qu'elle a de plus authentique : elle éprouve le divin avant même que soient conçus, définis et recensés les dieux. Elle procède du désir qui, au contact d'un monde devenu autre, étranger et comme insupportable, produit le rêve d'un ailleurs ; elle expérimente cet autre monde qui la saisit et la ravit, et dont l'imagination découvre des signes, qui la suscitent à nouveau, dans le réel. Mais l'avènement de l'institution, s'il ne réprime pas ce désir, risque d'en paralyser l'expression ; à vouloir gérer l'expérience, on l'étouffe [53].

Pour le vérifier, il faut en venir à une autre forme, ou plutôt à un autre contenu, de l'expérience religieuse que nous n'avons pas encore évoquée : l'expérience du diabolique, qui sera assignée au sorcier. Une autre expérience ? Originellement, non. Nous avons en effet souligné, l'ambivalence du divin, et des dieux mêmes. Cette ambivalence s'oppose à toute distinction moralisante du bon et du mauvais, du juste et de l'injuste. Otto souligne par exemple que « la mystérieuse *ira deorum* est une notion qu'on retrouve dans de nombreuses religions [54] » : la colère de Jahveh reparaît dans le Nouveau Testament comme *orgè théou.* Ainsi le diabolique et ce qui sera proprement le divin, c'est-à-dire le saint, se confondent d'abord dans l'expérience religieuse. Audet dit que le sorcier et le prêtre ne sont pas encore discernables : c'est une même expérience qu'ils connaissent et qu'ils diffusent : l'expérience d'une possession. Si nous n'avons pas encore employé ce mot, c'est que la religion instituée le réserve pour ceux qu'elle dénonce comme sorciers. Mais les mystiques l'ont employé

53. Il est intéressant de remarquer que, pour Otto, le premier critère de perfection d'une religion, c'est l'importance de la place que celle-ci octroie à l'expérience du sacré. Cf. Rudolph Otto, *le Sacré,* chap. 23.
54. *Ibid.,* p. 35.

sans penser à mal : ils se disent possédés par leur Dieu. Ce qui apparaît comme la force du divin, la pensée contemporaine l'appelle force du désir, une force qui possède l'homme d'autant mieux qu'elle est souterraine et semble impersonnelle : Lyotard et Deleuze pensent le désir à travers l'homme, en niant que ce soit *son* désir.

Ainsi l'*homo religiosus* assume-t-il d'abord sans les discerner les deux rôles du prêtre et du sorcier. Ce qui va provoquer la différenciation de ces rôles, c'est la religion. En s'instituant, elle se théorise et se moralise ; elle devient théologie et éthique. Et c'est alors qu'elle devient manichéenne. Tout le binarisme de ce que Hegel appelle l'entendement scindant est congénital à la pensée théorisante, et de là à la pratique moralisante. S'il y a des dieux bons, il y a aussi des dieux mauvais ; s'il y a Dieu, il y a l'anti-Dieu. C'est ainsi que le discours logique liquide l'ambivalence qui pourrait l'interdire. Et qu'on ne dise pas que ce manichéisme est chose du passé : la plus haute autorité de l'Église vient à deux reprises de nous avertir qu'il fallait croire au Diable [55], et si l'action du Diable éclaire notre histoire, par exemple l'échec du concile, il faut bien croire qu'il y a des individus que le Diable possède. Donc si l'expérience religieuse est l'expérience d'une relation plus ou moins intense à Dieu, elle peut être aussi l'expérience d'une relation systématique au Diable. Telle est l'expérience du sorcier, celui qui a partie liée avec le Malin. Ainsi la religion reconnaît-elle le sorcier ; elle lui assigne un statut. C'est évidemment pour le dénoncer et le condamner ; et l'on sait que l'Église n'a pas été tendre à son égard, particulièrement au XVIe siècle [56]. Mais en excluant le sorcier, elle l'inclut dans le phénomène religieux. Elle reconnaît que la contre-religion est encore de la religion,

---

55. Cf. *le Monde,* 1er juillet 1972, p. 17 : « Paul VI : Satan est venu gâter et dessécher les fruits du concile. » *Le Monde,* 17 novembre 1972 : « Une profession de foi de Paul VI en l'existence personnelle de Satan. »
56. Cf. Hugh-Redwald Trevor-Roper, *De la réforme aux lumières,* Paris, Gallimard, 1972.

elle fait sa part à l'expérience diabolique dans l'expérience religieuse, même si c'est une part maudite [57].

Pourtant n'avons-nous pas rencontré cette expérience ? Ne peut-on l'identifier à celle du magicien ? Oui et non. Non, parce que le sorcier, tel que nous tentons de le situer, est contemporain et symétrique du prêtre : il se situe au niveau de la religion, et non de la magie. Le magicien, lui, ne se heurte pas à une religion instituée qui l'accuse d'avoir partie liée avec les forces du mal. Les forces auxquelles il a affaire sont celles des figures qui constituent une première structuration de ce monde-ci. Il a le privilège — son comportement et son discours l'attestent — d'entrer en relation avec ces puissances ; il n'est pas vraiment possédé par elles, ni ravi dans un autre monde ; sa fonction, dans la mesure même où elle s'institutionnalise, est de les conjurer et de les maîtriser : efficacité pratique qui s'éprouve dans l'animation du groupe. Le sorcier, au contraire, qui éprouve l'impouvoir de l'homme en proie au surnaturel, ne vise pas à exercer un pouvoir, même s'il se croit investi d'une mission ; s'il l'exerce, c'est malgré lui, et pour attester cette possession, comme un saint fait des miracles. Son expérience, c'est celle d'un divin que l'Église désavoue et nomme diabolique, tout aussi redoutable et fascinant que le numineux. Encore une fois, de la possession à la communion mystique, il n'y a pas tant de distance, — sinon celle, mortelle, qu'instaure la condamnation prononcée par l'Église officielle. Aussi de Certeau les rapproche à bon droit : «... Alfred Jarry a raison de dire, à propos de Loudun, que « la possession du Saint-Esprit ou du démon sont, notoirement, symétriques ». Les deux possessions présentent une

57. C'est de la même façon, notons-le au passage, que certaines réflexions contemporaines mettent sur le même plan, et dénoncent comme également mystifiantes, l'idéologie de la classe dominante, liée au système de production et le contre-discours moralisant qui proteste contre l'aliénation. Cf. Jean Baudrillard, *la Société de consommation,* « Le point de la question », S.G.P.P., 1969, S.P.A.D. E.M. et A.D.A.G.P., 1969.

structure analogue. Sur le mode de solutions contraires, elles répondent à un problème de sens, mais posé dans les termes de l'alternative redoutable et contraignante — Dieu ou le Diable — qui isole des médiations sociales la quête de l'absolu. La mystique et la possession forment souvent les mêmes poches dans une société dont le langage s'épaissit, perd sa porosité spirituelle et devient imperméable au divin [58]. » Si ces effets sont si semblables, (ce qui suppose du même coup que l'expérience mystique, bien qu'elle ne soit pas condamnée, soit aussi marginale : on va y revenir) c'est qu'ils sont suscités par les mêmes causes sociales : qui sont, dans nos sociétés, le même état de crise dans les institutions et les discours. De Certeau le montre de Loudun, on pourrait le montrer de la grande épidémie de sorcellerie des XVe et XVIe siècles, contemporaine du développement de la mystique rhénane, tous deux contemporains d'une profonde mutation sociale.

Ajoutons que la sorcellerie n'est pas seulement symétrique et analogue à la religion, elle est assez largement provoquée par la religion, par la condamnation que celle-ci fait peser sur elle. Qu'elle soit vouée à la clandestinité n'est pas de petite importance pour l'expérience du sorcier. Le sentiment de possession est sans doute d'autant plus vif qu'il est éprouvé dans une solitude honteuse, vécu dans les zones marginales du pays [59]. L'étrangeté de la force qui s'empare de lui est d'autant plus grande qu'il voudrait la combattre pour rester en règle avec l'institution, et qu'il ne peut guère la nommer pour ne pas se trahir. S'il trouve à se réinsérer dans une autre communauté, c'est une communauté secrète d'exclus : le sabbat des sorcières se tient la nuit, à l'écart. À être ainsi l'objet d'une réprobation générale et violente, et qu'il ne peut manquer d'intérioriser, le sorcier finit par assumer son rôle : il finit par se croire le suppôt de Satan et une victime du Mauvais.

58. Cf. Michel de Certeau, *la Possession de Loudun,* Paris, Julliard, « Archives », 1970.

59. Cf. Hugh-Redwald Trevor-Roper, *De la réforme aux lumières,* p. 144-158.

Mais le magicien aussi finit par prendre son rôle au sérieux [60]. C'est pourquoi il faut maintenant nuancer l'opposition entre sorcier et magicien. Car en un sens le sorcier est l'héritier du magicien ; ou du moins le magicien reçoit parfois le nom de sorcier. Ce qu'il faut en effet observer, c'est que la magie, qu'avec Simondon nous avons située à l'origine de l'histoire humaine, à la naissance même du sujet, ne disparaît pas lorsqu'apparaissent les religions. Si, du point de vue de l'ontogénèse, l'enfant croit au pouvoir magique des mots, Freud nous enseigne que cette croyance se perpétue chez l'adulte, surtout peut-être chez l'adulte bourgeois, plus habitué à manier le langage que l'outil. Du point de vue de la sociogénèse, on a souvent dit que la magie prospérait dans les sociétés rurales au contact des forces naturelles, alors que les dieux individualisés et spécialisés — et aussi bien les diables — naissaient à la ville, là où s'instaure un État [61]. Mais la campagne ne disparaît pas lorsque s'édifie la ville : magie et religion coexistent. Dans un très intéressant article, J.-P. Vernant le montre bien dans le monde grec, ce monde où Clémence Ramnoux de son côté souligne que coexistent des couches de culture différentes encore au temps des philosophes : « Enfin les termes mêmes de thiases et d'orgeons, qui désignent les collèges de fidèles associés dans les orgies, retiennent le souvenir de groupes campagnards, en rapport avec le dème primitif, et qui, s'opposant aux *géné* nobiliaires vivant en ville et contrôlant l'État, auront à lutter durement pour se faire admettre dans les phratries de l'époque historique [62]. » Aujourd'hui même des enquêtes établissent la vitalité d'une magie rurale dont les clients sont bien plus nombreux qu'on ne pourrait croire. Mais précisément — cette magie reste discrète : suspecte aux yeux de la religion, dérisoire aux yeux de la science — une science

60. Cf. Claude Lévi-Strauss, *Anthropologie structurale,* p. 196.
61. Alain distingue pareillement, dans *les Dieux,* les divinités de la campagne et les divinités de la cité : Pan et Jupiter.
62. Jean-Pierre Vernant, *Mythe et pensée chez les Grecs,* Paris, Maspéro, 1965, p. 81.

à laquelle l'opinion qui n'en connaît que le nom n'est pas loin d'attribuer aussi, comme aux mots, des pouvoirs magiques. Dans cette clandestinité, même si elle y est moins maudite et menacée que la sorcellerie, la magie se diffuse : on tend du dehors à la confondre dans la même réprobation avec la sorcellerie, et elle tend en effet à assumer cette confusion.

En tout cas, il faut rendre à la sorcellerie ce qui lui appartient : elle est l'autre de la religion mais en symbiose avec elle, et elle s'alimente à une expérience qui n'est pas fondamentalement différente de l'expérience religieuse. Ses caractères propres ne s'accusent que dans la mesure où l'institution opère de toute son autorité, hors de l'expérience, pour la différencier : elle recommande une expérience, elle interdit l'autre.

Au reste, l'institution conçoit aussi quelque défiance à l'égard de l'expérience qu'elle finit par accepter et par patronner. Car l'institution n'a guère besoin de l'expérience pour fonctionner, sinon d'une expérience préfabriquée, docile et sage. Ce qu'il y a de sauvage ou du moins de singulier, dans tous les sens du mot, dans l'expérience mystique lui est d'abord suspect, et le mystique, nous le verrons en écoutant sa parole, doit se justifier. Aussi bien socialement l'expérience religieuse se produit-elle sur les confins de la religion, et par exemple dans les moments où la religion est en crise, ou encore là où naît une nouvelle religion, avant qu'elle n'ait eu le temps de s'instituer. Mais peut-on aller plus loin et dire que l'expérience religieuse peut se produire au dehors de la religion ?

Au vrai, que signifie cette question ? Que l'expérience religieuse pourrait être vécue comme le sentiment d'une transcendance sans que soient nommés et invoqués des dieux : ce serait un retour à l'expérience première de l'extase au sein du numineux que nous avons voulu décrire. Peut-être ce retour peut-il être accompli non comme une régression, mais comme un progrès : lorsque au lieu de référer l'expérience à la réalité du divin incarné dans la divinité, on la réfère à une réalité révélée par des concepts. Alors l'expérience religieuse se mue en expérience philosophique. Car il arrive que la philosophie ne pense pas seulement les concepts, mais qu'elle les vive. Nous avons déjà dit que le discours philosophique, si abstrait soit-il, pouvait être porté par l'expérience singulière et pouvait trouver audience dans la mesure où il parvenait à communiquer cette expérience. Peut-on dire que certains de ces discours sont portés par une expérience qui est en esprit, sinon dans la lettre, une religion ? Oui : pensons à des discours comme ceux des néoplatoniciens, qui ne nomment pas Dieu, mais l'Un ou l'Ineffable, ou encore à des discours comme celui de Spinoza, qui nomme Dieu, mais hors d'un contexte religieux et en l'identifiant à la Substance. Et ne peut-on penser aussi au discours de Heidegger (et de certains heideggériens) qui refuse d'accorder une substantialité à l'Être, mais qui le distingue si scrupuleusement de l'étant, et qui requiert de lui accorder tant d'attention, tant de docilité, tant de ferveur ? Aussi bien le discours raconte-t-il parfois cette expérience en des termes analogues à ceux qu'emploient les mystiques [63].

Peut-être y a-t-il encore un autre terrain sur lequel l'expérience religieuse déborde ou déjoue la religion : là où elle s'avère comme expérience esthétique. Nous le vérifierons aussi au langage dans lequel elle s'exprime, qui est parfois analogue au langage de l'expérience mystique. Il nous faut pourtant voir comment les deux expériences se différencient, au point que certains rêvent aujourd'hui que l'une puisse se substituer à l'autre. Car cette substitution même n'est concevable que si elles ont quelque chose de commun ; et nous aurons l'occasion de dire quels échanges en tout cas s'opèrent entre elles. Mais pour l'instant, il nous faut d'abord redire qu'elles ont en commun la même origine.

63. Nous renvoyons ici encore à l'article inédit de Mikel Dufrenne intitulé : « Une théologie négative ». Cet article a maintenant paru dans la nouvelle édition du *Poétique*, P.U.F., 1973, sous le titre : « Pour une philosophie non théologique ».

b) L'admirable et l'expérience esthétique

Le point de départ de l'expérience esthétique, il ne faut pas le chercher aujourd'hui, c'est-à-dire quand l'art est institué : quand des individus et des organismes spécialisés assurent la production, la distribution et la consommation des œuvres d'art, quand les normes de la réception de ces œuvres sont enseignées et contrôlées par les instances de légitimation, quand le champ culturel est à la fois un champ commercial et une affaire d'État. Il est fort possible, nous le dirons, que quelque chose d'originel affleure encore sous les sédimentations culturelles ; que la pensée sauvage ne soit pas toute recouverte par les codes perceptifs. Mais il faut creuser pour la discerner.

Suivons donc encore Simondon. Le grand intérêt de son analyse est précisément qu'elle ne part pas de l'institution : de l'art et de ses créateurs. Ce qu'il veut situer et comprendre, c'est l' « impression esthétique », qui est première par rapport à l'art : « l'œuvre d'art entretient surtout et préserve la capacité d'éprouver l'impression esthétique [64]... » Nous le suivons d'autant plus volontiers que cette impression qu'il cherche à définir, c'est bien ce que nous appelons une expérience. Et de plus, cette expérience est encore indivise : ce n'est pas l'expérience du créateur, ni celle du spectateur, puisqu'elle va susciter l'art plutôt qu'elle n'est suscitée par lui. C'est une expérience qui n'est ni simplement passive — celle d'un sentir —, ni simplement active — celle d'un faire. Et c'est une expérience qui s'éveille au contact de la nature, c'est-à-dire de l'immédiatement donné (dans la mesure où on peut discerner un immédiat). Nous voici donc conviés à réhabiliter le « beau naturel ». Et ceci est important pour l'art lui-même. Car nous pourrons comprendre par là que l'art est voué à se situer dans la nature : « C'est bien l'insertion qui définit l'objet esthétique

64. Cf. Gilbert Simondon, *Du mode d'existence des objets techniques*, p. 180.

et non l'imitation [65]. » Cependant, nous pourrons dire aussi que l'art est voué à imiter la nature, mais en un sens qui n'est pas celui de la pensée traditionnelle de la *mimesis* : il imite sa force naturante, et non le naturé, dirait Mikel Dufrenne.

Pour caractériser cette expérience, il faut la situer. Simondon la place après que le déphasage de la pensée magique primitive ait produit la technique et la religion, après qu'ait été perdue l'unité première, cette unité qui était à la fois l'unité du monde structuré par la réticulation des figures et l'unité du monde et de l'homme : le monde s'est différencié, le sujet s'est constitué en face de l'objet, quitte à rêver d'un autre monde où il serait décréé et retrouverait l'unité perdue. L'impression esthétique est alors ce qui maintient « le souvenir implicite » de cette unité perdue, de cette totalité brisée. Qu'est-ce donc qui éveille cette impression ? « Le caractère esthétique d'un acte ou d'une chose est sa fonction de totalité, son existence, à la fois objective et subjective, comme point remarquable. Tout acte, toute chose, tout moment ont en eux une capacité de devenir des points remarquables d'une nouvelle réticulation de l'univers [66]. » D'un point remarquable à un autre se constitue « un analogue du réseau magique de l'univers [67] ». Retour, donc, à l'âge magique ? Pas exactement, le mouvement de la genèse est irréversible ; la première image d'un monde familier a disparu, l'intimité avec le monde s'est rompue et c'est à l'intérieur du technique et du religieux que l'esthétique doit désormais opérer. Mais c'est bien un « équivalent de la pensée magique », qui s'édifie avec « l'univers esthétique ». À cette édification, l'homme prend part : l'impression esthétique suscite une activité esthétique — la production de l'œuvre d'art ; et la fin de cette activité, c'est de réunir, dans « un univers esthétique partiel, inséré et contenu dans l'univers réel et actuel issu du dédoublement [68] », ce qui

65. Gilbert Simondon, *Du mode d'existence des objets techniques*, p. 183.
66. *Ibid.*, p. 181.
67. *Ibid.*, p. 180.
68. *Ibid.*, p. 180

s'est séparé. « Les techniques et la religion ne peuvent communiquer directement, mais elles le peuvent par l'intermédiaire de l'activité esthétique ; un objet technique peut être beau comme un geste religieux peut être beau, lorsqu'il y a insertion dans le monde en un point et un moment remarquables. Une norme de beauté existe dans ces deux modes opposés de pensée, norme qui les fait tendre l'un vers l'autre en les appliquant au même univers [69]. »

Ainsi devons-nous chercher l'expérience esthétique dans les parages de la magie plutôt que de la religion. Sans doute faut-il ajouter avec Simondon que l'avènement de l'art, s'il faut lui assigner un « moment », est postérieur à l'éclatement du monde magique et plutôt contemporain du développement de la religion et de la technique. Mais à l'impression esthétique, qui n'attend pas la production artistique pour être éprouvée, on ne peut assigner un moment. Et le problème qui nous concerne surtout est : Qu'est-ce qui la suscite ? Une expérience analogue à celle qui éveille le sentiment religieux : l'expérience de l'insolite, de ce qui arrache à la grisaille du quotidien ; cet insolite est le propre de figures nouvelles, d'objets présents qui s'imposent et s'opposent au sujet percevant, qui bouleversent les habitudes perceptives — faut-il dire : les codes ? — et qui vont eux aussi avoir un impact sur le désir et l'imaginaire [70]. L'expérience esthétique pourra se régler, elle pourra peut-être aussi envahir, pour la métamorphoser, la vie quotidienne, mais elle est d'abord de l'ordre de l'extraordinaire.

Mais il faut dès maintenant la distinguer de l'expérience religieuse. L'insolite, disions-nous, peut avoir deux aspects : l'effrayant et l'admirable. C'est l'admirable qu'il faut évoquer ici : il est le premier visage du beau. Comme l'effrayant, il est fascinant ; mais alors que l'effrayant déconcerte, perturbe,

69. Gilbert Simondon, *Du mode d'existence des objets techniques*, p. 188.

70. Que l'expérience esthétique soit sollicitée par des objets, c'est-à-dire par des figures et non pas le fond, on le vérifie aujourd'hui à ce que les œuvres sont souvent désignées comme objets.

désagrège en quelque sorte le sujet, l'admirable rassure et stimule. C'est pourquoi l'expérience esthétique est immédiatement provoquée par l'objet sans qu'il y ait ordinairement de distance entre l'admirable et le beau, alors que l'expérience de l'effrayant est seulement ce qui prépare l'expérience religieuse, qui est la présentation d'un autre monde où le sujet se sécurise en se perdant : le divin est ce qui guérit donc de l'effrayant. Disons pourtant, avant de regarder de plus près l'admirable, qu'il ne faut pas exagérer sa différence avec l'effrayant, comme nous l'avons déjà indiqué. Ce qui invite à l'exagérer, c'est la conception du beau — propre à l'âge classique —, qui pèse encore sur nous. L'admirable est alors châtré ; il n'est plus l'étonnant, il est ce qui lui plaît, ce qui suscite un plaisir gourmé, solennel. Pour être de bon goût, il faut se plaire à ce qui est de bon ton. On recourt aux notions de convenable, de bienséant, d'aimable pour apprivoiser les monstres. C'est de la même façon qu'aujourd'hui les apôtres du *design*, du fonctionnel recommandent la clarté, la sobriété, la rigueur. Ainsi interdit-on à l'expérience esthétique de réveiller ce qu'il y a de sauvage, d'anarchique dans le fantasme et le désir. Pourtant certains s'y sont refusés : Baudelaire dit que la beauté est bizarre, Rimbaud, qu'elle est amère, Breton, qu'elle est convulsive. De fait, il y a peut-être toujours de l'effrayant dans le beau.

On peut l'exprimer de deux façons : premièrement, en disant avec Alain que « nous retrouvons dans le beau le moment du sublime [71] ». Car le sublime, selon l'analyse kantienne que reprend Alain, est l'effrayant dominé : « dans le sublime, analyse admirable et à jamais acquise, nous mesurons la puissance des forces extérieures et la fausse infinité, sans qu'on puisse créer la moindre valeur par cette amplification ; c'est ainsi que nous toisons le volcan, la tempête, le désert, la montagne, le gouffre, le glacier, et la distance des étoiles ; et par

71. Cf. Alain, *Vingt leçons sur les Beaux-Arts,* Paris, Gallimard, « N.R.F. », 1931, p. 42.

retour à nous qui toisons cela, nous découvrons une puissance de penser, de mesurer, enfin de contempler cela même, qui est d'un autre ordre, qui court loin devant, bien mieux qui d'avance suffit à contenir toute grandeur de force et à la mépriser ; vraie infinité ». D'où Alain conclut, dépassant le classicisme : « ... j'ai appris à moins estimer, dans les œuvres, ce qui plaît, que ce qui délivre l'homme et le remet en position d'homme [72] ». Dire que « le beau n'est pas l'agréable », c'est déjà dire, deuxièmement, qu'il y a du laid dans le beau. C'est la thèse de Ehrenzweig, reprise par Lyotard. On pourrait lui chercher une caution chez Alain encore, lorsqu'il dit « qu'il faut que le beau ait un contenu de sentiment, entendez d'émotion sauvée, ce qui suppose d'abord une émotion qui soit tumulte menaçant et puis qui se change en apaisement et en délivrance [73] ». Mais Alain n'invoque pas l'inconscient. Là où il parle d'émotion, Lyotard parle de plaisir et de processus primaire, ailleurs de fantasme au lieu d'image. La laideur de l'œuvre n'est pas non-beauté ; elle est le bouleversement de ce que les gestaltistes appellent la bonne forme ; cette transgression de l'apollinien par le dionysiaque est la marque de l'inconscient. « (La laideur) est l'affect correspondant à la présentation des opérations premières, elle est l'angoisse dans l'ordre esthétique [74]. » Par là, un espace de jeu est ménagé à la figure profonde du désir. Et c'est ici que Lyotard s'oppose à Alain : « L'artiste n'est pas quelqu'un qui réconcilie, mais qui supporte que l'unité soit absente. La laideur de l'œuvre procède de cette absence. Elle manifeste que l'art n'est pas religion [75]. »

Oui, et l'expérience esthétique n'est pas l'expérience religieuse. Dans l'expérience religieuse, le sujet ne peut supporter l'effrayant de l'altérité, et le désir se porte vers un ailleurs qui serait le lieu de la réconciliation, de l'immersion dans les eaux

72. Alain, *Vingt leçons sur les Beaux-Arts,* p. 43.
73. *Ibid.,* p. 44.
74. Cf. Jean-François Lyotard, *Discours et figure,* p. 383.
75. *Ibid.,* p. 383.

d'un nouveau monde. Dans l'expérience esthétique, le sujet peut accepter ce qu'il y a de sauvage, de sublime ou de laid dans l'objet. On est tenté de dire que le désir alors réside dans l'objet plutôt que dans le sujet. C'est l'objet même qui s'ouvre à un nouveau monde ; il s'illimite en monde, dit Mikel Dufrenne. Et c'est aussi ce que montre Simondon : l'objet esthétique s'insère dans le monde et rayonne en lui, il est esthétique en esthétisant son environnement. Ainsi le soleil dans le réel, le temple sur l'Acropole, la statue dans le parc ; ainsi de l'objet technique : « il est beau quand il a rencontré un fond qui lui convient, dont il peut être la figure propre, c'est-à-dire quand il achève et exprime le monde [76] ». Cette illimitation de la figure qui unifie et anime le fond est comme le signe d'un désir en elle, auquel le récepteur s'associe, ou d'un désir de l'être brut qui veut se constituer en monde.

Mais il y a plus : ce désir est une exigence de création ; Simondon le note bien : « la perception esthétique du monde ressent un certain nombre d'exigences : il y a des vides qui doivent être remplis, des rocs qui doivent porter une tour... L'œuvre, résultat de cette exigence de création, de cette sensibilité aux lieux et aux moments d'exception, ne copie pas le monde ou l'homme, mais les prolonge et s'insère en eux [77] ». Ainsi vérifions-nous que l'expérience esthétique est à la fois, comme nous disions, passive et active : être sensible au beau, c'est se sentir sollicité à faire : à gravir la montagne, pour la célébrer, pour la percevoir et l'éprouver vraiment comme montagne, mais aussi à y édifier quelque chose pour l'accomplir. Sentir la beauté, c'est être créateur en puissance : être appelé par l'œuvre à faire, comme dit Souriau, mais l'initiative de cet appel vient de la nature en tant que perçue, d'une sorte de désir en elle de s'achever par l'homme. N'est-ce pas ainsi que Mallarmé éprouve, jusqu'à l'angoisse, cette exigence du Livre où le monde se dirait ?

76. Gilbert Simondon, *Du mode d'existence des objets techniques*, p. 185.
77. *Ibid.*, p. 184.

c) L'opposition des deux expériences

On voit donc ce qui sépare l'expérience esthétique de l'expérience religieuse. D'une part, dans l'expérience esthétique, le fond n'est pas un arrière-fond, un autre monde pour une autre vie. Le beau n'est pas, comme le sacré, la marque d'un autre monde dans ce monde, le signe d'un ailleurs. Le beau rayonne dans ce monde et l'organise. Le monde rassemblé par l'œuvre est donc *à ma portée* : il n'y a pas métaphore, mais métamorphose du donné : ce monde n'est pas dénoncé comme lieu de l'errance, de l'effroi, il est magnifié.

D'autre part, le sujet qui vit cette expérience n'est pas invité à se perdre, à se décréer pour se convertir, il est au contraire rappelé à lui-même. L'analyse kantienne du sublime nous en assure : au sentiment de la puissance de la nature se joint le sentiment de la dignité du sujet qui s'égale à cette nature. Nous dirions pour notre part que s'y égaler, c'est à la fois s'y perdre et s'y retrouver. Se perdre en communiant avec elle, comme la jeune Parque sur son promontoire avec l'eau et le soleil, en s'illimitant à ses dimensions, mais aussi se retrouver, s'exercer et se goûter, comme on goûte sa force ou son adresse dans un jeu : ainsi la jeune Parque s'éprouve-t-elle vivante au sortir des fantasmes de la mort.

Cette présence à soi du sujet s'explicite donc de deux façons : d'abord il s'associe à la puissance du fond, il est porté, inspiré par elle, et c'est alors qu'on passe du beau naturel à l'œuvre, du sentir au faire. Car le sujet est passif en tant qu'inspiré, mais il est appelé à créer ; il n'a pas à attendre la Parousie, mais à faire et à se faire. Ensuite, sans même produire une œuvre, il peut se représenter à lui-même. C'est ce qui se passe dans la cérémonie qui, pour Alain, est le premier des arts. Là l'individu communique moins avec le monde qu'avec les autres ; il joue son propre rôle, et par là il se donne forme et s'assure de soi, il se donne à reconnaître aux autres. La hiérarchie, l'ordre social sont consacrés par un consentement réciproque. Mais l'individu sollicité par une expérience esthétique plus solitaire (même quand il a intériorisé la culture de sa communauté) peut aussi produire une œuvre. Produire, c'est prendre ses distances et redoubler le réel offert à la *praxis,* comme avec le langage ; soit que l'on aménage le monde (construction, ornement), soit qu'on le représente ; mais représenter n'est pas répéter, c'est plutôt imiter le faire de la nature, son processus de production, comme dirait Deleuze [78].

Nous n'avons pas à développer ici une théorie de la représentation, mais nous pouvons l'évoquer un instant pour marquer encore la différence entre les deux expériences [79]. Religion et art recourent en effet tous deux à la représentation, mais dans des intentions divergentes. Dans les deux cas, la représentation joue dans la relation à la présence : représenter, c'est une certaine façon de rendre présent ce qui est absent. Dans l'expérience religieuse, ce qui est absent, c'est le surnaturel, l'autre monde, objet du désir. De ce monde à l'autre, nous avons dit que la distance n'est pas infranchissable : la représentation rend présent le surnaturel, et non pas en image, mais en personne ; elle conjure « sa présence réelle ». C'est ainsi qu'il y a une efficace de la représentation. Il y en a déjà dans la magie, lorsque celle-ci est soucieuse d'efficacité : dans les procédures de l'envoûtement, l'effigie n'est pas seulement une image de l'individu qu'on veut atteindre, elle est cet individu lui-même. Dans le christianisme, l'on peut distinguer nettement une double relation que la religion instaure entre le profane et le sacré. La première s'opère par le rite ou le sacrement. En effet, c'est grâce au rite que le sacré envahit le profane, le représenté, le représentant. Le Christ lui-même est l'Image et le Représentant de Dieu, lien vivant et opérant entre le ciel et la terre, Verbe fait chair. Dans sa personne, le représentant (l'homme) s'identifie au représenté (Dieu). L'Église, le Corps

78. Gilles Deleuze et Félix Guattari, *l'Anti-Œdipe,* p. 8.
79. Cf. ma communication, au 7e Congrès d'esthétique (à Bucarest, août 1972). À paraître dans les *Actes* du congrès.

du Christ, continuera à jouer ce rôle de représentant du mystère divin jusqu'à la fin des temps. Ici le représenté envahit le représentant, mais sans lui enlever son identité propre ; le divin transfigure l'Église-image, mais elle demeure elle-même. Il en est de même pour chaque chrétien qui, par le baptême, devient un *alter Christus.* Mais le cas le plus étonnant de « présence réelle » dans un représentant non personnel, c'est l'Eucharistie. « Ceci est mon corps, ceci est mon sang » : le pain et le vin deviennent le Christ lui-même. On remarquera ici l'intervention du langage : il est opérant ; non seulement il détermine les choses en les nommant, mais il les fait être, tout comme dans les antiques cosmogonies. (*Fiat lux* !) Cette toute-puissance des mots ne correspondrait-elle pas à la toute-puissance des idées dont parle Freud [80] ? Mais le profane peut aussi n'être que l'image ou la figure du sacré : c'est de ce deuxième type de relation entre le profane et le sacré dont il nous faut maintenant parler. Des correspondances s'instaurent entre les éléments de la nature et le divin, des significations se développent à travers l'histoire, même un sacré plus primitif devient annonciateur d'un sacré plus parfait. C'est l'univers du symbolisme religieux. Le monde est l'écriture de Dieu, et l'Ancien Testament est la figure du nouveau. Le représentant est signe, il ne donne du représenté qu'une image codée par la tradition. Ce codage est très important, car il doit préserver le sacré de toute contamination avec ce qui le symbolise. Du coup, nous sommes plus près de la représentation artistique, qu'utilisera d'ailleurs le christianisme dans des buts d'édification, mais d'une façon souvent hésitante, et en donnant des clés de lecture pour maintenir la transcendance du divin.

Dans l'art, la représentation se donne pour ce qu'elle est : une image seulement de l'objet absent. Il peut d'ailleurs arriver qu'elle veuille tromper : avec « l'impression de réalité » au cinéma, avec le trompe-l'œil dans la peinture, avec l'hyper-

80. Cf. Sigmund Freud, *Totem et Tabou,* Paris, Payot, « Petite bibliothèque Payot », 1970.

réalisme aujourd'hui. Mais la virtuosité de cet illusionnisme amuse sans vraiment leurrer ; et au contraire, par là, la représentation se dénonce et se moque d'elle-même. Au reste, l'art abstrait renonce à la représentation : la peinture non figurative offre des images qui ne sont pas images de, qui ne sont images que d'elles-mêmes. Et à quel référent nous renverrait le *Polytope* de Xénakis ? Il nous plonge, corps et âme, dans un univers de lumières et de sons : présence, présentation forcenée du sensible visuel et auditif, et non représentation ; de même, lorsque nous admirons un paysage, nous éprouvons sa présence, une présence pressante, expressive, qui n'est nullement redoublée par une représentation. Mais restons-en à l'art figuratif, qui nous invite à jouer avec un simulacre. Ce jeu est-il « vain », comme le dit Pascal ? Et la religion seule est-elle sérieuse ?

Il est vrai que la conscience esthétique est toujours plus ou moins une conscience ludique, et nous dirons plus tard que cela ne la discrédite pas. Car au fond il importe peu que, dans l'art, l'objet représenté ne soit pas absolument présent. L'art ne nous invite pas seulement à jouer avec des apparences dans le royaume de l'absence ; il nous tourne aussi vers la présence : la présence sensible et glorieuse du représentant, qui a par lui-même une force expressive. Du même coup, ce représentant nous dit quelque chose du monde, qui n'est pas tant ce qu'il représente que ce qu'il exprime ; et ce qu'il exprime nous est donné à sentir comme présent. Ainsi peut-on dire que l'art, par la représentation, — mais sans que la représentation lui soit essentielle comme elle l'est à la religion — nous met au monde, dans la présence. Mais dans ce monde-ci. On peut encore le dire autrement : le représenté, dans l'art, reste irréel — Sartre dit : imaginaire : de Charles VI, seul l'analogon qui le représente est réel. Mais lorsque le représentant éveille un imaginaire authentique, cet imaginaire, loin d'irréaliser le représenté, lui confère plus de réalité ; Charles VI n'est pas là, mais nous éprouvons l'aura révérentielle qui émane d'un personnage mystérieux, puissant, imprévisible : le Charles VI peint a pour nous plus de présence que le gardien de musée ; et pourtant nous ne nous prosternons pas devant lui : il ne descend pas de son ciel historique et légendaire, il ne bénéficie pas d'une transsubstantiation, il reste un Charles VI peint. C'est dans ce monde que, comme objet pictural, il nous ouvre le monde de la majesté, qui est, comme dirait Mikel Dufrenne, un possible du monde.

L'expérience esthétique de l'œuvre d'art en appelle donc à une conscience ludique, qui joue avec le possible. Et qui y prend plaisir. Est-ce finalement ce plaisir qui spécifie l'expérience esthétique et la distingue en dernière analyse de l'expérience religieuse ? À son origine, nous avons situé la perception de l'admirable. Et s'il est vrai que l'admirable a plus de parenté avec le plaisir que l'effrayant, l'expérience esthétique peut devenir une expérience heureuse. Mais de quelle nature est ce plaisir qui la colore ? Pour Kant, ce plaisir est un élément décisif : le jugement de goût sanctionne l'expérience d'un plaisir que le sujet éprouve comme universalisable. Ce plaisir résulte du libre jeu de l'imagination et de l'entendement et de l'accord entre ces facultés. C'est de plus un plaisir essentiellement désintéressé, purifié de toute sensualité : le beau n'est pas l'agréable et il ressortit davantage à la forme qu'à la matière, au dessin qu'à la couleur, à la mélodie qu'aux timbres, à la structure qu'à l'ornement. Plaisir formel, qui s'accorde à une esthétique formaliste, et à la théorie classique de la contemplation.

Mais ce plaisir n'est-il pas « la prime de séduction » derrière laquelle se dissimule un plaisir plus profond et plus ambivalent ? L'imagination à l'œuvre dans la perception du beau n'est-elle que l'imagination schématisante qui permet de subsumer l'intuition sous le concept ? La psychologie et l'art lui-même nous invitent aujourd'hui à nous former une autre idée du plaisir esthétique : le problème est de savoir si le désir s'y accomplit, si l'homme s'y réconcilie avec le monde.

Certes Kant pose déjà ce problème, mais dans la perspective d'une philosophie de la connaissance : le beau atteste la complaisance de la nature à l'égard de notre pouvoir de connaître, et donc une connaturalité de l'homme et du monde. Mais ne faut-il pas comprendre le plaisir esthétique comme jouissance : comme accomplissement du désir ? Pourtant, si le désir est, comme nous l'avons suggéré, désir d'un autre monde, peut-il s'accomplir en ce monde ? Peut-être le désir qu'éveille l'expérience esthétique a-t-il un autre sens : il est désir que ce monde soit tel qu'en lui-même enfin la beauté le change. Car le propre de la beauté est de transfigurer le monde, de l'arracher à la grisaille, à l'inconsistance, à l'insignifiance du quotidien, pour lui donner plus d'éclat, de densité, de force ; nous retrouvons ici l'analyse de Simondon : belle est la figure qui métamorphose le fond sur lequel elle rayonne. L'œuvre d'art est une telle figure : elle aussi rayonne, mais elle est à elle-même son propre fond : elle s'illimite en monde. Ainsi l'expérience esthétique manifeste-t-elle une connaturalité de l'homme et du monde qui n'est pas celle que suggère Kant, qui s'éprouve, en deçà de la représentation et de la connaissance, dans la présence du sentant au senti.

Lyotard critique cette idée d'une « réconciliation », qui ne tient pas assez compte de ce qu'il y a de violent et d'indomptable dans les mouvements du désir et les figures de la fantasmatique [81]. Lorsqu'il suggère que la réconciliation est religieuse, nous ne pouvons le suivre : la religion exige de rompre avec ce monde, de mourir à lui, et elle remet la réconciliation à plus tard. C'est *Thanatos* qui a peut-être partie liée avec la religion, plutôt qu'*Eros*. Par contre, il est bien vrai que la réconciliation dans l'expérience esthétique est toujours fragile, que l'harmonie n'est jamais le dernier mot. L'art contemporain nous révèle ce qu'un certain art classique s'est efforcé de dissimuler : que la « bonne forme » n'a pas de privilèges, qu'elle peut être détruite par l'agressivité et le dé-

81. Cf. Jean-François Lyotard, *Discours, figure,* p. 291.

sordre des couleurs ou des sons, qu'elle peut être ignorée dans la production d'objets insignifiants, de ce que tout récemment, G. Lascault décrivait comme « art de l'accumulation et du bric à brac [82] », bref que la beauté peut être inquiétante, et qu'alors ce n'est pas une « fantasmatique douce » que l'art sollicite, mais une fantasmatique anarchique et peut-être insoutenable. Ainsi Apollon est-il toujours menacé par Dionysos : l'œuvre par la non-œuvre, la maîtrise par l'abandon, l'inspiration par le délire, la fête par l'orgie ; c'est toujours comme transgression, comme déstructuration, comme désordre qu'apparaît le dionysiaque. L'expérience esthétique est une expérience ambiguë. Qu'elle ait son origine dans l'admirable plus que dans l'effrayant n'implique pas qu'elle soit sans violence et sans péril ; elle fait bouger en nous quelque chose de nocturne et de rebelle. Et peut-être est-ce en cela que réside le plaisir le plus profond, mais aussi le plus ambivalent.

C'est pourquoi aussi l'expérience esthétique est précaire : lorsque la menace de l'effrayant se précise, l'art peut se renier lui-même et virer à la religion. Et si l'expérience n'est pas récupérée par la mystique, elle peut l'être par l'institution, qui la contrôle et l'assagit, qui promeut un art « classique ». Mais même alors, c'est sur l'expérience que se fonde l'institution, pour assurer la médiation avec le beau ou, pour la religion, avec le sacré. C'est pourquoi l'étude des expériences nous a semblé indispensable. Il nous faut maintenant voir comment ces expériences s'expriment : les discours qu'elles suscitent nous permettront peut-être de vérifier notre essai d'analyse.

---

82. Cf. Gilbert Lascault, « L'impouvoir producteur », *Art vivant*, février, 1973, p. 2.

V

Expérience et discours

Convenons qu'il n'est pas facile, — ni possible — de décrire l'expérience. Jusqu'à présent, nous l'avons reconstituée plutôt que décrite. Elle est intérieure, et l'inconscient y joue, qui est *interior intimo meo.* Mais il ne faut pas non plus s'abuser sur cette intériorité : elle n'est pour l'autre qu'en s'extériorisant, comme dirait Hegel, donc en devenant observable. Ce que nous pouvons observer, ce sont ces extériorisations comme signes : des comportements et des pratiques ainsi que des discours par lesquels cette expérience se communique à elle-même et aux autres. Décrire l'expérience, ce peut donc être étudier le discours où elle se dit. Sans doute, peut-elle être muette ; nous pensons, avec Dufrenne, qu'elle l'est originellement, qu'elle commence avant le langage, malgré Lyotard et Derrida [1] : un voir avant le dire et le s'entendre parler et

1. Ici, je ne veux pas nier le rôle important de l'apprentissage du langage chez l'enfant comme moyen de prendre conscience du vécu et de systématiser l'expérience avant même qu'on l'exprime. L'âge du « non » chez l'enfant affirme et constitue la séparation d'avec la mère. Mais ce « non » met en relief l'expérience de cette séparation aussi bien qu'il l'active. Quand l'enfant arrive à jouer avec quelques concepts abstraits, qu'il commence à se mouvoir dans l'avant et l'après, il dit son expérience, mais éprouve très souvent sa parole comme inadéquate et lorsque l'adulte veut l'aider dans

c'est justement ce que nous avons tenté de reconstituer jusqu'à maintenant ; mais elle ne prend son sens et son impact social et historique que lorsqu'elle en vient à s'exprimer et se transmettre, même si pour un Bataille elle demeure finalement muette. Certes il faut distinguer ses expressions à chaud et à froid, pendant et après. Plus l'expression sera immédiatement liée au vécu, plus l'expérience manifestera ce caractère irréductible, originaire qui lui est propre [2]. Puissance du cri chez un Artaud, du mot poétique qui naît des expériences intenses dont parle Bataille, du mot inventé même dans des *happenings*, chez des poètes québécois, par exemple Gauvreau et Duguay. La possédée qui, ainsi qu'à Loudun, gesticule et prononce des paroles incohérentes à l'approche de l'Eucharistie, s'exprime à chaud, mais elle sera vite refroidie par l'exorciste qui lui souffle un langage ! À la limite il s'agit dans les deux expériences d'un langage du corps. Le cas reste plus douteux dès qu'il y a écriture. Ainsi Pascal, dans son mémorial, semble nous offrir un texte écrit à chaud pour raconter immédiatement une expérience ineffable qu'il vécut le 23 novembre 1654 : les phrases sont courtes, sans rhétorique, souvent elliptiques : « Feu... Dieu d'Abraham, Dieu d'Isaac, Dieu de Jacob, non des philosophes et des savants. Certitude, certitude, sentiment, joie, paix... Joie, joie, pleurs de joie [3]. » Mais c'est quand même un langage tout empreint de l'Écriture dont le contexte historique offre un cadre à son expérience. Ce mémorial demeura secret : seule la pratique d'une vie nouvelle que Pascal décida de mener à partir de cette nuit-là témoigna aux yeux

son récit, que de fois, il se rebiffe : non, ce n'est pas cela ! Déjà il expérimente à sa façon le vécu comme un rapport éminemment singulier au monde. Quand nous parlons d'origine, il ne s'agit pas d'un commencement historique, mais plutôt d'un sous-sol qui, comme l'inconscient, n'a pas de marques temporelles, et qui ne se dérobe jamais. Et cet originaire est aussi original : ce que le sujet éprouve est singulier.

2. En autant, bien sûr, que l'on renonce à utiliser — même sur-le-champ — quelque langage que ce soit.
3. Cf. Blaise Pascal, *Pensées*, Paris, Seuil. « Livre de vie », 1962, p. 373-374.

de tous de l'expérience qu'il vécut alors. Aussi bien est-ce le fait des pratiques, ainsi que des véritables discours — écrits et non proférés —, de venir après : c'est le destin de toute réflexion, a dit Hegel, de venir après le vécu, et il nous faut bien réfléchir sur cette réflexion. Au surplus, même postérieurs à l'événement singulier (l'illumination, l'inspiration), ces discours correspondant à une expérience antérieure deviennent eux aussi de nouvelles expériences. C'est ce qui apparaîtra clairement chez un Jean de la Croix, à l'étude d'un de ses textes.

À cette entreprise d'étudier l'expérience à travers les discours, je vois immédiatement un double écueil. Le premier consisterait à croire qu'il y a adéquation entre l'expérience et le discours, que le discours nous livrerait immédiatement le vécu [4]. Ce serait perpétuer ici l'erreur du sens commun qui substantifie les mots. Si les mots ne rejoignent les choses que par l'intermédiaire d'un concept, combien de médiations seront exigés pour retrouver l'expérience dans le discours ! Le langage est un code ; il se situe donc dans le monde du général, de l'universel. L'expérience est éminemment singulière, le fait

4. « Toute expérience spirituelle qui s'exprime, dès lors qu'elle s'exprime, se trouve en quelque sorte aliénée dans le langage. D'abord elle emploie les mots des autres ; elle en subit donc les contraintes. » Cf. Michel de Certeau, J.J. Surin, interprète de saint Jean de la Croix dans *Revue d'ascétique et de mystique,* 1970, nº 46. Assurément ! Mais faut-il ajouter : « Les mots — et leurs lois — ne s'inventent pas. Ils sont « donnés » à l'expérience *qui n'existe pas ailleurs où elle se dit.* Elle n'a d'existence qu'en fonction du passeport que lui délivre la communauté où elle est acceptée ? » Car il nous semble que l'expérience individuelle existe bien pour celui qui l'a vécue et pour ceux qui en lisent le récit. Quelle est-elle ? Certes pas ce que l'écrivain nous livre immédiatement, mais ce à quoi elle renvoie à travers des mots clés, à travers une symbolique. L'écriture se produit dans un débat entre le vouloir dire et l'incapacité de dire, et le dit provoque souvent une seconde expérience qui trouble la première. Mais l'écriture renvoie à un vécu immédiat et singulier, même si celui qui l'utilise veut intégrer son expérience dans l'Église, c'est-à-dire la rendre collective et plurielle, comme on va le voir.

d'un sujet qui l'éprouve, et à la limite un voyage au bout du possible de l'homme, dirait Bataille. Une part du vécu échappe à celui qui le vit dès lors qu'il s'écoule dans le temps. Sans doute, veut-on retenir les contours propres de l'expérience. Des mots s'offrent alors avec l'analogie souvent trompeuse des expériences semblables. Disponibilité du langage qui agit sournoisement de pair avec les tendances au refoulement du sujet. Ce qui est le plus fondamental dans l'expérience sera refoulé au bénéfice de l'élaboration secondaire du discours. À la limite, le discours masque plus qu'il ne dit ; non seulement le locuteur emprunte un code général, mais la langue qu'il emploie est déjà connotée par des styles personnels, par des utilisations collectives de milieux sociaux et historiques différents. On devra toujours se rappeler cela : avec le discours de l'écrivain, on est dans la culture, c'est-à-dire dans ce que Lacan appelle le symbolique. Ici aussi l'expérience est organisée, dissimulée autant que révélée. Mais est-ce à dire que le langage n'aura plus aucun rapport avec l'expérience qui l'a suscité ? Dissocier radicalement l'expérience du discours, investiguer avant tout celui-ci de telle sorte que l'expérience semble se dissoudre dans la multiplicité des analyses, tel est à mon avis, le second écueil qu'il faut éviter, celui d'un nominalisme contemporain. C'est bien là la tentation de la critique moderne : considérer le discours comme un texte à la fois anonyme (sans auteur) et insignifiant : dont le sens n'existe que pour une lecture qui est forcément plurielle. On en viendrait à étudier ces textes qui relatent une expérience comme des « morceaux littéraires » caractéristiques d'une écriture ou d'un genre, ou comme des exercices de style, sans s'intéresser à la finalité de leur production, qui est de rapporter une expérience singulière et qui assigne donc au discours une fonction référentielle : il se réfère à un vécu, et il est, en fait, écrit à la première personne. Pour se garder de cette tentation, il faut être attentif à la relation du discours non seulement à la littérature, mais à son auteur, non pour expliquer l'œuvre par l'auteur, mais pour comprendre l'auteur lui-même, saisir son explication, ce qu'il a voulu dire :

on fera du texte un autre usage que la critique. Ce qui implique de considérer le style, non seulement comme collectif, mais en tant qu'individuant, évoquant un auteur ainsi que fait Barthes dans *le Degré zéro de l'écriture*[5], et de confronter éventuellement le discours avec d'autres pratiques de l'auteur.

A. LE DISCOURS RELIGIEUX

Abordons dès maintenant le discours religieux. Il nous faut d'abord distinguer différents types de discours religieux. Premièrement *le discours sur la religion.* C'est celui que l'on tient en prenant la religion comme objet, ainsi que l'histoire, la sociologie, la psychologie le font. Ce discours ne peut se tenir qu'en autant que la religion ne s'identifie pas à une idéologie totalitaire et exclusive comme le cas se présente ordinairement dans les sociétés « primitives », et que celui qui l'élabore possède un appareillage conceptuel qui lui permet une certaine neutralité, nécessaire au langage scientifique. J'appellerai un deuxième type de discours, *discours de la religion.* C'est celui de la Révélation, annoncée par un prophète qui devient fondateur de la religion, commentée plus ou moins par ses disciples et ses successeurs. La sacralité recouvre ordinairement ce discours d'une autorité absolue : il s'agit du *Livre,* de la *Parole,* et de ses interprètes légitimes. Nous pourrions nommer une troisième catégorie, *discours dans la religion.* J'y verrais surtout l'expression de la foi du croyant, soit qu'il

5. Dans ce texte, Barthes admet encore la relation œuvre-auteur qu'il semble parfois récuser actuellement au profit du « texte », de l'« écriture » : ainsi aux pages 10-11 de *Sade, Fourier, Loyola :* « Le style suppose et pratique l'opposition du fond et de la forme ; c'est le contre-plaqué d'une substruction : l'écriture, elle, arrive au moment où il se produit un échelonnement de signifiants... », et encore dans l'article de la *Revue d'esthétique* (nº 3, 1971) intitulé : « De l'œuvre au texte ». Cependant, toujours dans *Sade, Fourier, Loyola,* il reprend cette idée d'auteur du texte, comme celle d'un « producteur de signifiants ».

s'agisse de la profession de foi proprement dite, *credo* ou *amen* répétés liturgiquement, de la confession ou autocritique, de la prière sous toutes ses formes. Est-ce ici qu'il faut situer le discours que nous connaissons bien dans le christianisme sous le nom de théologie ? Le problème est assez complexe. Même si le *Dictionnaire de théologie* de Vacant définit la théologie comme un discours sur Dieu, nous ne pouvons le situer dans la première catégorie que nous avons établie, car il se fait à partir de la foi : *fides qua erens intellectum,* selon la formule célèbre de saint Anselme. C'est pourquoi la théologie appartiendrait plus ou moins aux deux autres types de discours religieux selon l'aspect particulier qu'elle revêt.

En effet, les spécialistes distinguent principalement trois formes du discours théologique. D'abord la théologie positive, qui d'après le Père Bouyer est avant tout « un hymne où Dieu est glorifié plus qu'expliqué par l'esprit humain [6] ». C'est celle de l'Antiquité chrétienne, des Pères grecs et latins que nous retrouvons fort avant dans le Moyen-Âge, même chez un saint Anselme. La deuxième forme, c'est la scolastique qui ordonne « l'ensemble des vérités de foi dans une synthèse rationnelle, mais à partir d'une reconnaissance plus nette des vérités proprement surnaturelles et comme telles reçues de la Révélation seule ». La troisième, la théologie mystique, est reconnue comme telle au dix-septième siècle : c'est un discours sur Dieu à partir de l'expérience particulière que l'on en a. Il est clair que ce dernier discours appartient plus proprement à la troisième catégorie que nous avons établie, celle des « discours dans la religion », puisque c'est le croyant qui y développe son *credo* à partir de ses expériences. Cependant, on pourrait aussi classer les deux premières formes de la théologie dans ce type de discours en tant que ceux qui le profèrent ne font qu'exprimer, eux aussi, leur vie chrétienne, mais si l'on considère leurs écrits comme un corpus rattaché

6. Cf. Louis Bouyer, *Dictionnaire théologique,* Tournai, Desclée de Brouwer, 1963, article « Théologie ».

à l'Écriture et aux écrits pontificaux qui font autorité et constituent la doctrine infaillible de l'Église, alors mieux vaut le rattacher au « discours de la religion ».

Pour nous c'est le discours mystique qui nous intéresse, car c'est lui qui nous semble le plus près de l'expérience religieuse. Non que nous voulions postuler que l'expérience s'y retrouve plus que dans tout autre discours, mais parce que le référent de ce discours est une expérience d'un type particulier, porteuse de lumière pour l'Église [7]. Et c'est cela qui le caractérise à l'intérieur du discours théologique, car même si ce discours peut être tenu par un fondateur ou quelqu'un qui a l'autorité, il ne se réclame pas du pouvoir hiérarchique, mais de la valeur et du type d'expérience vécue par son auteur [8]. C'est pourquoi nous le classons sans hésitation parmi les « discours dans la religion ».

---

7. Cf. Michel de Certeau, « L'homme devant Dieu », *in* : *Mélanges offerts au Père de Lubac,* Paris, Aubier, 1964, p. 285-286. « Il n'y a pas de vrai langage qui ne dise et qui, sous un certain rapport, ne soit l'expérience. Celle-ci ne saurait, comme telle, caractériser un seul type d'expression. Aucun langage ne la possède en particulier. Celui de saint Thomas ou celui d'Eckart s'y réfère autant que celui de Bérulle, de Benoît de Canfeld, de Marie de l'Incarnation ou de Surin... S'il y a plusieurs lexiques de l'esprit, ce n'est pas que l'expérience définisse l'un d'entre eux par rapport aux autres, mais que sa forme propre, chez les mystiques, se traduit en un *modus loquendi* propre. Aussi ne faut-il pas seulement rapporter leur langage à l'expérience, mais discerner la nature particulière de ce rapport... les mots expriment l'union, l'ascension de l'âme et l'irruption de Dieu ; les symboles où s'est cristallisé le renouvellement d'une expérience humaine ou cosmique par une expérience spirituelle ; tout cela constituait déjà un langage, mis à la disposition de nouvelles générations. Mais les éléments de ce matériau tout prêt sont maintenant haussés par l'adjectif pour être rendus capables d'exprimer une nouvelle perception de l'Esprit qui avait inspiré ces phrases reçues. »
8. À moins que l'on ajoute une autre catégorie pour le désigner. Dirions-nous alors discours « hors de l'Église », à cause du caractère personnel de l'expérience qui y est retracée ? Mais le discours lui-même nous semble une tentative d'intégration à l'Église de la part de son auteur, soit celui qui a vécu l'expérience, soit celui qui la présente. Nous le vérifierons bientôt.

Le mot mystique se retrouve dans des contextes tellement divers qu'il nous faut au début de cette recherche préciser le sens que nous lui donnons. Désigne-t-il tout le vécu religieux ? Aujourd'hui il qualifie aussi bien une expérience, un discours, une mentalité, un individu et quoi encore ! Nous distinguerons donc, d'une part le sens large, galvaudé, adopté par les champions du rationalisme militant pour qui la religion, qui est première, est l'autre de la science (sorte de manichéisme sans dialectique) ; pour eux, mystique veut dire « prélogique » et diffère toujours du rationnel. D'autre part, un sens rigoureux qui se produit dans l'histoire : à la fin du seizième siècle, il y a un glissement sémantique du mot mystique qui, d'abord employé *comme adjectif* signifiant caché, spirituel, allégorique, le sera désormais *comme nom* : *la mystique* [9]. C'est alors que « la mystique » prend place dans la théologie aux côtés de « la positive » et de « la scolastique », comme un domaine délimité d'expérience et de discours. Domaine objectivé, circonscrit par la religion [10] — c'est-à-dire par l'institution —, quelque peu marginal, mais à l'intérieur et non au dehors. Marginal, anormal, pourquoi ? « La positive » confronte à la Parole de Dieu des événements liturgiques ou historiques ; « la scolastique » réfléchit sur des textes scriptuaires et patristiques pour arriver à bout des contradictions qu'ils présentent ; mais « la mystique », elle, se réfère à l'expérience vécue par les hommes dans l'Église. Et pas n'importe quelle expérience, celle de tout chrétien qui vit sa foi, mais une expérience éminemment singulière dans tous les sens du mot : une expérience ni prévue, ni requise par l'institution — sauf peut-être

9. Pour l'ensemble du sujet, cf. Michel de Certeau, article « Mystique », *in : Encyclopaedia Universalis ;* introduction à *la Correspondance de Jean-Joseph Surin* (Tournai, Desclée de Brouwer, « Bibliothèque européenne », 1966) « Mystique au XVIIe siècle », *in* : *l'Homme devant Dieu, Mélanges offerts au Père de Lubac,* Paris, Aubier, 1964, t. 2, p. 267-291.

10. Ce discours peut être circonscrit aussi par un nouveau discours, celui des libertins. Cf. Michel de Certeau, Notes de séminaire sur le discours mystique.

dans les religions primitives où l'on donne un rôle au sorcier. Si elle est en rapport avec cette institution — et elle l'est, car il n'y a pas d'expérience totalement première et solitaire —, c'est un rapport de tension. Ce qui caractérise cette expérience accroît aussi son caractère de singularité : extases, possessions, par lesquelles le surnaturel fait irruption dans le naturel, toutes sortes « d'excès » que Diego de Jesu essaiera de justifier en faisant appel à l'Écriture et à des contemplatifs comme Denys l'Aréopagite [11]. Il s'agit non pas de la reconnaissance tranquille du caché et de son administration sacramentaire, mais d'une connaissance expérimentale, d'une épreuve, celle d'une « passivité comblante » qui aboutit à une « vision unitive », diront plus tard les spécialistes.

Référons-nous à Jean de la Croix qui appartient à cette période historique où naît au sens strict le discours mystique, et qui a été reconnu par Rome, non seulement saint, mais « docteur mystique ». On peut distinguer chez lui, d'après la présentation et la division de ses œuvres, trois types de discours selon leur relation à l'expérience : un premier type où il chante son expérience spirituelle (cantiques, chants-poèmes) ; un deuxième type où il valorise l'expérience de l'union à Dieu telle que chantée dans les Cantiques, et où il la propose aux autres comme une sorte de modèle (ouvrages plus didactiques : commentaires, lettres, maximes, avis) ; un troisième type dans lequel il présente les deux premiers types de discours à ceux qui les lui ont demandés pour leur donner quelques conseils de lecture, — et peut-être davantage aux autorités ecclésiastiques pour protester de son obéissance et de l'orthodoxie de textes qui font plus ou moins directement l'apologie d'une connaissance expérimentale de Dieu (Prologues).

11. Cf. « Notes et remarques en 3 discours pour donner une plus facile intelligence des Phrases mystiques et de la doctrine des Œuvres spirituelles du Père Jean de la Croix » par le Père Jacques de Jésus, dans les *Œuvres spirituelles du Père Jean de la Croix*, Paris, Veuve Pierre Chevalier, 1652.

Nous allons considérer plus spécialement le *Cantique spirituel,* avec son « Prologue » et quelques pages de son « Commentaire », car il se situe au début des écrits de Jean de la Croix, comme une sorte de texte éponyme qui engendrera plus ou moins les autres. Ce Cantique, Jean de la Croix ne le crée pas *ex nihilo.* Comme tout croyant, il est en face de la Parole de Dieu. Car c'est dans l'Écriture telle qu'interprétée par l'Église que se trouve tout le contenu de la foi. Les Pères de l'Église et les Docteurs ont vécu et explicité leur foi à partir des textes sacrés. Les théologies positive et scolastique ne font donc que développer ce contenu en y appliquant des méthodes spécifiques de réflexion. Mais Jean de la Croix va en faire un autre usage, qu'il nous faut étudier pour voir dans quelle mesure ses écrits diffèrent de ceux de ses prédécesseurs. Dans le *Cantique spirituel* [12], il semble que l'Écriture, — le Cantique des Cantiques en l'occurrence — serve de moyen d'expression, mais utilisée librement : elle fournit un matériel de mots et de figures, sorte de matière première que le saint va organiser à sa façon. Dans le « Commentaire », l'Écriture est invoquée pour expliquer les strophes du Cantique, éclairer leur sens allégorique et les authentifier, les rendre vraisemblables au point de vue spirituel. Dans le « Prologue », l'Écriture devient une norme de justification du discours mystique. C'est parce que celui-ci participe de l'ardeur, de l'amour, de la sagesse avec lesquels les écrivains sacrés se sont exprimés qu'il ne peut être expliqué, mais doit être uniquement saisi par l'expérience amoureuse de celui qui l'entend. Venons-en aux textes. Nous étudierons ici la première rédaction du *Cantique spirituel,* soit

12. Le *Cantique spirituel* tel qu'il se présente aujourd'hui comprend quarante strophes de cinq vers chacune. Cependant, seules les trente-et-une premières font partie du poème rédigé en 1578, lors de la captivité de Jean à Tolède. Les neuf autres sont plus tardives, comme la strophe : « Montrez-moi votre présence » de la copie de Jean, que l'on place après la strophe 10. La dédicace et le prologue écrits en 1584 nous donnent aussi la date des commentaires que Jean a faits à la demande de la Mère Anne de Jésus.

les trente-et-une premières strophes, quelques pages du « Commentaire » et finalement le « Prologue ».

I. *Cantique spirituel*

En abordant l'analyse du *Cantique spirituel,* nous avons donc une double question à nous poser : d'abord dans quelle mesure le poème de Jean de la Croix diffère-t-il du Cantique des Cantiques dont il semble s'inspirer ? Ensuite, le dialogue amoureux du *Cantique spirituel* se réfère-t-il à l'expérience vécue par Jean dans la prison de Tolède comme lui-même semble l'indiquer ? Nous sommes étonnés de ne voir dans le texte aucune référence explicite à la prison de Tolède. Même les images de dépouillement et de souffrance ne semblent pas être provoquées par cette épreuve, ni par la séparation d'avec ses frères, ni par des sentiments de culpabilité. Rien de cela. Désir, mort, solitude ne s'entendent que par rapport au Bien-Aimé, à sa lumière, à sa présence. Si ce texte se réfère à un vécu personnel de l'auteur, il ne peut s'agir que de cette dernière expérience, celle d'une union amoureuse entre l'âme et son Bien-Aimé : « une seule grâce parmi celles que Dieu lui fit là ne peut se payer par de nombreux ans de prison », écrit Jean de la Croix. Dès lors, inutile d'analyser les souffrances physiques ou morales de la captivité : seul comptera le « poids de gloire » (saint Paul), ou plutôt, pour rester dans la problématique du poème, le poids d'amour, qui fait basculer l'expérience du côté du surnaturel, du rapport au divin. Le *Cantique spirituel* nous livrerait donc une expérience de l'autre monde. Cette expérience, peut-on la préciser ? Si l'on regarde de près le texte inspiré du Cantique des Cantiques, l'on remarque une même structure fondamentale : chants alternés de l'Épouse et de l'Époux, coupés par des invocations aux créatures. Même symbolisme de l'Épouse à la recherche du Bien-Aimé, qu'après bien des péripéties elle finit par trouver. Jean se serait attribué le rôle de l'Épouse : rien d'étonnant à cela. Que le Cantique des Cantiques ait été originairement un rite liturgique de mariage ou un chant symbolisant le lien d'Israël avec son Dieu, thème développé par les prophètes, Osée notamment, l'Église l'a toujours entendu comme expression de son propre itinéraire dans le Christ, son Dieu et son Époux, et il est fréquent, tant dans les textes liturgiques (Office du Bréviaire, Rituel de la consécration d'une Vierge, etc.) que dans les écrits des Pères, de voir appliquer ce symbolisme aux chrétiens en particulier. Le poème de Jean de la Croix ne comporterait donc rien d'original, si le saint ne faisait que gloser le Cantique des Cantiques, le traduire dans la langue de son époque, ou s'il l'utilisait à la façon des Pères de l'Église, un saint Bernard ou un saint Bonaventure, par exemple. Et il ne nous apprendrait rien de spécifique sur son expérience spirituelle s'il ne faisait que la couler pour ainsi dire dans le monde de l'Écriture sainte. Ce sont au contraire les différences de son propre chant avec le Cantique des Cantiques, au niveau même des images et des symboles, qui seraient révélatrices d'une langue et peut-être d'un vécu original. Or, que fait Jean de la Croix ? Choisit-il les mêmes images que le Cantique des Cantiques ? Si oui, les prend-il comme telles ou les transforme-t-il ? Ajoute-t-il de nouvelles formes comme expression de son expérience ?

Une lecture comparative des deux textes s'impose donc maintenant. Nous n'allons pas les confronter ligne à ligne ; mais nous reproduirons le *Cantique spirituel* dans sa traduction française [13] en le mettant en référence avec les passages du Cantique des Cantiques de la Vulgate tel que Jean devait le connaître, et en explicitant les différences qui semblent les plus pertinentes. Nous dirons ce que cette confrontation peut nous apprendre de l'expérience vécue par Jean de la Croix.

13. Nous reproduisons le texte français du R.P. Grégoire de Saint-Joseph, carme déchaussé.

CANTIQUE SPIRITUEL = C.S.	Références au CANTIQUE DES CANTIQUES (= C.C.) d'après l'hébreu.
I	
L'ÉPOUSE	
Où vous êtes-vous caché,	
O Bien-Aimé, et pourquoi m'avez-vous	
laissée gémissante ?	2,17
Comme le cerf vous avez fui	C.C. 2,9
Après m'avoir blessée.	2,5
Je suis sortie après vous en criant,	
et vous étiez parti.	3,2
II	
Pasteurs, vous qui passerez	3,3 et 5,8
Là-haut par les Bergeries jusqu'au	
sommet de la Colline,	
Si par bonheur vous voyez	
Celui que j'aime le plus,	
Dites-lui que je languis, que je souffre	
et que je meurs.	
III	
Pour rechercher mon Bien-Aimé	3,2
J'irai par ces monts et ces rivages,	
Je ne cueillerai pas de fleurs,	
Je ne redouterai point les bêtes féroces	
Et je passerai les forts et les frontières.	

IV

DEMANDE AUX CRÉATURES

O forêts, ô bois touffus
Plantés par la main du Bien-Aimé,
O prairie verdoyante
Émaillée de fleurs,
Dites-moi si vous l'avez vu passer

Texte de la Vulgate que pouvait connaître saint Jean de la Croix, particulièrement les passages de la liturgie	Remarques sur les différences
Similis esto, dilecte mi, capreae... Similis est dilectus meus capreae... Quia amore langueo	Le C.C. fait cette comparaison quand le bien-aimé revient vers la bien-aimée. Le contraire ici.
Surgam... quaesivi illum et non inveni	
Invenerunt me vigiles qui custodiunt civitatem: num quem diligit anima mea vidistis ? *Adjuro vos filiae Jerusalem, si inveneritis dilectum meum, ut nuntietis ei quia amore langueo*	Dans le C.C., l'épouse s'adresse aux gardes et aux filles de Jérusalem. Le *amore langueo* est traduit par : je languis, je souffre, je meurs. Jean de la Croix n'ose pas parler de la blessure d'amour !
Surgam, et circuibo civitatem : per vicos et plateas, quaeram quem diligit anima mea	Ce thème de la *recherche* comprend les strophes III-XII. Il est beaucoup plus développé que dans le C.C. et plus systématisé. L'épouse est dite allant par monts et rivages (pays proches) et passant par « forts et frontières » (pays éloignés). Sa recherche est donc plus éperdue que celle du C.C. où l'épouse va par les places et les villes. Partout, elle interroge les créatures végétales (strophe IV) et les autres vivants aussi (strophe VII), mais en vain. Il y a donc un crescendo dans la recherche et dans la peine. Image très fréquente chez Jean de la Croix. Dans la Genèse, c'est la Parole qui crée, ici c'est le regard qui crée — du moins la beauté.

V

RÉPONSE DES CRÉATURES

C'est en répandant mille grâces
Qu'il est passé à la hâte par ces bocages
En les regardant
Et de sa figure seule
Il les a laissés revêtus de beauté

VI

L'ÉPOUSE

Ah ! qui pourra me guérir !
Achevez de vous donner en toute vérité
Ne m'envoyez plus
Désormais des messagers
Qui ne savent pas répondre à ce que je veux

VII

Tous ceux qui vont et viennent
Me racontent de vous mille beautés
Et ne font que me blesser davantage,
Mais ce qui me laisse mourante
C'est un je ne sais quoi qu'ils sont à balbutier

2,5 cf. strophe I

VIII

Mais comment peux-tu subsister,
O vie, puisque tu ne vis plus là où est Ta vie ?
Lorsque tendent à te faire mourir
Les flèches que tu reçois
Des sentiments que tu formes en toi du Bien-Aimé

L'intention didactique de Jean de la Croix perce ici. S'il transforme le rythme des recherches de l'Épouse du Cantique, plus imprévisibles et désordonnées, en une recherche unique qui suit une sorte de hiérarchie du règne végétal au règne humain, c'est pour mettre en évidence la vanité des demandes aux médiateurs (créatures) et la nécessité de s'adresser à Dieu directement, ce que fait l'épouse aux strophes VI-VII-IX-X.

Sa blessure est d'être séparée de son bien-aimé comme l'Épouse du C.C., mais elle brûle davantage pour lui en entendant les éloges qu'on fait de sa beauté et de sa puissance : l'Époux est célébré par les créatures.

La vision de l'Époux éteint cette douleur qui naît de son absence. L'union tant souhaitée de l'Épouse et de l'Époux s'exprime chez Jean de la Croix en terme de *vision*, d'illumination. Les images tactiles du C.C. sont transformées en images visuelles : ainsi l'on ne retrouve pas : qu'il me baise d'un baiser de sa bouche, etc. Cependant on retrouve des images tactiles dans le « Commentaire ».

IX

Pourquoi donc avez-vous blessé
Ce cœur, et ne l'avez-vous pas guéri ?
Puisque vous me l'avez ravi,
Pourquoi le laissez-vous ainsi ?
Et n'emportez-vous pas le larcin que vous avez commis ?

2,5 cf. strophe I

X

Éteignez mes ennuis,
Puisque personne n'est capable de les dissiper.
Mais que mes yeux vous voient,
Puisque vous en êtes la lumière,
Ce n'est que pour vous que je veux m'en servir

XI (XII [14])

O fontaine cristalline,
Si sur vos surfaces argentées
Vous faisiez apparaître tout à coup
Les yeux tant désirés
Que je porte dessinés dans mon cœur !

4,15

XII (XIII)

Détournez-les, vos yeux, mon Bien-Aimé,
Voici que je prends mon vol.

cf. 2,4-6

L'ÉPOUX

Reviens ma colombe

Car le cerf blessé
Apparaît sur le sommet de la colline
Attiré par l'air de ton vol qui le rafraîchit

colombe 1,14, etc.
cerf 2,9 etc. (a)
blessé 4,9 (b)

14. La copie de Jaen ajoute ici la strophe suivante :
Montrez-moi votre présence,
Que votre vue et votre beauté me donnent la mort
Considérez que la souffrance
De l'amour ne peut
Se guérir que par la présence et la vue de l'objet aimé.

Fons hortorum : puteus aquarum viventium

Sa demande au bien-aimé est très claire : qu'elle voie ses yeux à lui, non directement, mais reflétés dans l'eau de la fontaine. Beaucoup plus près du Dieu que l'on voit dans la nuée, ou de dos. Cf. Ex. 33,18 — 34,6 dans la *Bible de Jésus,* avec les lieux parallèles.

Introduxit me in cellam vinariam, ordinavit in me caritatem. Fulcite me floribus, stipate me malis, quia amore langueo — Leava ejus sub capite meo et dextera illius amplexabitur me.

Aussitôt qu'elle voit ses yeux, elle ne peut les supporter. Crainte de l'extase. Cela est exprimé par la blessure du C.C. qui semble se situer dans un contexte de présence du bien-aimé plutôt que d'absence.

a) Le cerf est *blessé* chez Jean de la Croix comme l'épouse.
b) Mais l'Époux aussi est dit blessé dans un passage où il n'est pas comparé au cerf.

XIII (XIV)

L'ÉPOUSE

1,12-13 ; 2,3 ; surtout 5,10-16

Mon Bien-Aimé est comme les montagnes
Comme les vallées solitaires et boisées,
Comme les îles étrangères,
Comme les fleuves aux eaux bruyantes,
Comme le murmure des zéphyrs pleins d'amour ;

XIV (XV)

Comme la nuit tranquille
Lorsque commence le lever de l'aurore,
Comme la musique silencieuse,
Comme la solitude harmonieuse,
Comme le festin qui charme et remplit d'amour.

XV (XXIV)

Notre lit est tout fleuri, 1,15
Entouré de cavernes de lions, 3,7
Tendu de pourpre, 3,10
Établi dans la paix,
Couronné de mille boucliers d'or.

XVI (XXV)

Sur les traces de vos pas 1,3-2
Les vierges courent le chemin,
Le choc de l'étincelle,
Le vin apprêté
Leur fait exhaler un baume divin.

Dilectus meus candidus et rubicundus, electus ex millibus.

Caput ejus aurum optimum: comae ejus sicut elatae palmarum, nigrae quasi corvus.
Oculi ejus, sicut columbae super rivulos aquarum, quae lactae sunt latae, et resident juxta fluenta plenissima.
Genae illius sicut areolae aromatum consitae a pigmentariis, etc.

Portrait de l'époux en termes sanjuanesques : langage antinomique pour exprimer comment l'Époux est *tout* pour l'épouse. Le C.C. donne plusieurs versets descriptifs de l'Époux et même un portrait détaillé, mais aucune comparaison possible entre C.S. et C.C.

Lectulus noster floridus
En lectulum Salomonis, sexaginta fortes ambiunt ex fortissimis Israël — ... ascensum purpureum

Strophe que je qualifierai d'exotique par rapport aux autres. Images empruntées directement à la géographie ou à l'histoire de la Palestine. Peut-être parce que Jean de la Croix ne veut pas aller trop loin dans les comparaisons nuptiales : il vient de parler du « lit fleuri » ; aussitôt il ajoute : « cavernes de lions — boucliers d'or » comme pour voiler une figure trop matérielle.

Trahe me : poste te curremus in odorem unguentorum tuorum. Introduxit me rex in cellararia... Fragrantia unguentis optimis. Oleum effusum nomen tuum, ideo adolescentulae dilexerunt te.

Transformation assez libre, s'inspirant peut-être d'une leçon du Bréviaire.

XVII (XXVI)

Dans le cellier intérieur
De mon Bien-Aimé j'ai bu ; et quand j'en sortis, 2,4
Dans toute cette plaine
Je ne connaissais plus rien, 6,12
Et je perdis le troupeau que je suivais précédemment.

XVIII (XXVII)

Là il me donna son cœur 8,2
Là il m'enseigna une science pleine de suavité,
Et moi je lui donnai en réalité
Tout ce qui est à moi, sans rien me réserver,
Là je lui promis d'être son Épouse.

XIX (XXVIII)

Mon âme s'est employée
Ainsi que toutes mes richesses à son service ;
Désormais je ne garde plus de troupeau
Et je n'ai plus d'autre office :
Ma seule occupation est d'aimer.

XX (XXIX)

Si donc sur la place publique cf. 3,2
Je ne suis à partir de ce jour ni vue ni rencontrée,
Vous direz que je me suis perdue,
Que marchant comblée d'amour,
Je me suis constituée perdue, et j'ai été gagnée.

Introduxit me in cellam vinariam *Nescivi*	Importante transformation. Ici le texte sanjuanesque est plus fort. Thème de la bienheureuse ignorance : passivité à l'égard de l'Époux.
Ibi me docebis et dabo tibi poculum ex vino condito	Encore le langage sanjuanesque qui apparaît dans la transformation : le don du tout pour avoir le tout. Ce ne sont plus les images concrètes du C.C.
... per vicos et plateas...	Quelques mots du C.C. — mais c'est avant tout le langage de Jean... perdue — gagnée.

XXI (XXX)

De fleurs et d'émeraudes
Cueillies dans les fraîches matinées,
Nous ferons des guirlandes
Fleuries dans votre amour
Et tressées par *un seul* de mes cheveux. 4,9

XXII (XXXI)

Ce seul cheveu 4,9
Que vous avez vu voler sur mon cou,
Que vous avez considéré sur mon cou,
Vous a retenu prisonnier,
Et un seul de mes yeux vous a blessé.

XXIII (XXXII)

Quand vous me regardiez,
Vos yeux imprimaient en moi votre grâce.
Aussi vous m'aimiez avec tendresse
Et les miens méritaient par là
D'adorer ce qu'ils voyaient en vous.

XXIV (XXXIII)

Daignez donc ne pas me mépriser, 1-5
Parce que vous m'avez trouvé le teint noir
Vous pouvez bien désormais me regarder,
Car depuis que vos yeux se sont fixés sur moi,
Vous avez laissé en moi la grâce et la beauté.

XXV (XVI)

Faites la chasse aux renards, 2,15
Car déjà notre vigne est en fleur,
Durant ce temps nous prendrons les roses
Pour en faire un bouquet en forme de pomme de pin.
Mais que personne ne paraisse sur la montagne.

Usage très caractéristique de la métonymie, mais que nous pourrons interpréter autrement. L'épouse est reliée aux créatures par *la partie d'elle-même* qui a conquis le bien-aimé.

Vulnerasti cor meum, soror mea sponsa, vulnerasti cor meum in uno *oculorum tuorum,* et in uno *crine colli tui.*

Encore le thème du double regard fréquent dans les textes de spiritualité.

Nigra sum, sed formosa.

Capite nobis vulpes parvulas, quae demoliuntur vineas, nam vinea nostra floruit.

Surge Aquilo et veni Auster, perfla hortum meum et fluant aromata illius.

XXVI (XVII)

4,16

Arrête-toi, Aquilon sans vie ;
Viens, vent du Sud qui réveille les amours,
Souffle à travers mon jardin
Afin que ses parfums se répandent,
Et le Bien-Aimé se rassasiera au milieu des fleurs.

XXVII (XXII)

L'ÉPOUX

L'Épouse est donc entrée — 5,1
Dans le jardin de délices qu'elle désirait, — 8,5-6
Et joyeuse elle repose, — 2,6
Le cou penché
Sur les deux bras du Bien-Aimé.

XXVIII (XXIII)

Là, sous le pommier, — 8,5
Vous me fûtes fiancée,
Là je vous donnai la main,
Et vous fûtes rachetée
Là où votre mère perdit l'innocence.

XXIX (XX)

O vous, oiseaux légers,
Lions, cerfs, daims bondissants,
Monts, vallées, rivages,
Eaux, vents, ardeurs,
Et vous, craintes qui veillez la nuit,

XXX (XXI)

C'est par la suavité des lyres — 2,7
Et le chant des sirènes que je vous conjure
Que vos colères cessent,
Ne touchez pas le mur
Pour que l'épouse dorme avec plus de sécurité.

Veni in hortum *meum, soror mea,* sponsa (5,1)

8,5 ... *deliciis affluens, innixa super dilectum*

2,6 *Leava ejus sub capite meo et dextera illius amplexabitur me.*

8,6 ... *pone me ut signaculum super cor tuum pone me ut signaculum super brachium tuum.*

J'ai peine à imaginer l'attitude de l'épouse dans le texte de Jean de la Croix. L'évocation est suscitée par une sorte de fantasmatique qui exclut le réalisme de la description. La position du C.C. est beaucoup plus naturelle, que ce soit ici ou dans 8,5 — *innixa.*

Sub arbore malo suscitavi te : ibi corrupta est mater tua, ibi violata est genitrix tua.

Suscitavi est transformé en « Vous me fûtes fiancée ». Thème des fiançailles, précurseur du mariage, qui appartient à l'économie sanjuanesque de l'union à Dieu.

Adjuro vos filiae Jerusalem per capreas cervosque camporum ne suscitetis, neque evigilare faciatis dilectam, quoadusque ipsa velit

Le sommeil de l'épouse entre les bras de l'époux est un thème du C.C. Mais le reste est bien propre à Jean de la Croix.

Ne touchez pas au mur : serait-ce là une évocation de l'expérience d'enfermement qu'il vient de vivre matériellement ?

Essayons maintenant de systématiser les observations que nous avons notées au passage, pour préciser le sens du poème sanjuanesque. Nous nous attacherons surtout au thème de la recherche ou du désir. Jean de la Croix emprunte ce thème essentiel — le plus important du poème — au Cantique des Cantiques, comme une lecture comparative l'atteste. Cependant des variantes importantes font les deux poèmes très différents l'un de l'autre. Si l'on dépouille le Cantique des Cantiques de tous les commentaires qui s'y sont joints, si l'on revient à une lecture naïve, pour autant qu'elle soit possible, on est bien obligé de constater que le ton en est uniquement humain : la recherche qui y est narrée semble un jeu (comme il en existe chez les Orientaux) propre à exciter l'amour chez les deux partenaires, puisque non seulement l'Épouse, mais l'Époux aussi, se livrent à des recherches mutuelles et multipliées, imprévisibles et couronnées de succès. Chez Jean de la Croix, le ton est tout autre. L'Époux est marqué du caractère de la transcendance [15], c'est pourquoi l'Épouse n'a pas aisément accès à lui. Pour le trouver, elle doit parcourir un itinéraire, qu'elle invente d'ailleurs peu à peu. Elle passe par des médiations, mais devant l'insuccès de celles-ci, elle s'adresse directement à l'Époux. Son cri parvient alors au cœur de l'Époux qui l'exauce, et c'est ici le sommet du poème. L'Épouse « prend son vol », c'est l'extase (strophe XII). Pendant le reste du cantique (version première), l'Époux va envelopper sa présence de telle sorte que l'Épouse pourra la vivre dans la joie. Ces strophes chantent uniquement l'union, et non plus le désir. Ainsi organisé, le thème de la recherche est beaucoup plus intense, plus intérieur, plus engagé. Son caractère *dramatique* est mis en relief. Il acquiert un sens bien spécifique, et ne prêterait plus comme le Cantique des Cantiques à de multiples interprétations.

15. « Transcendance », peut-être parce que Jean a été instruit à considérer Dieu ainsi, mais surtout parce que l'expérience qu'il a vécue à Tolède et qu'il revit en écrivant son cantique est proprement une expérience de la totalité. Cf. p. 106 de notre texte : « C'est la totalité qui signifie la transcendance... »

Si le thème de la recherche est modifié, c'est en raison de la divinité de l'Époux. Il faut donc pour Jean de la Croix : expurger le texte du Cantique des Cantiques, lever l'hypothèque de la sensualité ; ainsi par des omissions : il n'ajoutera pas l'épithète « d'amour », *quia amore langueo,* quand il parlera de la « blessure », et ne dira pas comme dans le Cantique des Cantiques *osculetur me osculo oris sui.* D'une façon générale, Jean de la Croix transformera les images tactiles de l'union, si fréquentes dans le Cantique des Cantiques, en images visuelles, ou quand il en emploiera une, elle sera peu marquée (cf. strophe XXVII) ; il emploiera des mots « exotiques [16] » du Cantique des Cantiques en renversant leur ordre pour rendre imperceptible le « lit nuptial », etc. Par contre il renforce le style biblique quand il s'agit de goûter l'Époux, de boire dans son cellier, de s'enivrer de lui. C'est qu'à notre avis, ces images ne risquent pas de désacraliser l'Époux, car elles appartiennent à la tradition du thème de la Sagesse des livres bibliques, laquelle a été fortement assumée par le Christ dans l'Évangile : « Si quelqu'un a soif, qu'il vienne à moi... Buvez et mangez : ceci est mon corps, ceci est mon sang », et il y a toute une littérature spirituelle très ancienne qui gravite autour du « goût de Dieu » et « des choses divines ». C'est sans doute pourquoi Jean de la Croix n'hésite pas à les employer.

Mais là où il innove davantage, c'est quand il va jusqu'à doubler le thème de la recherche par celui du regard qui donne la mort. Ce thème possède tout un arrière-fond biblique très riche dont la vision de Moïse et de Paul constitue le type [17]. Jean se place donc ici d'emblée dans la tradition des grands spirituels de l'Ancien et du Nouveau Testament, pour qui voir Dieu, c'est mourir, tant est profond l'abîme de sainteté qui

16. J'entends par « exotiques » des mots qui n'ont de sens que dans le contexte historico-géographique de la Bible et qui ir-réalisent le poème.
17. Cf. Ex. XXXIII, 18-34 ; I Cor. XII.

sépare le Très-Haut de ses créatures. Mais l'Épouse n'aspire qu'à cette mort : d'où le sens de sa recherche, L'Époux divin s'est caché. Sa bien-aimée, blessée d'amour pour lui, veut le voir et s'enquiert du lieu de son séjour. Ceux qui ont vu le bien-aimé parlent de lui, de la beauté dont son regard les enveloppe, et ainsi ils blessent l'Épouse plus profondément de telle sorte qu'elle n'aspire plus qu'à le voir, sans toutes les médiations qu'elle avait utilisées jusque là : elle en viendra jusqu'à mépriser ces intermédiaires, que ce soient les créatures ou les représentants de l'Église (strophes II-VII). Elle s'adressera à l'Époux lui-même : « Mais que mes yeux vous voient, puisque vous êtes la lumière. Ce n'est que pour vous que je veux m'en servir [18]. » Cependant, c'est dans une *fontaine* qu'elle veut voir reflétés les yeux qu'elle porte dessinés en son cœur (cf. strophe XI). Nul ne peut voir Dieu face à face. La fontaine sera comme la nuée ou la main divine dans la vision de Moïse. Ces yeux, elle les voit un instant et c'est l'extase ! « Détournez-les, vos yeux, mon Bien-Aimé. Voici que je prends mon vol. » Mais après ce premier choc, elle puise dans le regard même du Bien-Aimé la force de le voir (cf. strophe XXIII). Ce regard sera pour elle la « grâce », c'est-à-dire l'amour qui purifie et embellit, qui transforme, recrée l'être sur lequel il se pose en lui donnant l'élan pour voir. C'est pourquoi l'Épouse peut exprimer ce qu'est l'Époux pour elle dans un portrait qui ne ressemble en rien à celui du Cantique des Cantiques. Nous abordons ici une autre caractéristique du langage sanjuanesque.

Après avoir purifié du trop humain le thème de la recherche et de l'union, Jean de la Croix récupère le sensible dans l'*image du Bien-Aimé comme Tout*. D'où l'aspect cosmi-

18. La strophe de la copie de Jaen ajoutée plus tard : « Montrez-moi votre présence. Que votre vue et votre beauté me donnent la mort. » Jean aurait ajouté cette strophe après avoir entendu une Carmélite parler de la vision de Dieu. Le texte postérieur est plus fort : des expériences mystiques sont venues s'ajouter à celles du Père spirituel.

que du poème (presque franciscain) à la fois caché et présent. C'est surtout dans le portrait de l'Époux qu'il apparaît. La Bien-Aimée chante son Bien-Aimé en le comparant à des sites et à des phénomènes naturels ou à des lieux géographiques :

> Mon Bien-Aimé est comme les montagnes,
> comme les vallées solitaires et boisées,
> comme les îles étrangères,
> comme les fleuves aux eaux bruyantes,
> comme le murmure des zéphyrs pleins d'amour ;
> comme la nuit tranquille [19]...

Après les comparaisons cumulatives, ce sont les comparaisons antithétiques :

> comme la musique silencieuse
> comme la solitude harmonieuse.

Attention, cependant ; il ne faut pas croire que le Bien-Aimé est chacun des éléments auxquels il est comparé, ni même l'ensemble. Il est « comme ». Jean de la Croix veut exprimer par ce langage que l'Époux est le Tout. En lui, la Bien-Aimée retrouve non seulement toute réalité, mais ce qui dans les choses et les sentiments s'oppose souvent :

> nuit tranquille
> solitude harmonieuse
> montagnes — vallées
> îles — fleuves

Il ne s'agit nullement de panthéisme : le monde n'est pas divinisé. Mais l'ardente sensibilité de Jean de la Croix n'est pas diminuée pour s'être consacrée uniquement à Dieu, et pour tracer le portrait de son Bien-Aimé, il retrouve des images évocatrices de son être au monde.

En fait, si l'épouse voit le Bien-Aimé comme le Tout, c'est peut-être aussi parce que celui-ci est Tout pour elle et qu'elle aime se considérer comme néant en face de lui. L'é-

---

19. Il est étonnant de constater combien peu nombreux sont les emplois que Jean de la Croix fait de la métaphore de la nuit qui deviendra beaucoup plus importante dans ses autres écrits.

pouse est noire, blessée, démunie de tout secours extérieur : elle renonce à la médiation des créatures quelles qu'elles soient : elle ne peut que s'offrir à l'Époux dans la nudité d'Ève au Paradis. Elle s'est constituée perdue, mais elle a été gagnée (cf. strophe XX). Car c'est cette pauvreté même de l'épouse qui semble plaire à l'Époux. C'est le sens, croyons-nous, qu'il faut donner à la strophe vingt-deux dans le Cantique des Cantiques, où la Bien-Aimée ravit le cœur de son Bien-Aimé par un seul de ses cheveux ; il s'agit alors d'une métonymie : elle est toute belle, un seul de ses cheveux exprime cette beauté. Ici, l'épouse est toute pauvre. Elle est réduite à n'être qu'un fil, « un cheveu », à n'être que désir, « un regard », et c'est ce cheveu, ce regard qui conquièrent le Bien-Aimé. L'image du seul cheveu et du seul regard devient donc une métaphore dans le contexte du *Cantique spirituel.*

Cependant l'Épouse aime sa pauvreté parce qu'elle attire le regard du Bien-Aimé qui devient *Tout* pour elle. Elle ne garde rien de son passé ; pas même son travail, (cf. strophe XIX : « Sa seule occupation est d'aimer »). La strophe vingt-et-un évoque une de ces occupations de l'amour, sorte de jeu mystérieux qui consiste à faire des guirlandes de fleurs et d'émeraudes qu'elle tresse avec un de ses cheveux. Encore cette figure « d'un seul ». Ce seul cheveu, c'est toujours l'épouse dans son état de nudité passive : *nescivi,* qui fleurit entre les mains de l'Époux, tout comme les plantes qu'elle cueille. En somme, elle est reliée au monde des créatures par ce *seul cheveu,* qui a conquis l'Époux — ce qui subsiste en elle pour appeler son Bien-Aimé.

Le monde est à elle, puisqu'il est à l'Époux, mais elle n'est pas au monde. On ne la trouvera plus sur la place publique, ni par monts et par vaux : elle habite maintenant le jardin de délices, à l'abri de tout ce qui trouble le repos de la contemplation. « Ne touchez pas le mur » (conjure l'Époux) pour que l'Épouse dorme avec plus de sécurité. Les hommes sont écartés, le travail, l'action.

Revenons au point de départ de notre enquête. Nous sommes maintenant plus en mesure d'apprécier l'originalité du *Cantique spirituel.* Cette originalité nous apparaît d'abord *dans la forme d'un récit organisé par le désir.* Nous sommes en présence d'un double désir, celui de l'épouse pour l'époux, lequel n'existerait pas s'il n'avait été précédé par celui de l'époux pour l'épouse. Ce désir se déploie apparemment dans le temps, — d'où le récit — puisqu'il suscite une recherche et un apaisement dans la jouissance, mais, étant donné la transcendance de celui qui l'inspire, le mouvement décrit consisterait plutôt dans le passage du temps à l'éternité. Nous serions donc ici en présence d'un temps sacré, tout comme dans la célébration de la fête, les différentes phases de la recherche remplaçant les rites. Que les nombreuses références à la nature ne nous abusent pas : nous serions aussi dans un espace sacré. Il s'agit pour l'épouse de voler vers son Bien-Aimé et de se reposer en lui. À la fin du poème, nous voyons l'épouse habiter le cellier céleste de son Dieu, qui est aussi le lieu originaire du Paradis. Mais le temps et l'espace profanes ne sont pas complètement abolis : ils sont sacralisés par la ferveur de la recherche. Le repos de l'Épouse n'est pas encore éternel : à preuve les strophes ajoutées par Jean, qui parleront de nouvelles recherches. Dès lors que l'épouse parle, c'est qu'elle est encore de ce monde, et les mots du poème doivent emprunter à la nature, au cosmos, les symboles qui expriment son itinéraire spirituel, soit sa route dans le lieu et l'espace divins. Ce qui caractérisera d'ailleurs en second lieu le *Cantique spirituel,* c'est *l'intensité des sentiments* qui y sont exprimés. Ce ne sont plus les médiateurs traditionnels du christianisme, les rites et les prêtres, qui ouvrent à la « colombe » les portes de l' « arche », non, c'est le caractère presque excessif de l'expérience vécue. Comment d'ailleurs rendre par des mots humains la recherche et la rencontre du divin ? Force est de recourir à un nouveau langage, un langage fait d'accumulations et d'antithèses pour tenter de dire l'ineffable. Car « c'est encore avec des mots que l'on pare à la déficience des mots : le sens, c'est-à-dire l'ineffable, donne lieu à des phrases et à des locutions qui, pour être mystiques n'en font pas moins partie du langage [20] ». Et un peu plus loin, M. de Certeau ajoute que ce langage « se caractérise moins par le déploiement de vérités progressivement acquises, que par une reconnaissance de plus en plus profonde de leur vérité ; moins par le contenu de la connaissance, que par son *intensité* grandissante ; moins par le déroulement cohérent des mystères compris dans le Christ, que par une sorte de distance intérieure due au retentissement de ces mystères, — distance qui n'a jamais pour se dire que les mêmes mots et qui pourtant représente par rapport à hier, à avant-hier, une saisie plus intime de la vérité qu'ils signifient [21] ». Une première conclusion que nous pouvons tirer, c'est que le langage du *Cantique spirituel* est mystique, non seulement au sens où Diego de Jesu, présentant les œuvres de Jean de la Croix à un public qui pourrait s'étonner des excès qu'elles contiennent, le situe dans une tradition qui va de saint Paul à saint Bernard, en passant par Denys l'Aréopagite, mais aussi au sens strict où l'entend M. de Certeau : il s'agit d'un « itinéraire intérieur » dont la relation « requiert un style caractérisé par des descriptions psychologiques et des paradoxes [22] ».

Après cette analyse du discours, pouvons-nous identifier dans ses contours singuliers l'expérience qui tente de s'y exprimer, même si elle est ineffable ? Pouvons-nous dire que cette expérience se situe dans le prolongement d'une expérience plus originelle du type de celle que nous avons décrite comme expérience de l'insolite, ou faut-il dire que cette expérience est immédiatement vécue comme religieuse et peut-être même suscitée par l'institution ? Il n'est pas possible d'apporter à cette question une réponse qui aille dans le sens d'une déli-

---

20. Michel de Certeau, « L'homme devant Dieu » *in* : *Mélanges offerts au Père de Lubac,* p. 286.
21. *Ibid.*, p. 287.
22. *Ibid.*, p. 287-288.

mitation des expériences vécues. Mais il semble bien que Jean de la Croix, fût-ce en un moment très court, ait fait l'expérience de l'insolite. Le *Cantique spirituel* nous fait pressentir un instant d'ébranlement et de déroutement total de l'être. L'expérience qui bouleverse le saint est plus radicale que celle de telle ou telle épreuve, c'est l'expérience d'un parfait état de dénuement en face de l'Inconnu : point de secours, point de repère, point de médiation. Le saint est aux prises avec l' « effrayant ». Mais l'image d'un autre monde s'ouvre devant lui, l'effroi se cristallise sur ce mystère qui devient : le numineux. Les images de la Transcendance et du Tout dans le *Cantique spirituel* s'accordent bien avec la description du numineux que fait Otto : nous sommes ici en présence du *tremendum,* du *fascinans,* de la *majestas* et surtout du « sentiment de l'état de créature » dont est imprégné le poème. Mais à quel moment intervient l'acte de foi qui poussera Jean de la Croix à identifier cet autre monde à son Dieu ? Nous l'ignorons. Toujours est-il que c'est à ce moment-là qu'intervient l'institution : Jean va couler son expérience dans le moule doctrinal du christianisme. Car l'institution est toujours déjà là, et, pour Jean de la Croix, la réforme carmélitaine qu'il veut promouvoir, aussi bien que les impératifs de la société espagnole du XVIe siècle. Le vers « Sur les traces de vos pas, les vierges courent le chemin » nous laisse pressentir que Jean de la Croix est déjà conscient de sa mission, particulièrement à l'égard des Carmélites. N'écrit-il pas « sous l'influence de l'amour et d'une grâce mystique abondante » ? Et l'expérience qu'il a vécue ne doit-elle pas devenir un exemple pour d'autres qui la suivront ? Au travail du désir se joignent les exigences de la mission, en sorte que l'expérience qui nous est livrée propose les traits majeurs de la spiritualité carmélitaine. N'oublions pas non plus que le discours qui la livre ici est un poème, qui atteste un don poétique, et qui nous ramène dans les parages d'une expérience originelle de l'admirable. Le Bien-Aimé lui-même est aussi l'Admirable, et si le premier choc a été éprouvé au contact du *tremendum,* les fiançailles spirituelles s'accomplissent sous l'action du *fascinans*. Et c'est surtout la nature à laquelle le saint était très sensible qui inspire poétiquement son cantique mystique. L'expérience esthétique permet peut-être au saint de rester plus près de son expérience originelle à travers même les impératifs du discours : c'est sans doute pour cela que nous sommes encore touchés par la beauté du *Cantique spirituel.*

II. Commentaire du *Cantique spirituel*

« Explication des strophes qui traitent de l'exercice de l'amour entre l'âme et le Christ son Époux : on y expose et on y explique quelques points et quelques effets de l'oraison. À la demande de la Mère Anne de Jésus, Prieure des Carmélites déchaussées du monastère de Saint-Joseph-de-Grenade. »

Nous n'étudierons pas en détail toute l'explication que donne Jean de la Croix de son *Cantique spirituel.* Fidèle à notre propos initial, nous scruterons dans ce commentaire le rapport de Jean à l'Écriture sainte : dans quelle mesure est-elle liée à son expérience mystique ? Nous procéderons ainsi :

1. d'abord par un relevé de toutes les citations bibliques avec une brève analyse de la fréquence de leur emploi;
2. par une étude dans un texte restreint du traitement de la citation par Jean de la Croix.

Voici ce qu'un relevé systématique des citations de Jean de la Croix dans l'explication de son *Cantique spirituel* nous apprend.

Ancien Testament : 95 citations ; Nouveau Testament : 48 citations ; saint Augustin : 1 citation.

Dans l'Ancien Testament, le Cantique des Cantiques vient en tête avec 36 citations, ensuite les psaumes : 24, Job : 7, Isaïe : 5, Genèse : 4, Exode : 4, Ecclésiaste : 4, Proverbes : 2, Osée : 2, Lamentations : 1, Ézéchiel : 1, Rois : 1, Daniel : 1, Sagesse : 1, Esther : 1.

Dans le Nouveau Testament, c'est l'Évangile de Jean qui vient en tête : 15 citations, et si l'on ajoute les 3 de l'Apocalypse et celle de la première Épître, (qui sont attribuées à saint Jean par la tradition à l'époque de Jean de la Croix), le compte de Jean s'élève à 19. Mais il est dépassé par le total des citations de Paul : 22, à peu près également réparties entre toutes les Épitres.

Dès maintenant ce relevé nous permet de constater la connaissance approfondie qu'avait Jean de la Croix des Saintes Écritures.

Nous n'étudierons pas en détail tout le commentaire du *Cantique spirituel* : quelques pages suffiront à nous montrer comment Jean de la Croix se sert des Saintes Écritures pour commenter son propre texte. Prenons d'abord le premier verset de la strophe 1 : « Où vous êtes-vous caché. » L'auteur va utiliser cinq citations de la Bible pour expliquer le sens de « caché ». Or il est intéressant de noter que les cinq citations devront prouver la transcendance divine que Jean de la Croix veut fortement affirmer dans le début de son cantique. Ce que nous avons vu ressortir de l'ensemble du cantique, de ses différences avec le Cantique des Cantiques n'apparaissait peut-être pas assez clairement à des âmes qui n'étaient pas encore parvenues au mariage spirituel, et la poursuite de l'union mystique pouvait sembler sentimentale à des profanes. Toujours est-il qu'il insiste sur la divinité du Verbe, caché au sein du Père (Jean 1, 18), sur le Dieu d'Israël dont les voies sont très secrètes : *Absconditus est Deus* (Isaïe 45, 15 d'après Vulgate, Job 9, 11), sur l'incapacité d'obtenir aucune preuve de l'amitié divine fondée sur les communications sensibles et spirituelles : « Personne ne sait s'il est digne d'amour ou de peine » (Eccl. 9, 1). « Le but de l'âme dans le présent vers, nous dit Jean, n'est donc pas de demander seulement la dévotion affective et sensible qui ne procure pas la certitude évidente que l'on possède en cette vie la grâce de l'Époux ; mais elle demande aussi la présence et la claire vision de son essence dont elle désire avoir la certitude et posséder la jouissance dans la gloire. C'est ce qu'exprime l'Épouse dans les divins Cantiques : désireuse de s'unir à la divinité du Verbe, son Époux, elle s'adresse au Père dans ces termes : « Indiquez-moi où vous vous nourrissez, où vous vous reposez au milieu du jour » (Cant. 1, 16). Passage très intéressant : Jean use ici très librement du Cantique des Cantiques pour expliciter sa propre doctrine. Lorsque cette doctrine a été suffisamment précisée, et lorsque toute équivoque qui pourrait provoquer l'imagination a été effacée, il n'hésite pas à citer les passages les plus hardis du Cantique des Cantiques. Ainsi la strophe VIIe : « C'est de cette plaie que l'Époux parle dans les Cantiques quand il dit : « Vous avez blessé mon cœur, o ma sœur... avec un seul de vos yeux » (Cant. 4, 9). L'œil signifie ici la foi du mystère de l'Incarnation de l'Époux et le cheveu signifie l'amour de ce mystère. Nous appelons encore « langueur » cette blessure, dont l'Épouse des Cantiques parle ainsi : « Je vous en conjure, filles de Jésus, si vous rencontrez mon Bien-Aimé, dites-lui que je languis d'amour » (Cant. 5, 8, cf. aussi strophe X fin). Aussi désirant voir l'Épouse le placer dans son âme comme un portrait, l'Époux lui dit dans les Cantiques : « Mettez-moi comme un sceau sur votre cœur, comme un sceau sur votre bras. » Citons encore le commentaire apporté aux strophes XIII-XIV-XV.

Strophes XIII-XIV : « Mais adaptant sa puissance à chacune d'entre elles, il se fait sentir avec des délices inexprimables et une souveraine grandeur. Voilà pourquoi l'Épouse dit dans les Cantiques : « Que votre voix résonne à mes oreilles, car votre voix est douce » (Cant. 2, 14). »

Strophe XV : « Aussi nomme-t-elle cette union un lit fleuri. Ainsi s'exprime l'Épouse des Cantiques. Elle dit à l'Époux : « Notre lit est fleuri » (Cant. 1, 5). Elle l'appelle « notre » parce que les mêmes vertus et le même amour que le Bien-Aimé sont à l'un et à l'autre : la même jouissance est aux deux, (ici, Jean de la Croix ajoutera un autre texte pour justifier le mot si osé de « jouissance ») selon cette parole du Saint-Esprit dans les Proverbes : « Mes délices sont d'être avec les enfants des hommes » (Prov. 8, 31).

« Elle jouit en toute sécurité de la participation aux perfections divines. C'est là ce que désirait l'Épouse des Cantiques quand elle disait : « *Quis det...* Que n'es-tu mon frère ? Que n'as-tu sucé les mammelles de ma mère ? Que ne puis-je te trouver seul dehors ? Je t'embrasserais, et personne n'oserait me mépriser » (Cant. 8, 1). Ce baiser, c'est l'union dont nous parlons et qui rend l'âme semblable à Dieu par amour. »

Précisons maintenant l'usage des citations dans l'explication du *Cantique spirituel* :

1. La citation vient à l'appui non du Cantique lui-même, mais de son explication : elle précise un sens qui n'est pas nécessairement le sens premier du Cantique et de l'expérience vécue alors par Jean de la Croix, mais celui d'expériences postérieures vécues par lui ou par d'autres. Ainsi l'on raconte qu'il composa la strophe : « Montrez-moi votre présence » de la copie de Jaën, après avoir entendu le récit d'une carmélite sur ses grâces spirituelles. De même, en entendant chanter son propre Cantique par une de ses filles, au parloir du Carmel, il entra en extase.

2. Cependant, si l'explication peut se référer à des expériences mystiques, elle peut aussi être inspirée par un souci de prudence et d'orthodoxie, et elle l'est très souvent. Jean de la Croix veut que son chant soit compris dans le « bon sens », c'est-à-dire selon la pensée de l'Église et donc de l'interprétation canonique des Saintes Écritures. C'est pourquoi il cite d'abord le texte de la Vulgate, et très souvent le texte latin en premier lieu. De même recourt-il fréquemment aux psaumes et aux textes que l'on trouve dans l'Office divin.

3. Mais l'orthodoxie étant pour ainsi dire sauvée, Jean de la Croix n'hésitera pas à citer des textes beaucoup plus

ambivalents de l'Écriture, en particulier du Cantique des Cantiques, car toute équivoque se trouve dissipée à la fois par leur contexte et par l'explication qu'il en donne. Il les donne comme en rapport avec l'expérience mystique qu'il a vécue à Tolède ou avec d'autres qui sont postérieures, et il nous invite à penser qu'il y aurait un courant mystique dans l'Écriture auquel il se référerait. C'est dans ce sens que je lis les nombreuses références à Moïse, à Job, à Jean.

III. Prologue

Dans ce prologue, Jean de la Croix réfléchit sur son propre discours, cantique et commentaire, et c'est l'occasion pour lui de le situer par rapport à l'Écriture. Tâche qui n'est pas aisée pour celui qui proteste de sa fidélité à la Parole et à l'Église, et qui pourtant vit une expérience de Dieu et du discours sur cette expérience qu'il ne peut récuser. Il essaiera donc de faire la part des unes et de l'autre dans une dialectique rassurante.

Jean de la Croix justifie très finement le ton de son Cantique dont l'excessive ardeur peut surprendre, de la même façon que Diego le fera plus tard en présentant ses écrits : il le met sur le compte de la *Divine Sagesse* par qui il est inspiré et dont l'action s'étend d'une extrémité du monde à l'autre. L'âme jouissant des faveurs divines ne saurait rien en dire, si elle n'était inspirée de l'Esprit : encore là ce n'est que par la médiation « de figures, de comparaison, de symboles » qu'elle fait connaître quelques-uns de ses sentiments, et des mystères qu'elle a vécus. C'est bien de cette façon que l'Esprit agit dans les Saintes Écritures : il emploie des « figures et des comparaisons étranges » pour nous parler des mystères. C'est pourquoi les Docteurs n'ont jamais fini de les expliquer. Ainsi en sera-t-il de son propre *Cantique spirituel,* dont les commentaires ne peuvent rendre raison. Ce Cantique, rempli de sagesse mystique, produit de l'amour, est opérant par lui-même comme la foi : il produit à son tour l'amour. Pour cela il n'est pas nécessaire de le comprendre distinctement. Ce point est très important. Jean de la Croix *valorise ici l'expérience personnelle à l'égard de son texte, tout comme à l'égard des Saintes Écritures.* Une petite phrase valide ce traitement de l'Écriture : « Elle agit à la manière de la foi selon laquelle nous aimons Dieu sans le comprendre. »

Son commentaire sera donc bref, et portera sur certains effets de l'oraison que les plus avancés doivent connaître, même s'ils sont peu versés en théologie scolastique. Lui-même fera le raccord entre les deux théologies, la scolastique et la mystique : par la « mystique », les âmes peuvent connaître intuitivement les vérités de la scolastique. Après ce discours à la fois hardi et plein de « sagesse », Jean proteste de sa soumission à la sainte Église. « Pour donner plus d'autorité à cet écrit, je me propose de ne rien affirmer par moi-même, de ne point me fier à ma propre expérience, ni à ce que j'ai éprouvé, mais à ce que j'ai vu chez des personnes spirituelles ou entendu d'elles... » Il fait donc marche arrière ? Non, car il ajoute aussitôt : « bien que je compte mettre à profit ces deux sources de *connaissance* ». (Observons ici que l'expérience est lumière, connaissance.) Mais il est devenu très prudent depuis l'emprisonnement de Tolède ! « Je veux faire un exposé qui soit confirmé par la Sainte-Écriture et s'appuie sur son autorité » ; puis une petite restriction : « du moins dans les parties qui nous paraîtront plus difficiles à comprendre [23] ». C'est donc bien le sens d'un retour à l'autorité qu'il faut donner aux paroles suivantes : « Ma méthode consistera à citer le texte

23. Ici une autre traduction, celle du Père Chevalier semble plus claire : « Pour que mes paroles, volontairement soumises à meilleur juge et sans aucune réserve à la Sainte Mère l'Église, obtiennent plus de crédit, je ne veux rien avancer qui redise, ou ce que j'ai en moi avec la conviction que donne l'expérience personnelle, ou ce que j'ai connu et entendu près d'autres personnes spirituelles, (alors même que j'espère tirer parti de ces deux sources), sans que des citations de l'Écriture divine apportent une preuve et une lumière pour le moins dans les cas qui sont plus difficiles à entendre. »

latin (garant d'orthodoxie) et aussitôt j'en ferai application au sujet traité. » Mais il reviendra encore à l'expérience personnelle du texte mystique qu'il *présentera d'abord en entier,* puis strophe après strophe.

Concluons : tout discours religieux, fût-il celui d'un mystique, tente d'intégrer l'expérience dans le cadre institutionnel. Même le poème, qui est la forme la plus libre d'expression, non seulement ne dit pas toute l'expérience, — aucune parole ne peut la rendre — mais n'est pas le fruit du pur désir. Sans doute, demeure-t-il plus près d'une expérience première très forte, mais il s'organise selon certains schèmes qui sont reconnus par l'institution.

B. LE DISCOURS ESTHÉTIQUE

Pouvons-nous trouver une expression discursive de l'expérience esthétique analogue à l'expression de l'expérience religieuse ? Moins facilement : nous allons voir pourquoi. Nous pouvons pourtant à propos de ce discours opérer la même distinction : entre un discours *sur* l'art qui est soit constatatif (science, histoire de l'art, etc.), soit normatif (critique), deuxièmement, un discours *de* l'art, celui des fondateurs (théories, manifestes), et enfin un discours *dans* l'art, celui qui exprime ou veut exprimer l'expérience (l'état poétique, dirait Valéry) des créateurs ou des récepteurs.

C'est ce troisième type, ici aussi, qui nous intéresse. Il est plus rare et moins spécifique que pour l'expérience religieuse. On trouve sans doute des discours qui décrivent l'expérience esthétique, mais ce sont des discours sur elle, discours de philosophes ou de savants, comme les nombreuses analyses de l'*Einfühlung* auxquelles se sont livrés les esthéticiens allemands au début du siècle, les phénoménologies de l'expérience esthétique, les études d'esthétique expérimentale, etc. : tous des discours à froid. Des discours à chaud, en première personne, qui explicitent un vécu sont plus rares, aussi bien de la part du récepteur que du créateur. Pourquoi ?

Voyons d'abord le récepteur. Donnant accueil à un objet déjà produit, ou même participant à sa présentation, il se soucie plutôt de jouir de l'œuvre que de communiquer sa jouissance. Il se peut que son plaisir soit en droit universel, comme dit Kant, mais il n'éprouve pas le besoin de le dire pour l'universaliser. L'expérience esthétique n'a pas à être prêchée comme l'expérience religieuse. Il n'est pas requis non plus pour celui qui l'éprouve de la situer au sein de l'orthodoxie, à moins que ne pèsent sur lui des impératifs culturels tels que l'expérience veuille se réduire à être le reflet de celle du groupe, ou que le récepteur éprouve le besoin de vérifier ce qu'il ressent en le communiquant à ceux qu'il reconnaît comme experts. Nos civilisations font de l'art une affaire privée, solitaire, comme la lecture : chacun pour soi ! Même lorsque l'expérience est collective, elle appartient à chacun des sujets qui la vit au sein du public. Et précisément, cette expérience cherche moins à se dire qu'à se vivre. Elle est affaire de vie, comme le voulaient les surréalistes et encore plus, aujourd'hui, les organisateurs de *happenings*. Et il y a une autre raison encore pour laquelle l'expérience du récepteur reste muette : c'est que le plus souvent l'objet — naturel ou artistique — qui suscite cette expérience est donné, et non caché comme le Dieu : il y a vue et non « vision », ni « voyance » (même si l'artiste est un voyant comme dit Rimbaud !), et voir dispense de parler. L'objet esthétique ne requiert que d'être recueilli et goûté, il ne sollicite pas le discours.

Quant à l'artiste, il parle plus volontiers, surtout aujourd'hui ! Mais ses discours sont sur et de l'art, plutôt que dans l'art : discours théorisants (parfois inspirés par les critiques, comme les arts poétiques) ou discours programmatiques (les manifestes). Les discours qui relatent l'expérience sont plus rares parce que, pour l'artiste, c'est la création qui est une fin et non l'expérience comme telle : l'expérience ne fait qu'accompagner ou préparer le faire, le sentir est secondaire, (encore que ceci ne soit pas vrai, nous le verrons, pour l'artiste romantique). Bien sûr, les mystiques ne considèrent pas, eux non plus, l'expérience comme une fin de leur vie terrestre, du moins les mystiques chrétiens. C'est la charité qui doit accomplir leur foi, comme pour tous les croyants. « Quand je parlerais les langues des hommes et des anges, si je n'ai pas la charité, je ne suis plus qu'airain qui sonne ou cymbale qui retentit [24]. » Quant à l'expérience, elle est comme une anticipation de la jouissance de Dieu dans l'éternité, une faveur propre à activer leur charité. Très souvent, elle demeurera muette. Si le discours intervient chez le mystique, c'est plutôt comme une médiation entre l'ineffable de l'expérience et les œuvres de la charité à accomplir, quand un lien doit être posé historiquement entre les deux (messages-missions, etc.), ou encore pour ramener le mystique du monde surnaturel, ciel, éternité, à la réalité terrestre, l'Église-institution. Au contraire, si pris qu'il soit par son expérience, l'artiste est toujours sur terre, et son faire suffit ordinairement à l'exprimer ; si une œuvre n'y suffit pas, il en produira d'autres. C'est pourquoi on trouve peu de discours écrits pour raconter son expérience de créateur, ou pour rendre compte de son « faire » en relation avec l'expérience. On rencontre surtout des notes rapides à propos de la contemplation de la nature et des œuvres d'art, ou de l'œuvre à faire ; et ces notes sont consignées dans des textes qui ne prétendent pas être des œuvres littéraires, comme des journaux personnels, des lettres, à moins qu'ils ne soient sollicités du dehors, comme tout récemment par la collection « Les sentiers de la création ». Pourquoi l'artiste prend-il la peine d'écrire ces notes ? Pour faire en quelque sorte le point, sur lui-même, sur son expérience, sur la réalisation de son projet. S'il ne s'adresse qu'à lui-même — comme Delacroix dans son *Journal* —, ce peut être par un besoin d'introspection, pour y voir plus clair dans sa propre expérience. Mais plus modestement l'artiste peut aussi écrire pour se constituer une sorte d'aide-mémoire qui l'aide dans son entreprise : il recense

24. Saint Paul, I Cor. XIII, 1.

ses impressions, ses sensations, ses émotions, pour les garder vivantes en lui, un peu à la façon d'un croquis ou d'une esquisse qu'il dessinerait. Il joint d'ailleurs souvent le dessin à l'écriture. Il stocke ainsi un ensemble d'expériences qu'il utilisera dans son œuvre toujours à faire ou dans la réflexion théorique sur cette œuvre. À l'époque de la Renaissance et du Classicisme, ce pourra être aussi pour donner des explications de son tableau au prince qui le lui a commandé.

D'autre part, si l'artiste s'adresse à quelqu'un, comme Van Gogh à son frère, c'est qu'au besoin d'introspection, se joint un besoin de communication. L'œuvre assurément a besoin d'un public ; mais le créateur aussi a besoin d'un confident, qui partage son expérience et encourage sa démarche. Et c'est alors que ces textes sont pour nous les plus signifiants.

Ces textes, chez les créateurs, et singulièrement chez les poètes, portent le plus souvent sur l'inspiration : sur l'incontrôlable et imprévisible expérience qui conduit à l'œuvre. On sait comment Valéry a été fasciné par ce moment qui est le ressort de la création ; il récusait et admirait à la fois cette part des dieux — du corps —, cet « enthousiasme » qui lui interdisait la maîtrise dont il rêvait. Mais c'est à deux poètes québécois que nous allons demander les impossibles procès verbaux de l'inspiration. À Gauvreau d'abord, qui fut l'ami de Borduas et l'un des signataires du *Refus global*. Dans une des *Lettres à un fantôme* [25], il tente de communiquer sa propre expérience à des fins didactiques, pour définir ce qu'il appelle l' « automatisme surnaturel », qui est un « automatisme inspiré ». En appeler à l'inspiration, c'est « permettre le Désir en toute générosité et en tout risque [26] ». Le risque est de se perdre : « Ayez le cran de vous engloutir dans les ténèbres et de vous débattre (avec angoisse sûrement) contre les monstres verts de la forêt. Sinon, choisissez la paix morale et la stéri-

25. Claude Gauvreau, « Lettre à un fantôme », *la Barre du jour*, janvier-août 1969, nos 17-20.
26. *Ibid.*, p. 344.

lité [27]. » Car c'est au prix de cette passivité héroïque, de cette passion (« la passion engendre les objets [28] ») que surgiront les images transfigurantes (comme le poisson-chaise), les images exploréennes : « Des bribes de mots abstraits connus, modelés dans une intrépide sarabande inconsciente, produisent l'image exploréenne [29]. » Mais qu'est donc ce désir d'où procède le poème ? Pour l'éclairer, ou pour éclairer les images qui sont ses rejetons. Gauvreau déboute la psychanalyse qu'il soupçonne de ne pas creuser assez profond dans l'inconscient : « Je dirais aussi qu'il y a image exploréenne lorsque la situation présente de la psychanalyse ne permet pas à cette science — à moins, peut-être d'une opération laborieuse dont il n'existe pas encore d'exemple — de découvrir en l'objet poétique le contenu latent [30]. » Dès lors, à ce désir, il ne peut que donner un autre nom : l'émotion, seule capable de dynamiter toutes les barrières : « Sans aucune sorte d'idée ou de méthode préconçues, permettre l'accroissement d'une forte émotion qui vienne ébranler et affoler toutes les murailles de la cervelle, et alors, inscrire successivement tout le chaînon un qui viendra se dérouler en reptile ininterrompu (jusqu'au sentiment de plénitude), voilà le moyen de mettre au jour des cavernes et des replis que le ronron de l'inconscient superficiel ne permet pas de soupçonner... Tel est l'automatisme surrationnel [31]. » Et telle est la façon dont il se distingue de l'automatisme psychique des surréalistes, qui « pour moi, (c') est ceci : Une tentative d'écrire dans un relâchement aussi complet que possible [32] ».

Peut-être jugera-t-on ce discours rapide. Gauvreau l'a longuement illustré dans certaines de ses œuvres. *Les oranges*

---

27. Claude Gauvreau, « Lettre à un fantôme », *la Barre du jour*, janvier-août 1969, nos 17-20, p. 346.
28. *Ibid.*, p. 347.
29. *Ibid.*, p. 357.
30. *Ibid.*, p. 357.
31. *Ibid.*, p. 359.
32. *Ibid.*, p. 358.

sont vertes[33] chantent la poésie dans un long poème théâtral, particulièrement dans le premier monologue d'Iverning, où la parole est un cri soufflé par la chair, est la chair même du poète. Mais on n'analyse pas vraiment l'inspiration, on la montre : on est inspiré — ou on ne l'est pas. Gauvreau l'a été : jusqu'à la folie et la mort. L'extrême émotion déporte-t-elle jusque là ? La question est au moins posée par Anne Hébert, lorsqu'à son tour elle évoque le mystère de l'inspiration.

Anne Hébert habite[34] un pays qui se cherche et se fait, où la poésie n'est pas un exercice d'écriture sophistiquée, stérilisé par l'autoréflexivité, mais bien « la voix des ondes et des bois[35] », qui retentit à travers l'homme. Sans doute est-ce de ce pays qu'elle parle lorsqu'elle écrit : « Notre pays est à l'âge des premiers jours du monde. La vie ici est à découvrir et à nommer. » Un pays où le langage est encore en prise sur les choses : il les nomme. Alors la poésie est bien une expérience, « une expérience profonde et mystérieuse qu'on tente en vain d'expliquer ». On pourra l'étudier comme un texte dans un *corpus,* mais il faut d'abord la revivre dans le moment qui lui donne vie. Car elle suppose un « sujet », un être capable d'émotion et d'amour : « Et je crois qu'il n'y a que la véhémence d'un très grand amour, lié à la source même du don créateur, qui puisse permettre l'œuvre d'art, la rendre efficace et durable. » Elle a donc « partie liée avec la vie du poète et s'accomplit à même sa propre substance, comme sa chair et son sang ». Cet engagement amoureux, du corps autant que de l'âme, la plupart des poètes en ont dit la nécessité. Même Valéry, cet apôtre de l'intellect, dont Anne Hébert cite

33. La pièce a été présentée à la Comédie canadienne à Montréal, en 1971-1972 mais elle n'a pas été éditée ; elle paraîtra prochainement dans l'édition des œuvres complètes de Claude Gauvreau aux Éditions Parti Pris.
34. Même si Anne Hébert habite Paris depuis plusieurs années, son inspiration est québécoise, comme l'atteste encore récemment son dernier roman : *Kamouraska.*
35. Anne Hébert, *Poèmes,* Paris, Seuil, 1960, p. 67-72.

un mot : « Une fois la rigueur instituée, une certaine beauté devient possible », n'a-t-il pas placé dans la bouche de Léonard et dans celle d'Eupalinos « un éloge du corps » ? Mais pour Anne Hébert la poésie a partie liée aussi avec ce monde toujours en devenir qui attend d'être nommé et par là achevé : « Parfois, l'appel vient des choses et des êtres qui existent si fortement autour du poète que toute la terre semble réclamer un rayonnement de surplus, une aventure nouvelle. Et le poète lutte avec la terre muette et il apprend la résistance de son propre cœur tranquille de muet, n'ayant de cesse qu'il n'ait trouvé une voix juste et belle pour chanter les noces de l'homme avec la terre. »

Les noces : voilà la réconciliation, dont certains s'offusquent. Mais que serait l'art, s'il ne nous mettait au monde : en état de grâce, mais sans l'appel religieux à une transcendance ? Pourtant, cette réconciliation n'est ni simple, ni sans danger. Elle requiert un dépouillement et un effort. Le dépouillement est surtout requis du lecteur qui participe à l'aventure poétique : « Et le lecteur de poésie doit également demeurer attentif et démuni en face du poème, comme un tout petit enfant qui apprend sa langue maternelle. » (Anne Hébert ne dit-elle pas ici d'un mot ce que d'autres ont dit plus longuement : que la poésie, langue maternelle, est la mère du langage ?) Du créateur, c'est l'effort qui est requis : « Le poème s'accomplit à ce point d'extrême tension de tout l'être créateur, habitant soudain la plénitude de l'instant, dans la joie d'être et de faire. Cet instant présent, lourd de l'expérience accumulée au cours de toute une vie antérieure, est cerné, saisi, projeté hors du temps. Par cet effort mystérieux le poète tend, de toutes ses forces vers l'absolu, sans rien en lui qui se refuse, se ménage ou se réserve, au risque même de périr. »

Sur ces lignes si riches, deux remarques seulement. D'abord, on y voit que l'émotion qui habite le poète est liée non seulement à un appel du monde, mais à un appel de l'œuvre. L'inspiration est une provocation à faire, l'artiste est un homme qui fait : poète signifie bien créateur. Ensuite, on y voit qu'Anne Hébert évoque le risque de périr. Ainsi fait-elle leur part à ceux pour qui l'expérience esthétique est une expérience proprement tragique, où l'homme affronte sa mort, sous toutes les formes de l'impouvoir et de la folie. La grâce n'est pas toujours donnée, et l'œuvre peut s'enfanter dans la douleur ou sombrer dans l'échec, de même que le désir peut ne pas s'accomplir. « L'artiste lutte avec l'ange dans la nuit. Il sait le prix du jour et de la lumière. » Il apprend, à l'exemple de René Char, que « la lucidité est la blessure la plus rapprochée du soleil ». Nous allons voir quelques expériences de blessures plus nocturnes où se perd la lucidité.

Faisons appel maintenant à des textes de peintres : Michaux, évoquant son itinéraire de peintre, attend à 73 ans que la peinture lui dise où elle l'a conduit : « Quelque chose vient qui n'est pas encore solide, mais déjà impérieux, qui cherche plutôt le combat, et surtout à focaliser davantage. Où ? Comment ? Tôt ou tard sans doute, la peinture va le montrer... par ses sentiers à elle [36]. » Admirons cette confiance de l'artiste qui s'en remet à son art du soin de savoir où il va : qui par là s'avère voué à sa peinture, vraiment peintre. Peintre, et non écrivain, comme on sait qu'il l'est aussi. Car il est remarquable, dans ce texte, que Michaux oppose la peinture à l'écriture : « Des mots ? Je ne veux d'aucun. À bas les mots. Dans ce moment aucune alliance avec eux n'est concevable [37]. » Et pourquoi ? Michaux veut d'abord se déconditionner : « Né, élevé, instruit dans un milieu et une culture uniquement du « verbal » je peins pour me déconditionner. » Ses premiers essais, la *ligne* qui « cherche sans savoir ce qu'elle cherche », le *signe* impossible parce que « signal d'arrêt », les *pictogrammes* sans règles qui veulent être « le phrasé même de la vie »

36. Henri Michaux, *Émergences-Résurgences,* Genève, Skira, « Les sentiers de la création », 1972. C'est à ce seul très beau texte de Michaux que nous nous référons ici.
37. *Ibid.*, p. 38.

sont d'apparents échecs parce qu'illisibles pour ses proches [38]. Mais après des temps d'arrêt il persiste dans sa recherche picturale. Pourquoi ? Il explicite lui-même son choix en établissant un parallèle entre la pauvreté des moyens de la peinture relativement à ceux du langage : « Les écrits manquent de *rusticité*... Pas de langue vraiment pauvre. Avec l'écriture en plus, c'est pire [39]. » La peinture est bien plus simple dans ses moyens mêmes : c'est la flûte de roseau, au lieu de l'orchestre : « on peut peindre avec deux couleurs (dessiner avec une). Trois, quatre au plus, ont pendant des siècles suffi aux hommes pour rendre quelque chose d'important, de capital, d'unique, qui autrement eût été ignoré [40] ». Le poète H. Michaux ne peut en rester à la poésie comme écriture ; et voici qui justifie le titre de Lyotard : « Discours, figure. » « L'écriture comme seul pilier, c'était le déséquilibre [41]. » Mais comment la pauvreté de la peinture équilibre-t-elle la richesse du langage ? En ramenant à la rusticité de l'origine : « Dans la peinture, le primitif, le primordial mieux se retrouve [42]. »

S'en remettre à la peinture, c'est encore en appeler à l'inspiration. Et il semble que l'inspiration réside toute dans l'expérience du faire, sur laquelle on va insister. Pourtant, n'y a-t-il pas aussi, d'abord, une expérience du monde, un sentir qui suscite le faire ? Oui ; certes chez Michaux, ce n'est pas l'expérience de l'admirable. D'abord parce que ce monde à ses yeux manque d'être, de densité, de force. « Je tenais, dit-il, à montrer du monde concret son peu de réalité... Même dans les visages, un des endroits les plus réels pour moi, objet qui devenait sujet si facilement, la réalité encore manquait, passait... C'est tout traversé, partagé, dissous et dissolvant, un visage ; ou c'est sur l'invisible que l'on bute [43]. » Bien plus

38. Henri Michaux, *Émergences-Résurgences,* p. 9-14.
39. *Ibid.*, p. 18-19.
40. *Ibid.*, p. 19.
41. *Ibid.*, p. 19.
42. *Ibid.*, p. 18.
43. *Ibid.*, p. 116.

réel, nous allons le voir, est l'imaginaire qui foisonne sous la mescaline. Ensuite ce monde précaire n'est pas glorieux. Ce qu'il montre, c'est la misère, qui interdit toute célébration, tout lyrisme : « De nouveau l'inanité de la vie qui tient à un rien... — et le monde effroyable et immense de la souffrance jamais loin, qui ferme la bouche à tout le reste [44]. » Les visages, ce sont ceux que fixe « le souvenir des malades timides, décharnés, dans des salles abominables du piteux hôpital [45], ceux que hante la proximité de la mort [46] ». Ce sont ces « têtes malheureuses », qui vont apparaître sur le papier, au moins en plusieurs moments de la démarche du peintre, lorsque, dit-il, « l'homme m'arrive, me revient, l'homme inoubliable ». Ainsi l'expérience esthétique n'est pas une expérience heureuse : Michaux n'est pas un homme heureux ; mais elle commence avec une expérience du monde, de ce monde inachevé, tragique, dérisoire.

Comment le peintre répond-il à cette expérience qui est la sienne ? « Chargées de dizaines d'années d'inharmonie, de gênes, de heurts en des milieux inacceptés, mes peintures devaient se faire, avaient besoin de se faire, par le chemin du désordre, de la sauvagerie, de l'annihilation [47]. » En effet, à ce besoin, à cet appel de l'objet pictural, Michaux répond en se laissant aller, en se laissant sombrer. Sans contrôle, sans retenue : « J'avais déjà fait des aquarelles. Cependant il restait en moi une retenue. Je n'y étais pas précipité. Or ce n'est que, moi précipité dedans, qu'elles valent, qu'elles répondent. Mais j'ignorais que je gardais de la retenue. » Pour être peintre, il faut « préserver son incapacité à peindre » : « me laisser

44. Henri Michaux, *Émergences-Résurgences*, p. 38.
45. *Ibid.*, p. 41.
46. Lorsqu'un de ses proches a un accident et qu'il fréquente l'hôpital pour le visiter, Michaux écrit encore : « Ça n'a pas beaucoup de sens, le réel, l'autre réel, le réel de la distraction, qui n'a pas affaire à la mort. » Mais Michaux n'a-t-il pas toujours affaire à la mort ?
47. Henri Michaux, *Émergences-Résurgences*, p. 43.

aller... laisser aller tout — et sans me forcer — dans le désordre, dans la discordance et le gâchis [48] ». Ceci Michaux l'éprouve particulièrement quand il pratique la peinture à l'eau : « Spontanée, surspontanée [49] » : l'expérience de faire, c'est l'expérience de cet abandon, de ce « véritable aveuglement [50] » ; mais ce laisser-aller au service de la peinture est encore à faire, et là est l'essentiel de l'expérience du créateur. Et puis, vient un moment où Michaux renonce au pinceau, et, sur le papier, fait déboucher l'encre à flots de la bouteille ouverte. Le noir se répand... Sans doute, ce noir garde-t-il la même signification que lors des entreprises précédentes, lorsque Michaux peignait sur papier noir : « Arrivé au noir. Le noir ramène au fondement, à l'origine [51]. » Mais désormais, ce noir, qui coule « sans gêne », « dévorant », apparaît impudent. Il provoque une autre démarche : « Peindre pour repousser [52]. » Une peinture agressive, qui mobilise l'agressivité du peintre : « L'emportement ici, décidément plus grand que l'abandon, devient de plus en plus nécessaire, plus impérieux, plus à sa place [53]. » Aussi Michaux est-il arraché à sa naturelle inertie, et tout accaparé par le mouvement qui anime les taches, « mouvement comme désobéissance, comme remaniement [54] » ; en pleine aventure, en proie à l'inattendu. « Une fois de plus je peux être spontané, totalement, sans corrections, sans deuxième état, sans avoir à y revenir, à retoucher. D'emblée, là [55]. »

Une autre épreuve attendait Michaux, lorsque, pour le temps qu'il prit de la mescaline, le monde — l'imaginaire du

48. Henri Michaux, *Émergences-Résurgences,* p. 32.
49. *Ibid.,* p. 38.
50. *Ibid.,* p. 44.
51. *Ibid.,* p. 25 (on pense ici au point de Klee. L'entreprise de Michaux n'est pas très éloignée de celle de Klee : Klee aussi évoque l'origine, la « matrice », le cœur de la création.)
52. *Ibid.,* p. 57.
53. *Ibid.,* p. 56.
54. *Ibid.,* p. 65.
55. *Ibid.,* p. 71.

monde — lui révéla un autre visage, cette fois merveilleusement violent : « Formidable coup de gong, le coup de gong de la couleur, de quantité de couleurs, fortes, fortes, qui me tapaient dessus, pressées, perçantes, dissonantes comme des bruits. Martyrisantes [56]. » « L'impression était qu'on m'arrachait des couleurs, de moi, de ma tête, d'un certain endroit en arrière dans mon cerveau [57]. » N'est-ce pas ce qu'a vécu Artaud : le corps qui se dérobe et se morcèle, mais violé par l'imaginaire et non par Dieu ? Et comme Artaud, Michaux éprouve son impouvoir : « Tant d'événements du visuel... et tout ce qu'ils englobent, comment y faire face ? Comment les revoir ? Comment les faire venir en peinture [58] ? » « Il s'agissait toujours de l'impossible, de rendre le lieu sans lieu, la matière sans matérialité, l'espace sans limitation [59]. » Michaux va renoncer, laissant la tâche à d'autres peintres, « pris d'un nouveau désir inassouvissable », et au cinéma (où certains films d'animation canadiens ont en effet pris le relais). Mais il reste peintre ; et son monde reste un monde évanescent, insaisissable, pulvérulent. « Cependant lorsque je reprends la plume fine conduisant au linéaire grêle, après quelque temps, sollicité aussi par un léger vertige qui fait sentir tremblantes les lignes légères et l'espace qu'elles suscitent, je me retrouve (non plus il est vrai forcé, mais seulement invité) dans un monde fuyant, bien connu, immense et immensément percé, où tout est à la fois et n'est pas, montre et ne montre pas, contient et ne contient pas, dessins de l'essentielle indétermination, où se glissent des faces entr'aperçues, tantôt avec une expression, tantôt avec une autre, en aspects indéfiniment indéterminés non définitifs [60]. »

Est-ce à dire que le réel est révoqué ? Non. Michaux a toujours aspiré « à plus de transréel [61] ». Mais ce transréel

56. Henri Michaux, *Émergences-Résurgences,* p. 78.
57. *Ibid.,* p. 82.
58. *Ibid.,* p. 95.
59. *Ibid.,* p. 95.
60. *Ibid.,* p. 106-107.
61. *Ibid.,* p. 115.

n'est pas un surnaturel, et son expérience n'est pas religieuse. Ce qui se mêle au réel, pour le défaire et le faire à la fois, c'est l'imaginaire — qui n'a pas besoin d'être suscité par un hallucinogène ; le réel de la tache d'encre ou de la couleur y suffit. Mais cet imaginaire n'est pas seulement le fait de l'artiste, il est aussi le fait du monde, dont quelque chose se révèle dans la peinture : quelque chose d'originaire, comme ce « noir » initial d'un monde qui n'a pas encore pris forme dans la lumière, une détresse qui peut devenir fête : « L'immédiat, les immédiats... Le nouveau venu... fêtant un devenir [62]. »

C'est dans un tout autre contexte, que Van Gogh, lui aussi avide de saisir l'immédiat de l'expérience de son monde à travers l'acte de peindre, nous livre ses réflexions sur cet acte. D'abord, contrairement à Michaux, il ne s'adresse pas à nous, mais surtout à son frère Théo [63]. Car il écrit à ce dernier tout au cours de sa vie, quand il en est éloigné. En effet, chez Van Gogh le besoin de communiquer est particulièrement intense : Théo l'aide à vivre dans tous les sens du mot ; il est celui à qui s'adresse sa demande, comme dirait Lacan... et qui répond. Ainsi Vincent se livre-t-il à lui d'une façon si spontanée et si totale qu'il peut écrire : « par mon intermédiaire, tu as ta part à la production de certaines de mes œuvres [64] ». D'autant qu'il ne songe guère à revendiquer un droit sur ses œuvres : il se sent bien plutôt être lui-même un instrument aux mains de la peinture, comme on va le voir.

Si Van Gogh éprouve un tel désir de se confier — s'il rêve de vivre dans une communauté d'artistes, un rêve qui avortera — c'est qu'il est doué d'une sensibilité singulièrement aiguë, qui le voue à des expériences vives. Il est ouvert aussi bien aux hommes qu'à la nature. Des hommes, il éprouve la

62. Henri Michaux, *Émergences-Résurgences,* p. 71.
63. Vincent Van Gogh, *Lettres de Vincent à son frère Théo,* Paris, Grasset, 1971. Ces lettres seront notre principale source de référence.
64. *Ibid.,* p. 298.

misère ; il vit auprès des plus déshérités, mineurs, tisserands, paysans ; il comptait à leur peine, il veut leur rédemption ; c'est parce qu'il est en quête d'un salut pour eux qu'il veut devenir pasteur. Peu importe s'il échoue, tant dans ses études que dans sa pratique pastorale : il va les peindre. La peinture est témoignage et rédemption. Van Gogh nous donne le plus parfait exemple d'un art totalement a-politique qui prend racine dans une expérience toute proche de l'expérience religieuse, mais qui est bientôt complètement indifférent au discours et à l'institution religieuse : le désir ne vise pas un autre monde, il veut transformer la réalité en peinture.

La réalité des choses, comme celle des hommes. Car Van Gogh est presque aussi sensible aux choses qu'aux hommes. Si peintre qu'il soit, il ne l'est pas de la façon que veut Malraux, en s'initiant auprès des tableaux plutôt qu'auprès de la nature. Certes, il ne cesse de se référer aux peintres, ses maîtres, ses frères, qu'il admire avec la plus émouvante sincérité : comment parler peinture autrement ? et Van Gogh ne cesse de parler et de penser peinture. Mais il écrit aussi : « Sentir les choses elles-mêmes, la réalité, a plus d'importance que de sentir les tableaux, en tout cas c'est plus fécond et plus vivifiant [65]. » Sentir les choses et les hommes aussi, voilà pour Van Gogh l'expérience esthétique initiale. Sentir leur beauté ? Pas exactement : les choses peuvent être aussi misérables que les hommes ; l'expérience ne procède pas du sentiment de l'admiration [66], ni de l'effrayant, mais plutôt du sentiment de présence, d'une communion avec l'être profond qui se déploie dans l'apparaître. Et qui du même coup en appelle à la pein-

65. Vincent Van Gogh, *Lettres de Vincent à son frère Théo*, p. 66.
66. Encore que Van Gogh emploie souvent le mot. Par exemple : « Car on ne peut imaginer un tapis aussi admirable, que ce brun-rouge profond dans l'ardeur d'un soleil de crépuscule d'automne tempéré par les branches » (p. 72). Si la nature provoque la peinture c'est le plus souvent par sa beauté. Mais cette beauté signifie la force, la densité de son être-là. Un peu plus loin, Van Gogh évoque « l'énorme force et la fermeté de ce terrain ».

ture qui redouble l'apparaître. On voit là tout ce que peut signifier la peinture : ce n'est pas un jeu de salon, ni un exercice de virtuosité. Il s'agit de répondre à un appel, de délivrer, par les voix du silence, ce que Merleau-Ponty appelle une parole muette.

Qu'on nous permette ici de citer un long texte, qui dit tout, dans sa manière inimitable : « Voici enfin un croquis dont, quoi qu'on puisse en dire, je prétends qu'il a une signification et qu'il est parlant. En le faisant, je me suis dit : ne partons pas avant de voir l'effet d'automne et de crépuscule de ceci, ce qu'il y a de mystérieux, de sérieux. Je suis forcé — comme l'effet ne reste pas — de peindre rapidement, les figures y ont été placées en quelques coups de brosse énergiques et d'un coup. J'ai été frappé de voir combien ces petits troncs tiennent solidement dans le sol, je les ai commencés au pinceau, mais à cause du sol déjà empâté — un coup de pinceau fondait comme rien, c'est alors que, pinçant le tube, j'en ai fait sortir les racines et les troncs — et je les ai quelque peu modelés avec le pinceau. Oui, — les y voilà, ils en jaillissent, ils y sont solidement enracinés. Dans un certain sens, je suis content de ne pas avoir appris à peindre. Peut-être que j'aurais appris à laisser passer inaperçus des effets de ce genre, maintenant, je dis non, — c'est précisément cela que je dois avoir, si ce n'est pas possible, ce n'est pas possible, je veux l'essayer, quoique je ne sache pas comment il faut faire. Je ne sais moi-même comment je le peins, je viens m'asseoir avec un panneau blanc devant l'endroit qui me frappe, je regarde ce que j'ai devant les yeux, je me dis, ce panneau blanc doit devenir quelque chose — je reviens mécontent — je le mets de côté et après m'être reposé, je le regarde avec une certaine angoisse — je reste mécontent, parce que j'ai trop à l'esprit cette merveilleuse nature pour que je puisse en être content — mais pourtant je vois dans mon œuvre un écho de ce qui m'a frappé, je vois que la nature m'a raconté quelque chose, m'a parlé, et que je l'ai noté en sténographie. Dans mon sténogramme, il peut y avoir des mots indéchiffrables — des fautes ou des lacunes, pourtant il reste quelque chose de ce que le bois, ou la plage, ou la figure ont dit, et ce n'est pas une langue mate ou conventionnelle, qui n'est pas née de la nature elle-même, mais d'une manière de faire ou d'un système savant [67]. »

Comment commenter un tel texte ? On y voit comment pour le peintre, sentir et faire sont indivisiblement liés : l'expérience esthétique est toujours en même temps l'expérience d'une *praxis* ; la sienne ou celle des autres. La nature ne s'offre pas comme tableau, elle demande le tableau, elle est sentie comme ce tableau qu'elle va devenir, qu'elle veut devenir. On a donc compris l'enjeu de la peinture : qui est de surprendre le secret du visible, le naturant dans la nature. Et c'est le même secret que Van Gogh veut forcer en l'homme, cet homme qu'il peint comme une chose parce que c'est le moyen d'en montrer l'âme (ce mot revient souvent chez lui) : « j'ai cherché à exprimer avec le rouge et le vert les terribles passions humaines [68] ». Pourtant cela n'est pas facile : « ... pour ma part je ne vois pas d'autre parti que de lutter avec la nature aussi longtemps qu'il le faudra pour qu'elle me confie son secret [69] ». Ce combat amoureux, Van Gogh doit s'y donner tout entier sans faiblir : « Je ne puis me soucier de ce que les gens pensent de moi, il faut que j'aille de l'avant, c'est à cela que je dois penser [70]. » Et encore : « je marche comme une locomotive à peindre [71] ».

Sa part, c'est le travail : l'étude des maîtres, oui, de ceux qui lui ont ouvert la voie, et la technique : « Quand tu rencontres de bons ouvrages, n'oublie pas que je désire vivement que tu en achètes quelques-uns en déduction de ce que tu as l'habitude de m'envoyer, pourvu qu'ils traitent technique [72]. »

67. Vincent Van Gogh, *Lettres de Vincent à son frère Théo,* p. 73-74.
68. *Ibid.,* p. 215.
69. *Ibid.,* p. 108.
70. *Ibid.,* p. 107.
71. *Ibid.,* p. 217.
72. *Ibid.,* p. 102.

La théorie aussi : on sait quel intérêt il porte à la théorie des couleurs, « de grandes vérités en lesquelles Delacroix avait foi[73] ». Mais le faire ne requiert pas seulement le métier. Le métier doit passer dans le corps du peintre : il lui faut se faire lui-même nature pour saisir la vérité de la nature. Lorsque Van Gogh arrive dans le Midi, on sait avec quel éblouissement, quelle ferveur, il salue ce pays : « Alors peut-être, peut-être je suis sur la piste et mon œil se fait-il à la nature d'ici. Attendons encore pour être sûr[74]. » Au pays de Cézanne, il faut être Cézanne : « Si en revenant avec ma toile je me dis : « Tiens, voilà que je suis arrivé juste à des tons au Père Cézanne, je veux seulement dire ceci que Cézanne étant *absolument du pays même* comme Zola, et le connaissant donc si intimement, il faut qu'on fasse intérieurement le même calcul pour arriver à des tons pareils[75]. » « Mais enfin de temps en temps dans la vie on se sent épaté comme si on prenait racine dans le sol[76]. » C'est alors qu'on est engagé corps et âme dans la peinture, tout entier possédé par elle. Van Gogh devient cette machine désirante qui est machine à peindre : à travers lui la peinture se fait toute seule. « Je ne sais pas moi-même comment je peins », disait-il tout à l'heure. Et maintenant : « j'ai une lucidité... terrible par moments, lorsque la nature est si belle de ces jours-ci et alors je ne me sens plus et le tableau me vient comme dans un rêve[77] ».

Inspiration, nul mot ne convient mieux. Le Dieu qui habite Van Gogh, c'est le Dieu de la peinture. « Que veux-tu, j'ai des moments où je suis tordu par l'enthousiasme ou la folie ou la prophétie comme un oracle grec sur son trépied[78]. » Mais au prix de quels sacrifices ! Comme le disciple, Van

73. Vincent Van Gogh, *Lettres de Vincent à son frère Théo,* p. 112.
74. *Ibid.*, p. 181.
75. *Ibid.*, p. 181.
76. *Ibid.*, p. 269.
77. *Ibid.*, p. 228.
78. *Ibid.*, p. 261.

Gogh a tout quitté pour suivre la peinture. Comme le mystique, il s'est dépouillé de tout, il s'est « décréé » pour créer la peinture : non pour recréer le monde, comme Malraux le dit des peintres en qui la volonté d'annexion se substitue à la volonté de transfiguration, mais pour exprimer l'invisible du visible. Dans la dernière lettre à Théo qu'il portait sur lui, le 29 juillet 90, il écrivait : « Mon travail à moi, j'y risque ma vie, et ma raison y a fondu à moitié [79]. » Mais qu'importe la raison ?

79. Vincent Van Gogh, *Lettres de Vincent à son frère Théo,* p. 298.

VI

L'expérience et l'œuvre

Nous venons de voir comment le discours tente d'exprimer l'expérience, et parfois de la justifier. Mais l'expérience en appelle aussi à l'œuvre où elle s'éprouve, se prolonge et parfois se relance. Par œuvre, disons-le tout de suite, nous entendons à la fois les actes ou les opérations et leurs produits : un objet esthétique, le don d'une aumône, la fondation d'une communauté sont des œuvres. Mais l'œuvre peut aussi consister à se faire, et non à faire : à inaugurer et maintenir en soi un certain mode d'être : la sainteté, l'inspiration sont des œuvres aussi. Il y a œuvre sitôt qu'il y a une activité orientée vers quelque fin, sans que cette fin soit nécessairement une production. Cette activité s'oppose à la passivité de l'expérience, qui est ouverture à un donné, perception ou sentiment. Mais activité et passivité sont réciproques : l'expérience où se livre un donné peut accompagner une activité qui opère sur ce donné : c'est en explorant un pays qu'on le découvre, comme c'est en fonçant qu'on s'éprouve courageux. Et elle peut aussi solliciter une activité par laquelle elle s'éprouve et se confirme ; vivre une expérience, c'est en tirer les conclusions pratiques : s'il y a un Dieu, il faut vivre avec lui et pour lui ; s'il y a pour l'artiste un appel de l'œuvre à faire, il faut faire l'œuvre, et par là se faire artiste. Essayons d'analyser les rapports de l'œuvre, aux deux sens où nous l'entendons, avec l'expérience religieuse, puis avec l'expérience esthétique.

A. L'EXPÉRIENCE RELIGIEUSE ET L'ŒUVRE

Dans le contexte de la religion, l'œuvre peut être considérée sous deux aspects : d'abord uniquement comme un acte cultuel et social déterminé dans le temps et l'espace, puis comme une *praxis* qui englobe la vie entière du croyant. Cette distinction ne recoupe pas exactement celle que propose Van der Leeuw, dans la troisième partie de son livre, entre action extérieure et action intérieure, dont il se sert pour résumer toutes les manifestations de la pratique religieuse. Ce qui nous importe ici est moins le recensement de ces manifestations que la relation des actions à l'expérience dont elles procèdent ou qu'elles stimulent.

L'œuvre, c'est donc d'abord la fête liturgique. Elle nous apparaît comme le legs d'une tradition à son groupe social, comme un condensé de son expérience religieuse. Elle est organisée par une caste spéciale, celle des prêtres qui sont les gardiens de la croyance et les ordonnateurs des rites, parce que « porteurs officiels de la puissance [1] ». À eux incombe le rôle d'intermédiaire entre Dieu et les hommes, entre l'action divine et l'action humaine. L'officiant mènera donc le jeu de telle sorte qu'il soit efficace : il établira les règles de son déroulement et les fera respecter, là où il exerce son contrôle. Pour ce qui est des conditions plus intérieures de célébration, il ne peut que les rappeler par la lecture de la loi et exhorter les fidèles à les suivre (prône). Comme telle, la cérémonie est éminemment efficace : elle est *opus Dei,* œuvre commune de la divinité et de ses fidèles, et elle redouble l'expérience reli-

1. Émile Durkheim, *Formes élémentaires de la vie religieuse,* p. 213-215. À Mangaia, on appelle les prêtres : « réservoirs de Dieu ».

gieuse des ancêtres telle que ceux-ci l'ont vécue à travers les cérémonies du culte. Car cette re-création d'une expérience fondatrice est bien ici la fin de l'œuvre cultuelle : « Le culte, dit Durkheim, n'est pas simplement un système de signes par lesquels la foi se traduit au dehors, c'est la collection des moyens par lesquels elle se crée et se recrée périodiquement [2]. » Dans l'effervescence de la célébration collective, l'homme se sent arraché au quotidien, ranimé dans le sentiment du sacré, introduit dans un autre monde : plus de distinction entre naturel et surnaturel, entre profane et religieux. Ce qu'il expérimente, c'est le contact avec un Être qui dégage des « énergies supérieures » à celle dont il dispose, et qui a la possibilité de « les faire pénétrer en lui et de les mêler à sa vie intérieure [3] ». L'acte du culte est donc indispensable au réveil de l'expérience religieuse. À son développement aussi, car l'expérience éprouvée devient — comme en science ! — une preuve expérimentale de la foi, dirait encore Durkheim. Et en affermissant la foi, l'expérience s'intensifie d'autant plus. Mais elle devient rarement une expérience sauvage, marginale, elle est engendrée par l'expérience ancestrale et la célébration liturgique du groupe.

Analysons brièvement à titre d'exemple le *Hallel* que les Juifs chantaient en se rendant au temple, lors des grandes fêtes annuelles, particulièrement au repas pascal. Il y en a encore des extraits dans la messe romaine. Cette série de psaumes (113-118) accompagnait donc depuis des siècles la marche des croyants à la rencontre de Yahvé. Ce sont des chants de louange au Dieu de gloire et de pitié (ps. 113), qui a délivré Israël de la terre d'Égypte pour le conduire dans la Terre promise (ps. 114). Il est le seul vrai Dieu (en opposition avec les idoles (ps. 115). Il continue d'accomplir le salut de chaque membre de la communauté. C'est pourquoi Israël lui rend un sacrifice d'action de grâces.

2. Emile Durkheim, *Formes élémentaires de la vie religieuse,* p. 596.
3. *Ibid.,* p. 596.

Comment rendrai-je à Yahvé
Tout le bien qu'il m'a fait ?
J'élèverai la coupe du salut
en appelant le nom de Yahvé [4], (ps. 116).

Plus on approche du temple, plus la louange s'intensifie, devient répétitive. Le psaume 118 est précédé d'un invitatoire de 4 versets dont chacun clame : « car éternel est son amour ! » La communauté redit encore une fois, juste à l'entrée du temple, les merveilles que Yahvé opère pour elle. Bien pénétrée de l'expérience de salut vécue par ses pères, à son tour elle peut rencontrer son Dieu :

Ouvrez-moi les portes de justice
J'entrerai, je rendrai grâce à Yahvé !

Et en franchissant les portes :

Donne le salut, Yahvé, donne !
Donne la victoire, Yahvé, donne !
Béni soit au nom de Yahvé celui qui vient [5].

Les prêtres alors répondent en donnant une indication pour la cérémonie :

« Nous vous bénissons...
Serrez vos cortèges, rameaux en main
jusqu'aux cornes de l'autel. »

Quand le peuple entre dans le temple, Yahvé y est déjà :

« C'est toi mon Dieu, je te rends grâces
Mon Dieu je t'exalte... »

Le chant, les gestes, la liturgie composent une *action* de grâces rendues à l'*acte* sauveur du Dieu ; cet acte éprouvé par les Pères autrefois est expérimenté par les fidèles d'aujourd'hui.

4. Versets que l'Église romaine a intercalés dans le rituel de la messe romaine.
5. C'est l'*Hosanna* du *Sanctus* de la messe romaine.

Mais la pratique du croyant ne saurait être que liturgique. Elle englobe toute sa vie. En fait, la liturgie se prolonge dans son existence quotidienne. Elle ne l'introduit pas uniquement dans le Temps primordial de l'autre monde ; elle consacre le profane en l'offrant au pouvoir purificateur du divin et en recevant de l'au-delà la puissance pour le sacraliser dans son écoulement. « Soyez saints parce que je suis saint », dit Yahvé [6]. Sainteté d'abord rituelle, mais qui doit pénétrer toute la vie des fidèles : la religion inspire une éthique. Plus la vie religieuse est structurée, plus se multiplient les rites secondaires qui rejoignent les fidèles dans leur vie quotidienne pour les tenir en liaison étroite avec le sacré initial convoqué solennellement dans la fête. En même temps se développent les prescriptions qui règlent le faire des croyants. Nous en avons un exemple patent dans la bible avec la « tradition sacerdotale » que l'on retrouve dans le Pentateuque, principalement dans le Lévitique et les Nombres. Comme le note la Bible de Jérusalem, cette tradition provient des prêtres du temple et s'est imposée après l'exil lors de la reconstruction du temple et de la réorganisation du culte. Ainsi le Lévitique, après avoir traité longuement du rituel concernant les sacrifices et les prêtres, rappelle les règles du pur et de l'impur et la loi de sainteté. C'est d'ailleurs un message permanent des prophètes, repris par le Chroniste (époque du Lévitique) que le sacrifice ne saura plaire à Yahvé s'il n'est accompagné des œuvres de justice

> Éloigne de moi le bruit de tes cantiques,
> que je n'entende pas le son de tes harpes !
> Mais que le droit coule comme l'eau,
> et la justice, comme un torrent qui ne tarit pas [7].

6. Lévitique xx, 26. J'ai traduit comme la Vulgate le fait selon l'interprétation chrétienne. Mais le texte hébreu met en relief le sens rituel de la sainteté, soit l'idée d'une mise à part, d'une consécration : « Soyez-moi consacrés, puisque, moi, Yahvé, je suis saint... »
7. Amos v, 23, 24.

Le psalmiste insiste particulièrement sur l'obéissance et la contrition qui doivent animer le culte liturgique, autrement celui-ci est vain :

> Tu ne voulais sacrifice ni oblation,
> tu m'as ouvert l'oreille,
> tu n'exigeais holocauste ni victime,
> alors j'ai dit : Voici je viens [8].

Il ne faut pas que des formules comme : « *Tu ne voulais*... tu n'exigeais » nous abusent. Dans le contexte, elles signifient non pas que Yahvé ne veut plus de sacrifice, mais qu'il n'en veut qu'accompagné d'œuvres de justice. Rares sont les religions qui dispensent des œuvres — et quand elles existent, leur propos est plus de réagir contre une multiplication des pratiques que de prôner leur abolition. Tout le profane se doit donc d'être dans le rayonnement du sacré, soit automatiquement par l'accomplissement de pratiques rituelles, soit éthiquement par des actions conformes aux commandements de la divinité, tels que les font connaître ses interprètes officiels. Mais n'arrive-t-il pas que Dieu parle au cœur de son fidèle ? Que l'expérience de lui-même qu'il lui donne exige une action plus intérieure, au point que même l'œuvre — la pratique des commandements — ne vaut guère plus que le sacrifice liturgique si elle ne s'accompagne d'un cœur pur et d'une intention droite ?

L'œuvre deviendrait alors encore plus la disposition, l'*intention de faire* qu'une *praxis*. Mais à vouloir trop intérioriser l'œuvre, nous nous engageons sur un terrain glissant, et nous risquons de la faire s'évanouir — comme les quiétistes ! Peut-être faudrait-il considérer davantage l'être même du croyant, plutôt que l'intention seule. Dans les religions les plus intériorisées, c'est cet être même qui doit devenir l'œuvre de Dieu, c'est-à-dire que le fidèle, pour répondre à l'appel de Dieu, doit non seulement agir selon ses commandements, mais se trans-

8. Psaume 40.

former lui-même. Ici nous touchons du doigt la différence essentielle entre la morale et la spiritualité : celle-là examine l'ensemble des actes humains en référence avec leur fin ultime, tandis que celle-ci se concentre sur ceux dont la référence à Dieu est non seulement explicite mais immédiate, comme la prière et tout ce qui s'y rattache [9]. La sanctification deviendra donc l'œuvre principale du croyant qui a fait l'expérience de Dieu. Et si son œil est saint, sa *praxis* le sera également. Cet idéal, on le retrouve à l'origine même du christianisme, dans l'Évangile, et il persiste à travers les siècles chez bien des chrétiens. Pour eux, la sainteté, c'est la réalisation active et personnelle de l'état de consécration conféré par les rites. Il s'agit de devenir chaque jour ce que l'on est par le Baptême, disaient saint Cyprien et Tertullien.

Les Pères grecs insistent encore plus sur cette transformation intérieure. L'image du Christ est imprimée dans le cœur du baptisé comme un sceau, et sa mission est de la faire resplendir. Sans doute il doit accomplir le commandement de l'amour envers ses frères ; mais encore faut-il qu'il se purifie par la prière, par le désir d'union au Christ jusqu'à la mort, par l'aspiration au martyre. Le martyre n'est-il pas le Baptême vécu jusqu'au bout ? Don total de son être à Celui qui a tout donné, « l'action de grâces, l'Eucharistie suprême du chrétien [10] ». C'est dans cet esprit évangélique qu'Ignace s'est offert aux bêtes, et son martyre devient exemplaire pour ceux qui le suivront.

Mais il est une pratique dans l'histoire du christianisme qui met peut-être encore plus en évidence l'œuvre de sanctification du fidèle, comme réponse à l'expérience de Dieu ; c'est celle du monachisme et de la vie religieuse. (J'ai dit : peut-être plus, à cause de la spontanéité de la démarche effectuée alors

9. Cf. Louis Bouyer, *la Spiritualité du Nouveau Testament et des Pères,* Paris, Aubier, 1960, p. 11.
10. Origène, *Exhortation au martyre,* Éditions Koetschau, chap. XXVIII.

par les croyants.) Et pour saisir sur le vif le rapport entre l'expérience et l'œuvre — la sanctification —, remontons au tout début du monachisme, avant même qu'il soit institutionnalisé. Qu'est-ce qui va pousser des laïcs à se retirer dans le désert *monos pros monon* (Plotin) pour s'y occuper de Dieu seul ? Bien des motifs peuvent être invoqués — et effectivement l'ont été —, que je ramènerai à deux ou trois. D'abord la fin des persécutions. Tant que les chrétiens furent marginaux et susceptibles de devenir candidats au martyre, leur ferveur religieuse dans le monde ne cessait d'être mise à l'épreuve : il en coûtait assez pour devenir chrétien ! L'être, c'était presque une promotion à l'héroïsme. Mais au fur et à mesure que les persécutions cessèrent — la paix constantinienne date de 303 —, ils réalisèrent combien étaient plus grands, parce que plus cachés, les risques qu'ils couraient à vivre au sein de l'empire. N'oublions pas que la tradition, tant johannique que paulinienne, considérait ce monde-ci comme soumis au pouvoir de Satan en attendant la Parousie ou « le monde à venir » — cette opposition était d'ailleurs courante dans le judaïsme. Or tant que Satan se manifestait clairement à travers les persécuteurs, le danger était moindre pour les chrétiens qu'au moment où il agit sournoisement par la séduction qu'exercent « la convoitise de la chair, la convoitise des yeux, et l'orgueil de la richesse ».

L'ascète gagnera donc le désert pour y faire *son salut* et uniquement cela : tout chrétien veut être sauvé, mais le moine ne veut plus autre chose que le salut. « Dis-moi une parole, comment me sauver », crie le nouvel arrivé à un ancien, comme le naufragé demande une planche de salut [11]. Les moines seront appelés dans les Apophtegmes : *oi thélontes sôthênai,* ceux qui veulent être sauvés. Mais pourquoi aller au désert ? Pour être à l'abri des tentations dans un monde

11. Cf. *les Sentences des Pères du désert,* Introduction de Dom Lucien Régnault, Abbaye Saint-Pierre-de-Solesmes, 1966.

qui est « tout entier au pouvoir du malin [12] ? » Pour y jouir de la solitude et de la tranquillité ? Certes non, mais pour lutter ouvertement contre le diable, et parce que la solitude apparaît comme le séjour habituel de celui-ci, le lieu où rien ne lui fait écran [13]. Le moine ne fait qu'imiter le Christ au début de sa carrière apostolique [14]. C'est ainsi qu'Antoine, le Père des moines, qui s'était d'abord réfugié aux abords de la ville, ira au désert quand son ascèse prendra l'aspect d'un combat contre le diable. Son premier essai, il l'exécutera en vivant dans des tombeaux, lieux de la mort, donc Domaine de Satan. Il ne faut sans doute pas considérer ce corps à corps avec le démon d'une façon aussi naïve que nous l'ont transmise l'imagerie populaire et même les Apophtegmes — où l'on peut discerner un style propre à ce genre littéraire. Mais l'ermite est convaincu d'être, sur le terrain même de l'ennemi, le combattant revêtu de l'armure du Christ tel que le décrit saint Paul [15]. Sa façon de combattre le démon, par le travail continu et la prière, particulièrement la méditation de la Parole de Dieu, est bien en accord avec la spiritualité paulinienne. Que sont en outre ces luttes plus directes avec le démon, qui laissent un Antoine comme mort dans les tombeaux, et dont parlent plus d'un ascète ? Serait-ce un combat contre des forces obscures que la solitude seule permet de découvrir et d'affronter, comme semble le suggérer le Père Bouyer [16] ? Mais si ces forces sont personnifiées, n'est-ce pas le fait d'hallucinations ou d'autres

---

12. I Jean v, 19.
13. Louis Bouyer, *la Spiritualité du Nouveau Testament et des Pères*, p. 378.
14. Matthieu IV, 1-14 ; Marc I, 12-13 ; Luc IV, 1-10.
15. Éph. VI, 10, 18 : « Revêtez l'armure de Dieu pour pouvoir résister aux manœuvres du Diable... Tenez-vous donc debout, avec la Vérité pour ceinture, la Justice pour cuirasse et pour chaussure le Zèle à propager l'Évangile de la paix, ayez toujours en main le bouclier de la Foi, grâce auquel vous pourrez éteindre tous les traits enflammés du Mauvais ; enfin recevez le casque du Salut et la gloire de l'Esprit, c'est-à-dire la Parole de Dieu. »
16. Cf. Louis Bouyer, *la Spiritualité du Nouveau Testament et des Pères*, p. 378.

phénomènes similaires, dirait la psychologie ? Nous ne saurions trancher ce débat ; ce qui nous importe est d'observer comment l'ermite percevait et interprétait le défi qu'il lançait au démon. Pour lui, le Christ est avec lui qui combat : cette conviction profonde est celle de sa foi première qui l'a conduit au désert et qui l'y fait rester. Mais elle n'empêche pas de faire l'expérience de sa faiblesse, de son anéantissement et même de l'absence apparente de Dieu dans ce corps à corps avec le démon, comme l'indique ce dialogue entre le Christ et Antoine que rapporte saint Athanase [17]. « Pourquoi n'as-tu pas paru dès le commencement pour faire cesser mes douleurs ? », gémit Antoine. « J'étais là, lui répond le Christ, j'attendais pour te voir combattre. » Cette présence du Christ à son combat est la certitude qui lui permet justement de combattre.

Mais de toute façon, le combat n'est pas le but dernier de la vie érémitique, même s'il justifie la retraite dans le désert. Non, le but, c'est le *salut,* et ce qui couronne l'*œuvre du combat,* c'est la spiritualisation du moine, par l'*action de l'Esprit* : « Le *pneuma* est essentiellement agissant : c'est par la *praxis* qu'on l'acquiert ; c'est par ses opérations que l'on perçoit sa présence ; c'est grâce à lui surtout que l'on devient diacritique, capable de discerner les esprits [18]. » Cette diacritique est un des principaux aspects de la vie spirituelle que les Pères du désert hériteront d'Origène. C'est pour ainsi dire le couronnement de la spiritualité : celui qui en est doté n'a plus besoin de la solitude : il peut exercer une nouvelle action, la paternité spirituelle [19]. Ce sera le cas d'Antoine : « Antoine sortit, comme initié aux mystères dans le secret du temple et comme inspiré d'un souffle divin. (Physiquement le même, sans avoir vieilli). Spirituellement pur, toujours égal à lui-

17. Saint Athanase, Vita 14, col. 864, *in* : *Patrologie grecque,* Coll. Migne.
18. Origène, *In Proverbiès,* chap. I, *in* : *Patrologie grecque,* Paris, Coll. Migne, 1847.
19. Irénée Hauser, *Direction spirituelle en Orient autrefois,* Rome, Institutum Orientalum Studiorum, 1955.

même, gouverné par la raison, le naturel [20]. » Cette paternité spirituelle est ici plus le fruit d'une sagesse divine que d'une institutionnalisation. Quand elle s'exerce, elle est le fruit de l'expérience de l'Esprit. C'est bien ainsi que l'ont toujours entendu les premiers ermites. Lorsque la vie cénobitique s'organisa avec Pachôme, un grand nombre d'ermites continuaient de croire que la vie solitaire était nécessaire à l'épanouissement du moine. Voici comment le P. Bouyer résume leurs arguments :

> 1) « Le monachisme est de l'ordre des charismes, de la liberté spirituelle, et il apparaît donc contraire à sa nature profonde et originelle de l'enfermer dans une législation, une organisation, si bien conçues qu'elles soient. Non seulement, si l'on veut, l'habit ne fait pas le moine, mais ce n'est pas non plus la règle qui le fait, ni l'obéissance matérielle aux supérieurs, ni aucune pratique réglée, mais *seulement la vie intérieure* à laquelle toutes les pratiques sont ordonnées et qu'aucune pratique, si bien ordonnée qu'elle soit, ne saura produire comme telle. Le vrai moine, ce n'est pas, ce ne sera jamais celui qui est arrivé à conformer son comportement à un cadre, même idéal : c'est le spirituel par excellence, et le spirituel juge de tout et ne peut être jugé par aucun critère extérieur.
>
> 2) Il est essentiel de tout quitter pour Dieu seul... L'œuvre du moine... c'est encore une œuvre qu'il est seul à accomplir [21] ».

Ce texte met bien en évidence le caractère gratuit, souverain, voire même spontané de l'érémitisme. Le laïc deviendra moine volontairement, de lui-même, parce qu'il a vécu *l'expé-*

---

20. Saint Athanase, Vita 14, col. 864. *in* : *Patrologie grecque,* Coll. Migne.
21. Louis Bouyer, *la Spiritualité du Nouveau Testament et des Pères,* p. 395.

rience d'un appel de l'Esprit [22]. Il vivra seul, tout occupé à *l'œuvre* unique de son salut. Cette œuvre se concrétisera dans différentes pratiques, mais toutes seront subordonnées à sa vie intérieure, à sa sanctification. C'est pourquoi l'œuvre ne se développera pas comme un stéréotype imposé par une règle, mais elle s'accomplira en référence continuelle au *Pneuma* qui anime l'expérience de l'ermite. Son combat avec l'Esprit mauvais lui permet justement d'opérer un discernement parmi les expériences spirituelles. Quand il est devenu « spirituel », alors seulement il peut retrouver sans danger les autres moines.

Il est un autre point que je voudrais souligner ; c'est chez le moine le soupçon porté contre le discours au bénéfice de l'action. On le voit dès le début de sa vocation, c'est une parole intérieure qui l'invite au désert, et la réponse suit immédiatement : il vend ses biens et part pour la solitude. C'est cette absence du discours qui met en relief le caractère radical et immédiat des gestes qu'il pose. Quand le jeune aspirant demande à un ancien une parole de salut, il n'attend pas un long discours, mais un mot, une indication, une directive à exécuter. Et en effet, aussitôt entendue, la parole sera mise en pratique. On le voit plus d'une fois dans la vie de saint Antoine. D'ailleurs, l'ancien lui-même est lent à parler. Devant un évêque venu le consulter, l'abbé Pambo garde le silence. Un jeune moine l'exhorte à parler, et l'abbé de répondre : « S'il n'est pas édifié par mon silence, il ne le sera pas par mes paroles. » Même si les Apophtegmes sont nombreux, n'oublions pas qu'ils contiennent les dits de milliers d'ermites pendant des centaines d'années. « Ils sont le fruit d'une lente et longue germination dans le silence du désert, nous dit Dom Régnault. C'est avec peine qu'ils ont été arrachés à ce silence, et ils en restent toujours enveloppés [23]. » Combien de pratiques échappent à nos investigations parce qu'on les tenait pour péchés,

22. Saint Athanase, *Vie de saint Antoine,* Paris, *in* : *Patrologie grecque* Coll. Migne, 1847.
23. Lucien Régnault, *les Sentences des Pères du désert,* p. 2.

quand on arrivait à les connaître. Chez ces ascètes, c'est la pratique qui rejoint l'expérience, après l'avoir prolongée. Et cette pratique n'est pas intégration sociale, mais instauration spirituelle. Elle est, comme dira Blanchot de l'art, une expérience souveraine, absolue. Elle demeurera le ressort de toute religion.

Mais tout fidèle ne peut vivre une expérience aussi intense et aussi radicale, puisque, comme nous l'avons dit, il a besoin de la liturgie, du groupe pour vivre sa foi. La vie cénobitique offrira à cet égard un cadre idéal de sanctification en faisant participer les moines d'abord, puis les populations autour des monastères, à la célébration perpétuelle de l'*Opus Dei.* C'est la sagesse d'un saint Benoit d'avoir laissé à la discrétion des moines le temps consacré à l'oraison privée et à la solitude, tandis qu'il avait organisé dans le détail l'œuvre liturgique. Les fervents *feront l'œuvre,* c'est-à-dire vivront la réalité des mystères, les autres seront portés par elle, c'est-à-dire par sa célébration liturgique. Et il en sera ainsi dans toute l'histoire du christianisme.

Cependant la pratique de la sainteté prendra des formes très différentes selon les époques de l'histoire : l'expérience de la solitude radicale du désert restera sans doute une exigence fondamentale, comme nous le disions plus haut, mais à mesure qu'une institution se développe, l'action la plus importante consiste à travailler à son développement. C'est ainsi que dans l'Église chrétienne, la *cura animarum* remplacera peu à peu — sans toutefois les abolir totalement — le désert et l'*Opus Dei.* Des ordres religieux surgiront pour accomplir des tâches humaines appelées par les besoins du temps : soin des malades, prédication des chrétiens, évangélisation des infidèles, secours accordé aux pauvres, aux déshérités, éducation des enfants, etc. *L'œuvre,* c'est alors la tâche propre à chaque communauté. Nous rejoignons ici le commandement de la charité qui doit envelopper la vie du croyant. Mais comme nous le disions au début de ce chapitre, les bonnes œuvres ne valent qu'en autant que le cœur est pur, qu'elles procèdent d'un être vraiment converti. Devons-nous ainsi opposer la multiplicité des œuvres à l'unique nécessaire ? Si nous avons tendance à le faire, c'est que l'expérience religieuse semble se diluer dans l'action sociale. Rares sont ceux qui voient tellement le Christ dans le prochain qu'ils font pour ainsi dire l'expérience de sa présence. Bien plutôt, l'œuvre est adaptée à la société, elle est nécessairement institutionnalisée et donc réglementée. Par rapport à l'expérience, elle joue un rôle semblable à celui du discours. Sans doute elle n'est pas sans lien avec l'expérience religieuse : si le croyant n'avait pas entendu la parole de Dieu, il n'aurait pas entrepris tel mode de vie, mais l'œuvre est exigente ; elle impose ses impératifs propres, si bien qu'elle répond plus aux exigences du social que d'un don personnel. À la limite, elle est efficace — même si celui qui l'accomplit n'est pas fervent, ni même croyant. Ce qui importe, c'est le succès de l'entreprise [24].

Cela ne veut pas dire toutefois que celui qui la pratique ne vit pas en l'accomplissant une expérience spécifique. L'œuvre correspond ordinairement aux différentes fonctions des institutions religieuses. V. der Leeuw parle à propos de l'exer-

24. Les saints ne sont pas indifférents non plus à ce succès. Mais ils ont su garder intacte l'expérience de Dieu à travers les aléas de la *praxis*. Peut-être parce que, finalement, ils attachaient plus de prix à l'œuvre de sanctification entendue à la façon des anciens moines, qu'à n'importe quel apostolat exigé par les circonstances historiques. Ceci est patent chez un François d'Assise. Comme Antoine, il entendit l'appel du Christ à la pauvreté. Comme lui, il donna ses biens : son unique souci est alors de plaire à Dieu, que ce soit en construisant des églises, ou en prêchant, ou en priant. Les frères le suivent, redoublant son expérience, ou plutôt voulant vivre avec lui une expérience commune : ils lui demandent une règle. Certains trouvent les exigences de François trop fortes et proposent des adoucissements. Mais François ne continue pas moins sa vie de prière et d'ascèse. Il laisse le légat du Pape Innocent III administrer sa communauté ou, plus tard, un autre de ses frères. Les Franciscains s'organisent ou se divisent. Certes il n'est pas indifférent à ses frères, mais il doit vivre avec le Seul.

cice de ces fonctions de représentation de la Puissance. Les représentants en sont, selon les milieux, le roi, le sorcier, le prêtre, le prophète, le prédicateur : apôtre ou docteur, le saint : martyr, ermite, fondateur, et le consacré. Chacun peut vivre une expérience originale du divin à travers l'exercice de son rôle, indépendamment de sa sainteté personnelle. Nous l'avons vu pour le sorcier et l'ermite. Mais que les exemples empruntés aux religions juive et chrétienne, qui sont très exigentes au point de vue de la sainteté personnelle, ne nous fassent pas oublier des expériences qui, pour être plus sociales, n'en sont pas moins réelles, et qui existent d'ailleurs dans ces religions, sous le nom de charismes. Ainsi le prêtre, le prophète, le prédicateur vivent une expérience du sacré, indépendamment de leur sainteté personnelle.

On peut donc conclure que, même là où prévaut le souci de l'œuvre, l'expérience ne perd pas ses droits. C'est toujours la dialectique du faire et de l'être qui donne son sens à la vie religieuse. Et nous verrons qu'il en est de même pour la pratique esthétique.

B. L'EXPÉRIENCE ESTHÉTIQUE ET L'ŒUVRE

Venons-en à l'expérience esthétique. Qu'elle s'accomplisse dans la production d'une œuvre, nous l'avons déjà observé, lorsque nous avons cherché comment l'activité — productrice — composait en elle avec la passivité du désir ou de l'inspiration. Il faut le redire ici : l'artiste, c'est d'abord l'artisan, l'homme voué à une certaine tâche et qui doit faire la preuve de son excellence, de sa maîtrise en produisant un chef-d'œuvre. L'art est alors métier, l'artiste est homme de métier, et son métier — car le même mot désigne les règles du faire et leur intériorisation — doit s'avérer exemplaire. Ce qui importe ici pour nous, c'est que l'expérience esthétique, dans ce qu'elle a de subjectif et de singularisant, semble alors reléguée au second plan ; au premier plan se situe le souci artisanal de l'objet à produire, selon les normes prescrites et pour des fins préétablies ; le producteur n'a ni l'initiative ni le contrôle de son travail : c'est celui qui passe la commande — Suger à St-Denis, le prince dans son palais — qui sait ce qu'il veut et qui apprécie l'exécution de la commande.

Est-ce à dire que dans ce moment de l'histoire la subjectivité n'ait nulle part à la création, et que soit totalement absente l'expérience d'un désir de faire et d'un appel de l'œuvre à faire ? Pour le moine qui se voue à copier et à enluminer des manuscrits, la seule exigence qu'il éprouve est-elle celle d'une tâche à accomplir, selon des modèles à imiter et des normes à respecter ? Dans la mesure où il a choisi sa tâche, n'a-t-il pas été sensible à une exigence plus secrète, — celle qui va animer Van Gogh ou Cézanne ? Et quand il la poursuit, ne fait-il pas l'expérience vive de la beauté, — la beauté sensible de telle couleur, de telle ligne, de tel « effet », et non la beauté abstraite définie autoritairement par des règles et des procédures ? Et n'a-t-il pas été capable d'abord d'éprouver la beauté dans le monde [25] ? Mais prenons un autre exemple : celui qu'il faut bien appeler avec Jean Laude « l'artiste noir ». Et citons longuement J. Laude : « Certes, l'artiste n'est pas libre du choix de ses thèmes (l'acquéreur lui fixe un programme) ni de la façon dont il les traitera (théoriquement, il respecte le style en vigueur dans le groupe pour lequel il travaille). Pas une fois au cours de son travail, il ne cède à des impulsions subjectives, du moins volontairement. Et l'on peut dire que l'art africain est essentiellement un art classique... art conscient, intellectuel même, le contraire de ce délire instinctif, de cette création immédiate, de ce primitivisme

25. Nous verrons bien, en cherchant ce qu'il y a d'esthétique dans le religieux, que l'expérience de la beauté, au moins dans une certaine tradition chrétienne, est étroitement associée à l'expérience du sacré.

26. Jean Laude, *les Arts de l'Afrique noire,* Paris, Librairie générale française, « Le livre de poche illustré », 1966, p. 141-142.

hystérique que Vlaminck et les expressionnistes allemands ont cru découvrir en lui [26]. » Art classique, cela signifie donc que l'artiste est un artisan qui « concentre toute son attention sur son travail », et qui ne fait pas l'expérience d'une expérience singulière, ni d'une subjectivité capable de cette expérience. Mais là n'est pas le dernier mot, et Jean Laude continue : « Tout cela n'empêche nullement l'artiste d'exister en tant qu'individu. On peut trouver à l'intérieur d'une même ethnie, des styles très différents ; ainsi, chez les Dogon, chez les Ba-Luba où les quatre styles (au minimum) que l'on a pu analyser ne correspondent nullement à un développement chronologique... On ne saurait trop insister sur le fait qu'aux yeux des Africains les sculptures ne sont pas toujours ni nécessairement anonymes. Même après sa mort, l'artiste est encore connu. Chez les Dogon, M. M. Leiris cite le cas d'un nommé Anségué auquel est attribué un masque en forme d'antilope, aux cornes longues et effilées, recueilli à Sanga en 1931, et qui avait la réputation d'être un excellent sculpteur. L'artiste africain a parfaitement conscience de ses mérites... À côté d'indications qui se multiplient sur l'individualité des sculpteurs... on relèvera celles qui manifestent l'existence d'un jugement esthétique et même, dans certains cas, d'une conception du beau. Selon E. Fisher, le sculpteur Dan est conscient de son style personnel et de la beauté qu'il recherche et produit. Les masques « doivent être beaux : ils représentent l'image idéale d'un visage féminin »... De telles œuvres montreraient nettement « comment le Beau se dévoile à chaque sculpteur en particulier [27]. » Cette conscience du beau n'implique pas ici une doctrine qui la théorise ; elle est liée à une expérience qu'il faut bien appeler expérience de la beauté. Cette expérience est sans doute commune au producteur et à son client ; mais elle peut être plus vive chez le producteur, et en tout cas elle stimule et oriente son faire.

27. Jean Laude, *les Arts de l'Afrique noire*, p. 142-145.

Ainsi, même lorsque l'artiste n'est encore qu'artisan, la production de l'œuvre, si dépendante qu'elle soit des savoir-faire appris et des normes instituées, si proche qu'elle soit du travail ordinaire, n'est pas indépendante de toute expérience. Mais à mesure que l'art revendique et obtient d'être tenu pour une réalité spécifique et autonome, il se produit un phénomène curieux : l'expérience esthétique comme événement subjectif prend de plus en plus d'importance au détriment de l'œuvre, et c'est cette expérience qui est appelée à normer la valeur esthétique. Loin que, comme au temps des compagnons, l'artisan vaille ce que vaut son œuvre, c'est l'œuvre qui vaut ce que vaut l'artiste. L'art n'a plus sa réalité dans l'être de l'œuvre, mais dans la personne de l'artiste. L'important est de se reconnaître et d'être reconnu comme artiste : alors l'œuvre que l'on crée est réellement œuvre d'art, et cette qualification est essentiellement majorative : l'être d'exception ne peut produire que de l'exceptionnel. Tel est le mythe de la « génialité romantique ». Blanchot le commente ainsi : « Les étapes de cette revendication superbe sont bien connues. Le Moi artistique affirme qu'il est seule mesure de lui-même, seule justification de ce qu'il fait et de ce qu'il cherche. La génialité romantique donne essor à ce sujet royal qui n'est pas seulement au-delà des règles communes, mais étranger aussi à la loi de l'accomplissement et de la réussite, sur le plan même qui est le sien. L'art, inutile au monde pour qui seul compte ce qui est efficace, est encore inutile à lui-même. S'il s'accomplit, c'est hors des œuvres mesurées et des tâches limitées, dans le mouvement sans mesure de la vie, ou bien il se retire dans le plus invisible et le plus intérieur, au point vide de l'existence où il abrite sa souveraineté dans le refus et la surabondance du refus [28]. » Ce refus, c'est donc celui que la passion subjective oppose au monde, à la prose du monde, là où règnent la science, la technique, l'État. Le domaine de l'art, c'est « le monde renversé », là où règnent le désordre, la

28. Maurice Blanchot, *l'Espace littéraire,* Paris, Gallimard, « Idées », 1955, p. 224.

démesure, « le tumulte [29] », l'ignorance, la non-science, tout ce qui manifeste la profondeur incontrôlable et tourmentée de la vie intérieure, c'est-à-dire d'une expérience singulière.

Cette exaltation de la subjectivité ne signifie pas pour autant que l'artiste romantique renonce au titre de créateur. Mais la notion de créateur est alors ambiguë, comme Blanchot l'observe bien : « Son ambiguïté l'a rendue commode, car tantôt, elle a permis à l'art de se réfugier dans la profondeur inactive du moi, l'intensité, le cœur de Pascal, lorsqu'il dit à Descartes et à son travail méthodique : « Cela est ridicule, cela ne vaut pas une heure de peine. » Tantôt elle lui donne le droit de rivaliser de pouvoir et d'autorité dans le monde en faisant de l'artiste le réalisateur, le producteur excellent qu'elle prétend, en outre, protéger contre l'anonymat du travail collectif en lui assurant qu'il demeure l'individu ou l'homme de grand format : le créateur est toujours l'unique, il entend rester ce qu'il est irréductiblement en lui-même, richesse qui ne saurait avoir sa mesure dans l'action la plus grande [30]. » L'ambiguïté n'est pas d'ailleurs le seul fait de la notion de créateur, mais aussi du statut même de l'homme et de sa vocation dans « cette période accélérée de l'histoire, comme écrit encore Blanchot, où l'homme devient pur moi, mais aussi travail, réalisation et exigence d'un accomplissement objectif [31] ». Ainsi l'artiste peut-il jouer sur les deux tableaux, tantôt revendiquer la pure génialité de l'expérience, tantôt se recommander de l'œuvre qu'il crée. L'opération productrice ne peut être entièrement écartée : il faut que l'expérience fasse ses preuves, que le désir de faire se révèle dans un faire.

Reste que le désir d'être, chez l'artiste que Blanchot nomme romantique, est peut-être plus fort que le désir de

29. « Le tumulte est fondamental, c'est le sens de ce livre », écrit Georges Bataille dans l'Avant-propos de *la Littérature et le mal,* Paris, Gallimard, « Idées », 1957.
30. Maurice Blanchot, *l'Espace littéraire,* p. 227.
31. *Ibid.,* p. 228.

faire. Ou, si l'on préfère, que faire soit moins faire une œuvre que se faire soi-même. N'y a-t-il pas ici un mouvement analogue à celui que nous avons pu déceler chez l'*homo religiosus ?* L'œuvre de sainteté, c'était de vivre au plus près de l'expérience religieuse ; c'était moins de créer que de se décréer afin d'être disponible pour la grâce. Pour l'artiste, ne s'agit-il pas de vivre l'expérience d'une sorte de sainteté esthétique ? Indifférent à la prose du monde, mais aussi aux pratiques et aux exigences de la poésie officielle, comme le mystique peut l'être à l'égard des institutions et même de l'Église officielle, pareil à Orphée qui tend son regard vers Eurydice, il n'est attentif qu'à ce qui entretient en lui, dans le secret d'une conscience solitaire, le feu d'une passion sans mesure [32]. Cette passion, nous l'avons vu évoquée par les artistes : ils l'appellent inspiration. Pour saisir comment elle désigne une conversion quasi religieuse de l'être de l'artiste, référons-nous à ce qu'en dit Blanchot (étant entendu que la mystique de Blanchot est une mystique négative, accordée à une expérience du non-être plutôt que de l'être). Il aborde l'inspiration par la voie de l'écriture automatique des surréalistes. De cette écriture, il renverse le sens : au lieu qu'elle donne un accès facile et heureux à l'immédiat, il y voit une épreuve, « l'insécurité de l'inaccessible [33] ». Pour le poète, loin d'être un aimable jeu, c'est une ascèse : « le droit de ne pas choisir est un privilège, mais c'est un privilège exténuant... le poète devient celui qui ne peut se soustraire à rien, ne se détourne de rien, est livré sans abri, à l'étrangeté et à la démesure de l'être [34] ». Cette démesure est manque, et non excès. Le hasard auquel on se livre, Blanchot ne l'interprète pas à la façon de Nietzche com-

32. C'est ce que reconnaît Georges Bataille dans *la Littérature et le mal.* « À la vérité, ce dont est voisine la littérature liée depuis le romantisme à la décadence de la religion... est moins le contenu de la religion que celui du mysticisme, qui en est, dans la marge, un aspect presque asocial. » Nous reviendrons sur ce texte au chapitre suivant.

33. Maurice Blanchot, *l'Espace littéraire,* p. 186.

34. *Ibid.,* p. 188.

me prodigalité, mais comme « extrême pauvreté [35] », qui voue le poète au « découvert », à l'errance, en ce point ultime qu'ont pu atteindre, comme malgré eux, les surréalistes, « où l'inspiration et le manque d'inspiration se confondent [35] ». Car l'inspiration devient ici aridité. Cette longue nuit de l'insomnie que Kafka a affrontée, n'est-ce pas aussi bien la nuit que doit affronter celui qui monte au Carmel ? Sans doute n'est-elle pour lui qu'une épreuve, alors que pour Blanchot il semble qu'elle soit une fin, comme la mort est la fin : le souci de l'accomplissement est lié chez l'artiste à la détresse de l'échec, même si, « pour nous, cet échec s'appelle Van Gogh [36] ». Blanchot nous invite donc à renoncer à la vieille notion béatifiante de l'inspiration : « aujourd'hui l'œuvre n'est plus innocente... Elle pousse l'artiste loin d'elle et loin de son accomplissement [37] ». Paradoxalement, l'œuvre devient une voie vers l'inspiration, au lieu que l'inspiration soit une voie vers l'œuvre. Comme si ce qui importait avant tout, c'était bien l'expérience de l'inspiration, comme c'est pour le mystique l'expérience de son union à Dieu : dans les deux cas, et si différents que soient les contenus et les accents de l'expérience, il s'agit d'être plutôt que de faire.

Entre le saint et l'artiste, cependant, une différence demeure : c'est que le saint ne songe pas à se dire saint, alors que l'artiste — précisons encore : l'artiste romantique — n'hésite pas à s'affirmer artiste : il se réclame de l'expérience qui le fait unique, il l'arbore au lieu de la subir. Pour le saint, l'œuvre qu'il est, qu'il s'efforce de devenir, c'est l'œuvre de Dieu en lui ; pour l'artiste, c'est son œuvre : l'expérience qu'il vit. C'est pourquoi, il faut bien le dire, l'expérience que vit narcissiquement l'artiste risque de se stéréotyper. Se vouloir, s'éprouver unique, ce peut devenir un modèle de convention, qui se tire à nombre d'exemplaires : qui s'institutionnalise en

35. Maurice Blanchot, *l'Espace littéraire,* p. 191.
36. *Ibid.,* p. 194.
37. *Ibid.,* p. 195.

se liant à l'institution de l'art ; car cette institutionnalisation requiert que soient reconnues l'originalité, la marginalité de l'œuvre. Alors du même coup l'expérience esthétique perd de son authenticité ; elle n'est plus cette violence que la nature ou sa nature — le désir en lui — fait subir à l'artiste, elle est comme une marque qu'il affiche pour avoir droit à un certain statut.

On comprend qu'alors l'expérience puisse à nouveau être reléguée au second plan, et cette fois comme suspecte. Cette réaction a été celle d'un Valéry. On sait avec quelle force il exprime les impératifs du construire ; Socrate aux enfers rêve au bâtisseur qu'il eût pu être : « Quel architecte j'ai fait périr !... » Certes le construire ne s'oppose pas radicalement au connaître : Eupalinos n'édifie pas le temple de la même façon que le mollusque secrète sa coquille. Ces « œuvres de l'esprit » que sont les œuvres de l'art requièrent maîtrise et lucidité ; elles veulent être les œuvres d'un moi pur et souverain pour qui posséder le métier est aussi se posséder lui-même. Mais se connaître n'est pas se livrer aux sortilèges de la vie intérieure, céder à la fascination d'une incontrôlable expérience ; c'est au contraire exorciser ses démons, pour construire l'œuvre avec la même rigueur que le mathématicien construit une déduction. Peut-être cependant ce retour au classicisme n'est-il pas le dernier mot de Valéry. Car cet esprit aigu demeure attentif à ce qui se fait en lui, par lui, sans lui : à tous ces états « qui accompagnent les actes » et qui procèdent sourdement du corps. Le Moi pur ne brille que par instants, et sans doute avec la complicité du corps. Pas de construire où le corps n'ait point part en quelque façon, et qui en dernière analyse n'imite la croissance du coquillage ou de l'arbre. De là l'étonnante prière que Phèdre met dans la bouche d'Eupalinos : « ô mon corps ! expliquez-moi les puissances de la nature ! » Et peut-être par ce détour faut-il réhabiliter l'expérience confuse et dangereuse de l'inspiration, cette expérience dont nous avons tenté de décrire la genèse, où l'individu se sent saisi par l'altérité de l'admirable et possédé par le désir de répondre à cette gloire de l'apparaître ; c'est alors que le langage retourne à la nature, « voix des ondes et des bois », et que le geste de l'artiste devient le mouvement en lui d'une imprévisible nature. Reste cependant que Valéry s'est toujours voulu en garde contre les séductions de l'abandon et les tentations du délire, et qu'il a toujours déféré aux exigences de la lucidité et du travail.

D'autres que lui, au même moment, mais dans des intentions bien différentes, ont aussi proclamé les vertus du travail. Ce sont ceux que Marc Le Bot nomme les avant-gardistes, et tout particulièrement Léger : des artistes qui refusaient les privilèges attachés au statut de l'artiste et qui se voulaient des travailleurs comme les autres, solidaires des ouvriers dans leurs peines et leurs luttes. C'est donc pour des raisons politiques, que ces artistes se proclament — non plus artisans, car le temps des corporations est passé —, mais ouvriers. Leur option politique est aussi une option esthétique : ils sont conscients que c'est la même chose pour eux de lutter pour un nouvel art et de lutter pour une nouvelle société. C'est pourquoi ils sont les militants d'une nouvelle esthétique : le non-art n'est pas pour eux le refus de tout art, mais le refus d'un art dont les ressources sont épuisées, et dont les intentions sont impures, car il s'est fait le complice ou l'alibi d'une société devenue intolérable. Il faut inventer un art nouveau qui prépare et annonce une société nouvelle : un art destiné aux travailleurs et produit par des travailleurs. L'artiste doit être ce travailleur qui inventera par son travail, en acceptant lui-même, pour les tâches propres que lui assigne l'insertion de l'art dans la société, la condition et la démarche du travailleur. Se recommander d'une expérience singulière et plus ou moins secrète, ce serait se singulariser, s'évader dans un exil aristocratique, et par là se rendre incapable de promouvoir cet art nouveau que notre histoire attend [38].

38. Que ces préoccupations soient encore celles de maints artistes aujourd'hui, nous aurons l'occasion de le dire plus loin.

Et pourtant, encore une fois, nous ne pensons pas que l'expérience puisse être entièrement écartée au profit du seul faire. Et d'abord on ne peut écarter ce qu'il y a de provocateur dans l'expérience, ce qui appelle à créer. Car il y a tout de même une différence entre le prolétaire et l'artiste : c'est que le premier trop souvent n'a pas choisi son métier et l'excrce comme un travail forcé, au lieu que le second a opté : « Moi aussi, je serai peintre... » Choix libre ? Oui et non. Car il ne s'agit pas d'une décision arbitraire où se manifesterait une liberté absolue, mais plutôt d'une réponse à un appel : l'expérience décisive, — souveraine, dirait Bataille — que vit l'artiste. Cependant, ce sentiment d'être appelé, et parfois de façon si pressante qu'il n'a pas le choix, mais qu'un sens est désormais donné à sa vie tout entière, cette vocation ne justifie pas que l'artiste revendique, lorsque l'art s'institutionnalise, des privilèges sociaux ; mais qu'elle constitue par elle-même un privilège, qu'elle distingue l'artiste des autres travailleurs, cela semble incontestable. Au surplus, ce privilège peut être éprouvant. Car l'artiste n'est jamais quitte avec sa vocation ; celui qui dit : je serai peintre, n'en a jamais fini de l'être : l'appel auquel il répond ne cesse de retentir, le désir que cet appel éveille en lui n'est jamais assouvi. L'expérience qui donne un sens à sa vie devient une passion : elle n'est pas seulement provocatrice, elle est tourmentée et tourmentante ; « le pauvre Vincent » meurt de la peinture.

Nous retrouvons donc le thème de la génialité romantique ; et peut-être faut-il le distinguer avec plus de soin de ses caricatures. C'est là où en vient Blanchot lorsqu'il pose cette question : « Pourquoi Mallarmé et pourquoi Cézanne ? Pourquoi, au moment même où l'absolu (au sens hégélien) tend à prendre la forme de l'histoire, où les temps ont des soucis et des intérêts qui ne s'accordent pas avec la souveraineté de l'œuvre..., où... l'art disparaît, pourquoi l'art apparaît-il pour la première fois comme une recherche où quelque chose d'essentiel est en jeu [39] ? » Cette question en présuppose une autre, qui oriente toujours notre attention sur l'expérience esthétique : par quoi, à quoi l'artiste, lorsqu'il est sensible à un appel, est-il appelé ? Vocation, soit ; mais qui provoque, et pour convoquer à quoi ? La réponse que propose Blanchot, c'est que l'initiative appartient à l'art lui-même : « Il lui faut devenir sa propre présence. Ce qu'il veut affirmer, c'est l'art. Ce qu'il cherche, ce qu'il veut accomplir, c'est l'essence de l'art [40]. » C'est donc l'art qui voue l'artiste à produire inlassablement une œuvre qui soit œuvre de l'art, où l'art s'affirme et s'achève.

Mais comment entendre cela ? N'est-ce pas le comble du Romantisme d'hypostasier ainsi l'art et de le mettre lui-même en quête de son essence ? À vrai dire, cette ontologisation de l'art peut être d'abord, tout simplement, le fait des artistes ou des théoriciens de l'art. Ainsi lorsque, à la lumière de l'histoire, et quand se constitue le « Musée imaginaire » où cette histoire se rassemble, en pense que l'art a un devenir et un destin propres, — qu'il y a une vie des formes, écrit Focillon [41]. Cette idée trouve en même temps une caution dans l'institution où l'art revendique et obtient une autonomie au moins formelle. Dès lors la tâche assignée à l'artiste est de promouvoir ce devenir de l'art, d'accomplir la logique qui l'anime, bref d'actualiser une essence qui, pour être historique, n'en est pas moins, à chaque moment, contraignante comme un absolu. Chaque artiste, en son temps, aux prises avec les problèmes de sa pratique est le témoin et l'agent de cette absolutisation de l'art. Pourtant cette interprétation est insuffisante. Et d'abord, parce qu'elle fait appel à une réflexion plutôt qu'à une expérience, une réflexion qui est celle du savant, du théoricien

39. Maurice Blanchot, *l'Espace littéraire,* p. 229.
40. *Ibid.,* p. 228.
41. Peu importe ici — si important que ce soit par ailleurs pour une sociologie de l'art, ou pour une politisation de la pratique artistique — que cette histoire de l'art soit conçue comme autonome, ou comme subordonnée à l'histoire sociale.

plutôt que de l'artiste comme tel. Cette réflexion peut sans doute orienter la recherche de l'artiste lorsqu'il s'interroge sur le sens — la direction — de son travail, mais elle ne constitue pas une expérience, selon l'acception que nous donnons à ce mot : pour cette expérience, l'art n'est pas objet de savoir ni même de décision, il est objet de passion. Et précisément, cette interprétation ne rend pas compte du caractère pathétique que revêt parfois l'expérience de la vocation. Car le service de l'art comme absolu n'est pas aisé. Éprouver l'appel de l'art, c'est souvent s'éprouver impuissant à y répondre, et mesurer la distance entre l'œuvre faite et l'œuvre à faire. Mallarmé n'a jamais pu écrire le Livre, Artaud n'a jamais pu que crier son impouvoir. Certes, tous les artistes ne sombrent pas dans le silence de la mort ou de la folie. Mais chez les plus prolixes, n'est-ce pas une secrète conscience d'échec qui les incite à une création proprement interminable ? Ne faut-il pas penser que le désir en eux ne s'accomplit jamais dans la conscience d'un achèvement ? Si Cézanne s'est juré de mourir en peignant, croit-on que ce soit pour s'exprimer, ou pour se survivre ? C'est que sa tâche est de servir la peinture et que la peinture est l'impossible. Du moins, est-ce ce qu'avec tant de force souligne Blanchot. Sa méditation sur ce qu'il appelle « l'expérience originelle [42] », qui inspire la création, nous semble commandée par deux idées essentielles. La première, c'est que l'art est plus vrai ou plus essentiel que l'œuvre et que l'artiste. Cela ne signifie pas que l'art soit investi d'une dignité ontologique, qu'il soit installé éminemment dans l'être, puisqu'il s'avère plutôt être impossible, mais il y a comme une réalité éminente du mouvement par lequel l'irréalisable se cherche, ou du « chemin indéfini » de cette recherche [43]. Tout cela signifie surtout que l'art et l'artiste s'ordonnent à cette recherche : « l'œuvre est en souci de l'art [44] », et l'artiste est le lieu de ce souci.

42. Titre du chap. VII.
43. Maurice Blanchot, *l'Espace littéraire*, p. 247.
44. *Ibid.*, p. 245.

Bien réelle à son tour est donc l'expérience que fait l'artiste, et dont Blanchot trouve les signes exemplaires chez Léonard : « l'effroi d'avoir à réaliser l'irréalisable, l'angoisse devant la peinture [45] ». Mais encore, pourquoi l'œuvre ne peut-elle réaliser l'art ? Pourquoi l'artiste est-il voué à l'errance et à l'impouvoir ? La deuxième idée de Blanchot procède d'une ontologie négative plus caractéristique : c'est que l'expérience originelle qui suscite la quête de l'art est une expression de la mort qui expose l'homme à un renversement radical : si « l'homme se donne un art », c'est « qu'il a avec la mort une relation qui n'est pas celle de la possibilité, qui ne conduit pas à la maîtrise, ni à la compréhension, ni au travail du temps, mais l'expose à un renversement radical [46] ». « Il y a aux environs de l'art un pacte noué avec la mort, avec la répétition et avec l'échec [47]. » Cette mort n'est pas celle du : je meurs, mais celle du : on meurt : puissance anonyme, impersonnelle d'un événement qui est la dissolution de tout événement. Ce n'est pas la mort du *memento mori,* volontairement acceptée comme épreuve ou comme passage, ce n'est pas non plus la mort secrètement désirée au plus obscur de l'inconscient comme le *Thanatos* du dernier Freud, c'est une mort qui marque l'être, qui ne l'affecte pas de non-être comme dans la dialectique hégélienne, mais plutôt de silence et de grisaille. Citant un mot de Rilke : « lire le mot mort sans négation », Blanchot le commente ainsi : « ... c'est lui retirer le tranchant de la décision et le pouvoir de nier, c'est se retrancher de la possibilité et du vrai, mais c'est aussi se retrancher de la mort comme événement vrai, se livrer à l'indistinct et à l'indéterminé, l'en-deçà vide où la fin a la lourdeur du recommencement [48] ». Et il ajoute : « Cette expérience est celle de l'art. L'art, comme image, comme mot et comme rythme, indique la proximité menaçante d'un dehors vague et vide, existence neutre, nulle,

45. Maurice Blanchot, *l'Espace littéraire,* p. 247.
46. *Ibid.,* p. 252.
47. *Ibid.,* p. 255.
48. *Ibid.,* p. 255.

sans limite, sordide absence, étouffante condensation où sans cesse être se perpétue sous l'espèce néant [49]. » L'expérience esthétique est orientée par cette ontologie : l'artiste, et l'œuvre aussi bien, ne sont authentiques [50] qu'à condition d'accepter et d'indiquer cette proximité, en s'interdisant d'entrer dans l'histoire, d'y exercer un pouvoir, d'être les sujets ou les objets de la culture, les complices ou les ornements du quotidien. « Où nous a conduits l'art ? Avant le monde, avant le commencement. Il nous a jetés hors de notre pouvoir de commencer et de finir, il nous a tournés vers le dehors sans intimité, sans lieu et sans repos, engagés dans la migration infinie de l'erreur [51]. » Et Blanchot précise ailleurs : « Erreur signifie le fait d'errer... L'errant n'a pas sa patrie dans la vérité, mais dans l'exil, il se tient en dehors, en deçà, à l'écart, là où règne la profondeur de la dissimulation, cette obscurité élémentaire qui ne la laisse frayer avec rien et, à cause de cela, est l'effrayant [52]. » On conçoit donc que Blanchot reprenne à son compte l'invitation que Rilke adresse au poète : « Sois toujours mort en Eurydice. » Mais mourir en Eurydice, ce n'est pas survivre en Orphée, ce n'est pas produire une œuvre apollinienne qui s'arrache à la neutralité de l'indéterminé, à l'atmosphère de mort. Le drame de la création se transporte dans l'œuvre, l'œuvre est comme annulée dans l'essence de l'art : elle est l'unité déchirée, « l'intimité et la violence de moments contraires », elle porte en elle un centre d'illisibilité : les stigmates de son impossibilité, telle que l'éprouve le créateur.

49. Maurice Blanchot, *l'Espace littéraire*, p. 255.
50. Car Blanchot ne récuse pas le mot d'authenticité. Témoin : cette note de la dernière page du livre : « L'artiste et le poète ont reçu comme mission de nous rappeler obstinément à l'erreur, de nous tourner vers cet espace où tout ce que nous vous proposons, tout ce que nous avons acquis, tout ce que nous sommes, tout ce qui s'ouvre sur la terre comme au ciel, retourne à l'insignifiant, où ce qui s'approche, c'est le non-sérieux et le non-vrai, comme si peut-être jaillissait là la source de toute authenticité. »
51. Maurice Blanchot, *l'Espace littéraire*, p. 256.
52. *Ibid.*, p. 250.

Ne pourrait-on, dans la foulée de Blanchot, évoquer *l'Œuvre* de Zola [53]. Ce que le peintre éprouve devant l'œuvre qui se refuse à lui, c'est que la peinture est la mort même. C'est la mort qui, par trois fois, impérieusement, l'appelle, le jette hors du lit où sa maîtresse l'avait convié à renier la peinture, le force au suicide. Et Christine ne s'y trompe pas lorsqu'elle le découvre mort, et que, pantelante, « écrasée sous la souveraineté farouche de l'art », elle crie : « Oh ! Claude, Oh ! Claude... Elle t'a repris, elle t'a tué, tué, tué, la gueuse ! » Et Zola ajoute : « au-dessus d'elle..., la peinture triomphait ». Mais Zola n'oublie pas que la mission du peintre est le travail. La peinture n'est la mort que lorsqu'elle désavoue le travail ; Claude l'avait dit, peu avant de mourir : « Mais puis-je vivre encore, si le travail ne veut plus de moi ? » Et le dernier mot du livre, que prononcent les amis de Claude au retour des obsèques, c'est : « Allons travailler. »

En décrivant cette épreuve, ne sommes-nous pas revenus à l'idée d'une sainteté esthétique, selon laquelle l'expérience est l'œuvre véritable, puisque aussi bien, l'œuvre, même achevée, s'avère inégale à l'art, impossible ? Il n'est pas indifférent qu'ailleurs, dans *l'Entretien infini,* Blanchot ait parlé de Simone Weil, avec gravité et sympathie. Mais, même si l'artiste et le saint sont travaillés par la même détresse et travaillent à un même dénuement, nous ne renonçons pas à la distinction que nous faisions entre eux : le saint ne se décrée que pour faire place en lui au créateur, comme le Fils que pour affirmer le Père — c'est ainsi d'ailleurs qu'il ressuscitera en lui ; le dénuement est l'épreuve qu'il s'impose, et qui n'a de sens qu'en référence à la plénitude divine. Mais aussi, nous ne sommes pas sûrs que l'analyse de Blanchot éclaire toutes les pratiques artistiques et toutes les manifestations de l'art. Qu'il y ait à leur racine une expérience originelle, oui ; mais est-ce toujours nécessairement l'expérience de ce renversement qui

53. Émile Zola, *l'Œuvre,* « Le livre de poche », nº 29430.

conduit aux confins de la mort, d'une mort qui est comme une lèpre sur le visage du monde ? N'est-ce pas aussi, parfois, l'expérience d'un pacte natal entre l'homme et le monde, selon lequel le monde peut sourire à l'homme comme la mère à l'enfant ? Dans l'expérience originelle, nous avons tenté de distinguer l'effrayant de l'admirable : il nous semble que c'est plutôt le sentiment de l'admirable — et pour autant qu'il en vienne à diverger de l'effroi — qui provoque l'homme à l'art : l'art de la nature invite l'homme à l'art. Et surtout cette expérience d'une connaturalité de l'homme et du monde, pour laquelle nous pourrions nous recommander de Merleau-Ponty, ne dessaisit pas l'homme ; elle ne le déporte pas vers la mort, elle ne le voue pas davantage à un « instinct de mort », elle lui laisse et l'invite à garder une certaine initiative.

Qu'on lui reconnaisse cette initiative nous paraît nécessaire, s'il est vrai que l'expérience esthétique, en dernière analyse, s'avère et s'accomplit dans un faire. De cela, il semble qu'on ne puisse douter. Certes, les parts de l'expérience et du faire — de la passivité et de l'activité — peuvent être inégales : selon les époques, selon les institutions, selon les individus. Certes encore, le faire peut être inégal à l'expérience : le degré de créativité de la pratique, la qualité et l'originalité de l'œuvre ne se mesurent pas à l'intensité de l'expérience. L'originalité n'est d'ailleurs pas toujours synonyme de qualité : le chef-d'œuvre a longtemps été la meilleure copie d'un chef-d'œuvre précédent, et l'artisan peut proclamer son œuvre comme sienne sans la vouloir pour autant singulière. Si le style est l'expression d'une singularité, comme l'indique Barthes dans *le Degré zéro de l'écriture,* on peut l'entendre dans un autre sens, comme le propre d'un genre ou d'une époque, donc comme généralité, et non comme singularité. Reste que l'artisan lui-même tient surtout à imprimer à son œuvre sa marque personnelle. Et davantage, il y a des pratiques vraiment créatrices ; si l'art bouge, s'il a une histoire, ce n'est pas seulement parce qu'il est lié à l'évolution des cultures et des visions du monde, c'est parce que certaines œuvres exemplaires introduisent en lui des mutations imprévisibles : leur surgissement est un événement historique.

À cette priorité du faire, on opposera encore non seulement les échecs, mais une certaine volonté d'échec : ainsi dans l'œuvre contemporaine, les exemples réitérés du non-art et de la non-œuvre. Mais regardons mieux : non-œuvre, cela ne signifie pas que l'artiste reste les bras croisés à affirmer sans preuves son être d'artiste ; cela signifie qu'il produit autre chose que des chefs-d'œuvre : qu'il imprime des traces à un paysage, qu'il reproduit des pages de dictionnaire, qu'il accumule des objets bricolés, qu'il retouche des photos, qu'il exhibe son corps. Improviser, se livrer au hasard, bricoler, c'est encore faire ; et il faut que du geste ou de l'acte quelque trace subsiste, sinon dans la mémoire, du moins sur une pellicule photographique. Et si l'œuvre est une fête, il faut au moins que la fête soit réussie, que l'improvisation ne soit pas tout à fait improvisée, ou qu'elle le soit par des experts, et que l'événement ait de la consistance et du sens : qu'il soit à sa façon une œuvre, qu'il ait mobilisé et exalté les participants.

Et précisément, dans le public même, le faire ne perd pas ses droits. Nous l'avons déjà dit, la réception de l'œuvre n'est jamais totalement passive. L'expérience esthétique met en jeu une certaine activité ; non seulement celle que décrit une théorie intellectualiste de la perception : mise en œuvre de savoirs et de codes, interprétation du donné, exercice du jugement ; mais aussi une certaine façon de reprendre l'objet dans son corps, comme si l'on s'associait à sa production, comme si l'on s'identifiait au producteur. Jouir de l'œuvre, c'est comme être à la fête : prendre part. C'est en quoi, finalement, l'expérience esthétique met l'homme au monde : comme acteur tout mêlé à ce monde, et non comme spectateur, même lorsqu'il est au spectacle, même lorsque le spectacle, comme veut Brecht, le tient à distance. Et c'est en quoi aussi, pour le créateur comme pour le récepteur, l'expérience esthétique se distingue de l'expérience religieuse : elle les insère dans ce monde, où ils sont plus occupés à faire qu'à être.

Et pourtant nous avons suggéré qu'entre les deux expériences, il y avait une racine commune, et aussi des interférences. Ce sont ces interférences qu'il nous faut maintenant, pour finir, tenter d'éclaircir.

VII

Les interférences des deux expériences

Il nous reste à voir quels échanges s'opèrent entre expérience religieuse et expérience esthétique. L'examen de ces échanges pourrait à lui seul appeler un livre, et même plusieurs ; nous nous limiterons à montrer comment la nature même des deux expériences, telle que nous avons tenté de la cerner, amène inévitablement une solidarité entre elles, qui se répercute dans l'institution, puisque leurs affinités, procèdent elles-mêmes de leur indifférenciation originelle. Ces affinités jouent dans les deux sens : il y a de l'esthétique dans le religieux, il y a du religieux dans l'esthétique. Ceci nous dicte le plan de ce chapitre. Quant à notre démarche, elle procédera régressivement, en remontant de l'institution vers l'expérience. Car il nous faut d'abord constater les échanges, avant de les éclairer, et c'est au niveau de l'institution que nous pouvons les observer.

A. ASPECTS ESTHÉTIQUES DANS LE RELIGIEUX

Que l'esthétique interfère avec le religieux, il est aisé de s'en convaincre, et il ne semble pas nécessaire d'y insister : partout la religion en appelle à l'art, met l'art au service du culte. Tous les arts : l'architecture qui édifie la maison de Dieu, comme dit Hegel, la sculpture et la peinture qui représentent Dieu, la poésie et la musique qui le célèbrent. Les objets rituels qui servent au culte ne sont pas des objets quelconques mais des objets esthétiques ; et la cérémonie elle-même, la mise en scène du divin, est un événement esthétique, où la chorégraphie peut avoir une fonction prépondérante. Dans les sociétés archaïques, on pourrait dire que l'art est essentiellement sacré, et l'on peut le dire aussi bien des sociétés médiévales. Ce n'est pas sans mal que l'art se laïcise, comme à la Renaissance ; et même lorsqu'il a perdu ses fonctions religieuses traditionnelles, à côté de l'art laïque subsiste un art sacré, comme celui sur lequel, tout récemment encore, s'interrogeait le P. Régamey.

Si étroite, de fait, est la solidarité de la religion et de l'art qu'on a pu parler d'une religion de l'art. L'expression est équivoque. Le plus souvent, on l'a employée pour dire que l'art se substituait à la religion : certains « esthètes » pour qui la religion avait perdu son autorité ne gardaient d'intérêt et de foi que pour les valeurs esthétiques, la beauté seule leur était sacrée et méritait un culte. Ainsi entendue, la religion de l'art signifie la mort de la religion, et non la collaboration de l'art avec la religion ; et il faut d'ailleurs ajouter que l'art n'est peut-être pas gagnant pour autant ; car à être ainsi divinisé, il devient l'apanage d'une élite qui en détourne le sens [1]. Mais on peut entendre autrement la religion de l'art, et par exemple à la façon de Hegel. Pour le Hegel de la *Phénoménologie de l'Esprit,* cette expression a un sens précis ; elle désigne le moment qu'ailleurs Hegel appelle classique : la religion de l'art, qui se situe dialectiquement entre la religion de la nature et la religion de l'esprit, est bien une religion, c'est-à-dire un

1. Il faut lire les pages très intéressantes de Jean Gimpel dans *Contre l'art et les artistes ou la naissance d'une religion,* (Paris, Seuil, 1968) qui fait l'historique de l'art comme nouvelle religion, à partir de la Renaissance jusqu'au 20e siècle.

mode de la conscience que l'esprit absolu prend de lui-même. Mais alors que dans la religion de la nature, l'esprit se connaît dans la nature, avant que, dans la religion de l'esprit, il se connaisse comme esprit, dans la religion de l'art, il se connaît à travers les représentations de soi que lui offre l'art. L'art alors n'est pas un accessoire au service de la religion ; il ne devient pas sacré en lui prêtant ses bons offices, il est sacré par lui-même : il n'a pas à figurer le dieu, son œuvre est le dieu même ; ce qu'il y a de divin dans le dieu, c'est sa beauté, et cette beauté n'est nulle part ailleurs que dans l'œuvre. Ainsi pour un moment, l'esthétique et le religieux s'identifient. Et lorsque, dans la dialectique hégélienne, passe ce moment, lorsque la religion se spiritualise — lorsque l'esprit n'a plus besoin de la médiation du sensible pour prendre conscience de soi —, l'art reste encore dans la proximité de la religion : l'art « romantique » qui succède à l'art « classique » dit à sa façon la transcendance de l'esprit.

L'institution religieuse exploite donc la parenté de l'art et de la religion. Cette parenté apparaît dès l'origine, si l'on interroge non plus les rites dont on ne sait rien, mais les objets — peut-être rituels — que découvre la paléontologie. Leroi-Gourhan nous invite à supposer, à l'aube de l'humanité, une culture qui n'est pas sans analogie avec la religion de l'art hégélienne. En effet, il refuse une interprétation univoque des objets préhistoriques qui les assigne soit à l'art, soit à la religion : « Dès la fin du XIX siècle, le caractère religieux de l'art préhistorique a été soutenu ; ce sont surtout des raisons idéologiques particulières à l'époque qui ont partagé les partisans de l'homme préhistorique sans religion, pratiquant « l'art pour l'art » et ceux du Paléolithique pratiquant « l'art magique » comme les primitifs actuels [2]. » Pour Leroi-Gourhan, le comparatisme ethnographique rend compte « d'un trait fondamental de l'humanité, inséparable de la technique

2. André Leroi-Gourhan, *les Religions de la préhistoire,* Paris, P.U.F., « Mythes et religions », 1964, p. 77.

comme du langage, qui est la commune origine de la religion et de l'art [3] ».

Cette commune origine, l'analyse des expériences esthétique et religieuse permet peut-être d'en rendre compte. Du moins avons-nous cru pouvoir l'établir en évoquant l'ambivalence de l'expérience de l'extraordinaire, où l'effrayant et l'admirable sont d'abord ou redeviennent indiscernables, sans que le moment où l'insolite devient religieux ou esthétique soit toujours clairement repérable. Mais nous pouvons comprendre du même coup que la dissociation ne soit pas tout à fait définitive, et qu'un élément esthétique reste associé à l'expérience religieuse, là même où elle est vécue intensément, comme pour les saints ou les mystiques.

Évoquons ici le témoignage de Bataille. Sans doute part-il de l'art et singulièrement de la littérature, plutôt que de la religion. Mais il met l'accent sur l'intensité de l'expérience, qui pour lui confère d'emblée à cette expérience un caractère mystique : « À la vérité, ce dont est voisine la littérature, liée depuis le Romantisme à la décadence de la religion, est moins le contenu de la religion que celui du mysticisme, qui en est dans la marge un aspect presque asocial [4]. » Il peut donc rapprocher les conditions dans lesquelles il est commun d'accéder à ces états (mystiques) de ceux qui éveillent l'inspiration et suscitent la littérature : « C'est toujours la mort — tout au moins la ruine du système de l'individu isolé à la recherche du bonheur dans la durée — qui introduit la rupture sans laquelle nul ne parvient à l'état de ravissement. Ce qui est retrouvé est toujours, en ce mouvement de rupture et de mort, l'innocence et l'ivresse de l'être. L'être isolé se perd en autre chose ; peu importe la représentation donnée de « l'autre chose », c'est toujours une réalité dépassant les limites communes [5]. » Faut-il ici nommer la mort ? Ce que Bataille appelle

3. André Leroi-Gourhan, *les Religions de la préhistoire,* p. 77.
4. Georges Bataille, *La littérature et le mal,* p. 26.
5. *Ibid.,* p. 27.

ainsi, qui signifie la ruine du système de l'individu, c'est au fond ce que nous avons nommé l'insolite, qui perturbe le régime de l'habituel et qui fait surgir autre chose. Mais la « représentation » de cette « autre chose » n'est pas indifférente, car elle est le moyen de différencier les deux expériences Pourtant, il est tout aussi important de concevoir l'indifféren ciation première qui permet de comprendre comment l'esthétique peut interférer avec le religieux.

Cependant pour comprendre cette interférence à partir du religieux, il faut se situer dans la religion, en tant qu'elle se pose comme première et qu'elle découvre de l'esthétique immanent en elle. Considérons donc maintenant le discours d'un théologien, Urs Von Balthasar, qui dit à sa façon l'ambivalence de l'expérience originelle, et qui semble en tout cas renouer avec une tradition chrétienne que la Réforme avait occultée. Le livre auquel nous nous référons porte en français ce titre significatif : *la Gloire et la croix* ou *les Aspects esthétiques de la révélation* [6]. Que la révélation présente des aspects esthétiques, cela implique que l'esthétique comme discipline doit porter son attention en priorité sur cette révélation et sur la religion qui la développe, plutôt que sur le monde profane : « elle tire sa doctrine de la beauté des données révélées elles-mêmes par une méthode vraiment théologique [7] ». Autrement dit, l'esthétique peut et doit être théologique, et Von Balthasar intitule le septième chapitre de l'introduction à son livre : « Tâche et structure d'une esthétique théologique ». Pourtant l'esthétique peut d'abord porter « un regard naïf », comme dit l'auteur, sur le beau pour le définir en dehors du religieux où elle va le retrouver. Deux traits caractérisent le beau : d'une part la *species* ou *forma* (et Von Balthasar rappelle qu'en latin beau se dit *speciosus* et *formosus)*, d'autre part la *lumen* ou

6. Herrlichkeit, *Eine theologische asthetik,* Einsiedeln, 1961. Traduit de l'allemand par Robert Givord, 3 tomes, Paris, Aubier, 1965.
7. Hans Urs von Balthasar, *la Gloire ou la croix ou les aspects esthétiques de la Révélation,* Paris, Aubier, 1965, p. 97.

splendor ; d'une part la figure, qu'en allemand Von Balthasar nomme *Gestalt,* d'autre part l'éclat qui dans la figure émane de sa profondeur. Est belle l'image en tant qu'elle rayonne, et que ce rayonnement manifeste une profondeur : « En tant qu'il est figure, on peut saisir matériellement le beau, on peut même le calculer... Nous « apercevons » la figure ; mais si nous l'apercevons réellement, nous n'apercevons pas seulement la figure détachée, mais la profondeur qui apparaît en elle, nous la voyons comme éclat, comme splendeur de l'être [8]. » On voit que Von Balthasar n'emprunte que le mot de *Gestalt* à la *Gestaltpsychologie.* En effet, ce qu'il oppose à la figure n'est pas le fond comme toile de fond, mais le fond comme profondeur. Cette profondeur appartient à la figure à qui elle confère son éclat, et nous allons voir que cette profondeur de la figure est d'abord, lorsqu'il s'agit du Verbe, la profondeur de la transcendance. Et en effet, Von Balthasar ne s'attarde pas à déceler cette structure de la belle figure sur les objets mondains, naturels ou artistiques. On pourait cependant évoquer d'autres analyses d'une esthétique profane à l'appui de la sienne, comme celle de Heidegger sur le temple grec qui porte et résume en lui à la fois le paysage et l'histoire de la Cité, celle de Dufrenne sur le rayonnement de l'objet esthétique qui s'illimite en monde, celle de Simondon — que nous retrouverons bientôt — sur la figure qui rassemble et éclaire le fond. Mais pour Von Balthasar on ne saurait conclure du profane au divin, et il faut suivre le chemin inverse. Il reproche par exemple à Chateaubriand non d'avoir fondé son apologie du christianisme sur la beauté de cette religion, mais d'avoir d'abord conçu cette beauté indépendamment de la religion, pour ensuite la lui attribuer.

Le lieu véritable de la beauté, Von Balthasar le situe dans le contenu même de la religion. C'est à une esthétique religieuse qu'il faut demander l'expérience de la beauté, quitte

8. Hans Urs von Balthasar, *la Gloire ou la croix ou les aspects esthétiques de la Révélation,* p. 98.

à justifier ensuite « le regard naïf » que l'esthétique profane porte sur cette beauté ; il faut « abandonner la figure « pour » plonger dans la profondeur ». La profondeur, c'est le divin, tel que l'enseigne la révélation, tel qu'il se révèle lui-même dans des figures privilégiées. « La création, la réconciliation, la rédemption du Dieu trinitaire, que sont-elles d'autre que sa révélation au monde et à l'homme, non seulement une action dont l'agent resterait à l'arrière-plan, inconnu et inaccessible, mais Dieu se présentant lui-même et s'explicitant lui-même dans la matière terrestre de la nature, de l'homme et de l'histoire et donc, en un sens infiniment plus haut, manifestation, épiphanie [9] ? » Le mystère du Verbe incarné résume toute l'esthétique chrétienne, puisqu'en la personne (la figure) du Christ nous apparaît la splendeur (l'éclat) du Père. C'est donc à bon droit et en toute fidélité à la tradition chrétienne primitive que l'Église chante dans la préface de Noël : « *Quia per incarnati Verbi mysterium nova mentis nostrae oculis lux tuae claritatis infulsit* : *ut dum visibiliter deum cognoscimus, per hunc in invisibilium amorem rapiamur.* » Toutefois le terme d' « esthétique » ne qualifiera pas uniquement le mystère essentiel du christianisme, la manifestation du Verbe de Dieu, mais aussi toutes les formes que peuvent prendre cette manifestation et les réponses du croyant. Ainsi y a-t-il un « enthousiasme esthétique », une « extase esthétique », des « théologies esthétiques », etc. C'est qu'en effet participent à la beauté divine tous les êtres créés par le Père et rachetés dans le Fils. Telle est bien la doctrine constante des Pères de l'Église depuis la plus haute antiquité, en accord avec les écrits du Nouveau Testament, que, comme le Fils reflète la splendeur du Père, ainsi l'Église dans sa totalité, de même que chaque chrétien et l'ensemble du cosmos, participent à la gloire du Christ [10]. Le

9. Hans Urs von Balthasar, *la Gloire ou la croix ou les aspects esthétiques de la Révélation*, p. 99.

10. Cf. surtout saint Paul, *épître aux Colossiens* I, 15-24.
« Il (le Christ) est à l'image du Dieu invisible,
Premier-né de toute créature
car c'est en lui qu'ont été créées toutes choses

Christ est venu comme figure : « sa figure est là pour marquer son empreinte sur d'autres figures [11] » ; et Urs Von Balthasar ne cesse d'insister sur ce caractère figural du Christ et du christianisme. Bien plus, le Christ appartenant à un contexte historique, seront investis de ce caractère figural tous les signes qui l'annoncent et le désignent comme le peuple d'Israël et les signes qui procèdent de lui comme ses miracles et ses paroles. Ancien et Nouveau testament forment ensemble une figure totale du Christ [12]. L'Écriture sainte est une œuvre d'art de Dieu [13]. Même Socrate, Bouddha, Lao-Tseu sont des figures du Christ par l'enthousiasme de l'Esprit qui les possède (le démon de Socrate). Mais ce sont surtout l'Église comme corps du Christ et les rites ou les pratiques qu'elle institue qu'il faut comprendre comme figures. Ainsi la prédication, les sacrements et la liturgie. Von Balthasar souligne le caractère particulièrement opératoire des sacrements : « (ils) sont un exemple type d'esthétique ecclésiale, non seulement parce qu'en eux la grâce invisible de Dieu devint visible et saisissable dans la figure du Christ, mais parce que celle-ci se présente à nous sous une figure valable, supérieure à toutes les fluctuations subjectives, et s'imprime en nous, en nous conformant à elle [14] ».

Ainsi l'esthétique est-elle de plein droit et en priorité religieuse : la figure tire son éclat de ce qu'elle témoigne d'un

---

dans les cieux et sur la terre...

Il est aussi la tête du corps, c'est-à-dire de l'Église car Dieu s'est plu à faire habiter en lui toute la Plénitude et par lui à réconcilier tous les êtres pour lui...

Vous-mêmes (baptisés)... »

2e épître aux Corinthiens : « Et nous tous qui, le visage découvert, réfléchissons comme un miroir la gloire du Seigneur, nous sommes transformés en cette même image toujours plus glorieuse, comme il convient à l'action du Seigneur, qui est Esprit... »

11. Hans Urs von Balthasar, *la Gloire ou la croix ou les aspects esthétiques de la Révélation,* p. 445.
12. *Ibid.,* p. 174.
13. *Ibid.,* p. 450.
14. *Ibid.,* p. 492.

autre monde, celui de l'Au-delà : « la figure, étant posée et ratifiée par Dieu, n'est pas en opposition avec la lumière infinie. Bien qu'elle doive mourir comme figure finie et terrestre de même que tout ce qui est beau sur terre, elle ne s'évapore pas en une réalité sans forme, laissant derrière elle une nostalgie tragique infinie, mais ressuscite en Dieu comme figure, c'est-à-dire comme la figure qui est maintenant devenue définitivement une, en Dieu lui-même, avec la Parole et la Lumière que Dieu a destinée et donnée au monde... Par là, le christianisme devient le principe débordant et inégalable de toute esthétique [15]... » Cette doctrine rend bien compte de ce qu'est l'art chrétien. Dans le Jugement dernier sculpté au tympan des cathédrales, le Christ en gloire reçoit de son Père l'héritage des nations, et les élus participent à son triomphe ; ailleurs encore, des motifs floraux ou animaliers disent l'extension du salut à toute la création. Mais faut-il accorder au seul christianisme parmi toutes les religions le privilège de transfigurer le monde en en faisant la figure d'une transcendance ? Et faut-il surtout placer dans une religion le principe de toute esthétique ?

Du discours théologique que nous venons d'évoquer, nous pouvons retenir que le caractère esthétique d'un objet — et aussi bien d'un geste et d'un événement — réside dans un certain rapport de la figure au fond, qui confère à la figure sa profondeur et son éclat, qui atteste en elle la force de l'apparaître : cette idée, nous l'avons dit, a été souvent exprimée dans des contextes différents. Joignons-y celle si fortement exprimée par Simondon, que lorsque se déphase l'unité primitive, la religion a affaire au fond comme totalité et comme fondement ; comme dit encore Simondon, « elle a par nature la vocation de représenter la totalité [16] ». Nous comprendrons alors qu'il y ait de l'esthétique dans le religieux : pour susciter l'expérience ou la pensée du fond, et parce que

15. Hans Urs von Balthasar, *la Gloire ou la croix ou les aspects esthétiques de la Révélation*, p. 181.
16. Gilbert Simondon, *Du mode d'existence des objets techniques*, p. 171.

le fond en lui-même n'est pas saisissable, il faut des figures — en qui le fond brille ou résonne. Les qualités de fond doivent se fixer sur des figures, et d'abord, dit Simondon, sur des sujets que nous pouvons appeler figuraux : divinités et prêtres [17] ; mais aussi bien, ajoutons-nous, sur des objets en qui le fond s'exprime : objets sacrés, qui sont aussi objets esthétiques. En ce sens la religion est bien une esthétique : il ne suffit pas de dire qu'elle fait appel à l'esthétique comme à un accessoire, elle se fonde sur elle ; et l'on pourrait aussi bien dire que l'esthétique est religieuse.

Mais on voit aussitôt surgir les difficultés : faut-il aller jusqu'à identifier l'esthétique et le religieux sous les auspices de la référence au fond ? Nous avons déjà rencontré ce problème [18]. En fait, il y a fond et fond, ou totalité et totalité. Ce que la religion appelle fond, enseigne et honore comme fond, ce n'est pas ce monde-ci, qui porte des figures sensibles, comme l'horizon au loin porte la voile, c'est l'autre monde ; et si ce fond est un tout, c'est un autre Tout : le Tout Autre ; pour l'évoquer, avant que le discours ne le rationalise, l'imaginaire décolle du perçu. Au contraire, le fond dont l'expérience esthétique éprouve la présence et la force, c'est ce monde même où s'inscrivent les objets beaux : le parc qui entoure le palais, le ciel sur quoi se profile la flèche de l'église. Ici l'aura d'imaginaire adhère encore au perçu. Cette distinction, Simondon ne la formule peut-être pas assez nettement ; tout au plus dit-il que « pour la religion, le fond devient chose détachée du monde, abstraite du milieu primitif [19] ». Détachée, oui, mais en même temps absolutisée. C'est à ce tout autre lieu, l'être divin, que le mystique aspire pour s'y perdre, tandis que l'extase de Rousseau le met en communication avec le miroitement du lac, « l'or des genêts et la pourpre des bruyères ».

---

17. Gilbert Simondon, *Du mode d'existence des objets techniques*, p. 173.
18. Cf. p. 106 de ce livre.
19. Gilbert Simondon, *Du mode d'existence des objets techniques*, p. 173.

Toutefois, hors même l'extase mystique, le transcendant doit être saisi ou au moins pressenti de quelque façon ; il s'annonce par les signes du sacré. Ces signes ne sont pas des figures esthétiques en tant qu'ils signifient le divin. Mais pour remplir leur fonction, pour porter dans ce monde la bonne nouvelle de l'autre monde, ils doivent s'insérer dans ce monde et s'y inscrire comme des figures : en quoi ils deviennent eux-mêmes esthétiques, suscitent l' « impression esthétique ». Si ces figures sacrées sont d'abord des sujets, comme dit Simondon, les dieux et les prêtres, nous pouvons dire que ces sujets doivent être beaux en quelque façon : les dieux le sont lorsque leurs gestes, les sacrements qu'ils distribuent, les cérémonies qu'ils organisent s'insèrent dans un milieu rituel qui est lui-même associé à un milieu naturel. Les figures du sacré peuvent être aussi des objets, et particulièrement des objets d'art. Mais ce qui est esthétique, ce n'est pas simplement l'objet comme tel, comme figure abstraite, c'est l'objet en tant qu'il s'insère dans le fond en se joignant à des figures qui sont elles-mêmes figures du fond. C'est ainsi qu'il s'insère dans le monde naturel : « cette réinsertion esthétiquement valable ne peut s'effectuer que si elle rencontre des points clés du monde naturel ou humain. Un temple, un sanctuaire, ne sont pas construits au hasard, de manière abstraite, sans relation avec le monde ; il y a des lieux du monde naturel qui appellent un sanctuaire [20]... » Et il s'insère aussi dans le monde humain en tant qu'il est vécu dans le rite et y trouve, avec son emploi, son expressivité : « À travers l'œuvre esthétique, l'acte religieux s'insère, car c'est l'acte religieux lui-même qui devient œuvre : un chant, un cantique, une célébration s'insèrent *hic et nunc*... Ainsi, un sacrement est un geste religieux, et il est beau quand il s'insère dans le monde, en un certain lieu et un certain moment, parce qu'il s'applique à des personnes déterminées : les qualités de fond rencontrent à nouveau des structures [21]. »

20. Gilbert Simondon, *Du mode d'existence des objets techniques*, p. 188-189.

21. *Ibid.*, p. 179. Cf. aussi p. 198. « La tendance vers la totalité est principe de la recherche esthétique... »

Ces références à l'œuvre de Simondon nous intéressent à un double titre. En premier lieu, elles nous permettent de comprendre qu'il y a nécessairement de l'esthétique dans le religieux : les figures sacrées ne sont opérantes qu'à condition d'être esthétiques. Nous pouvons l'exprimer autrement : l'expérience religieuse ne se produit pas dans le vide, toutes fenêtres closes sur ce monde ; originellement, elle est articulée sur l'expérience de l'extraordinaire ; mais elle se spécifie et se confirme comme expérience religieuse lorsqu'elle est orientée par les figures qui surgissent dans ce monde comme signes d'un autre monde ; et ces figures doivent être elles-mêmes esthétiques : elles doivent être assez fortement ancrées dans la nature, et trouver dans cette insertion assez de profondeur et d'éclat comme dit Balthasar, pour porter témoignage du surnaturel. Les cieux et la terre ne disent la gloire de Dieu que s'ils sont beaux ; et c'est pourquoi Simone Weil invite à méditer sur la « beauté du monde ». Inversement le mystique qui veut dire, parce qu'il pense l'avoir éprouvée, la gloire de Dieu, en appelle à la poésie qui chante cette beauté du monde.

En second lieu, les citations que nous avons données nous invitent à mettre l'accent sur le vécu et sur la pratique comme lieu du vécu : c'est dans le culte que l'expérience religieuse se développe, de même que c'est dans l'usage des objets que se développe l'expérience esthétique. Ainsi retrouverons-nous l'idée que l'expérience n'est pas simplement réception d'un donné, ou passion d'un état, et qu'en elle activité et passivité se mêlent. Nous voyons aussi poindre l'idée qui anime tout l'art contemporain : que l'événement importe autant que l'œuvre.

Mais peut-être pouvons-nous infléchir l'analyse dans un sens inverse de celui que choisit la théologie. Pour Balthasar, le religieux ne renvoie à l'esthétique que parce qu'il le fonde : le divin révélé est beau, et source de toute beauté ; la religion est de plein droit première. Mais ne pourrions-nous pas dire qu'au contraire, si le religieux en appelle à l'esthétique, c'est parce qu'il dépend de lui comme de son fondement ? En langage hégélien, la religion aurait sa vérité dans l'art. Les pratiques où se ressource l'expérience religieuse — rite, oraison, cérémonie — ne trouveraient pas seulement dans leur caractère esthétique leur condition d'efficacité, elles y trouveraient leur finalité véritable. Et l'expérience religieuse ne serait qu'une voie d'accès vers l'expérience esthétique. Il faudrait alors l'inviter à se désolidariser à son tour de l'expérience religieuse.

Pouvons-nous aller jusque là : jusqu'à substituer, à la proximité des deux expériences, l'exclusivité de l'une sur l'autre ? L'expérience esthétique accepterait-elle le privilège qui lui serait ainsi conféré ? Ce n'est pas évident, car il arrive qu'elle se recommande de son affinité avec l'expérience religieuse. C'est ce qu'il faut voir maintenant, avant d'esquisser une réponse à la question que nous venons de poser.

B. ASPECTS RELIGIEUX DANS L'ESTHÉTIQUE

Nous venons de voir que l'expérience esthétique peut s'insinuer dans l'expérience religieuse et l'enrichir : cette affinité des deux expériences suggère l'idée — qui en retour la justifie — que l'absolu est beau. De cette proposition, on peut tirer la converse et dire que le beau est absolu. Cette formule peut à son tour se justifier si l'expérience religieuse s'immisce dans l'expérience esthétique, si l'expérience esthétique devient en quelque sorte une expérience religieuse. Cela est-il possible et comment ?

Précisons d'abord le sens de la question, car dans notre champ culturel il peut être mal entendu : parce que l'art et la religion ont une existence reconnue comme institutions, on peut déplacer la question des expériences aux institutions : c'est ainsi qu'on s'interroge — nous l'avons fait — sur l'art sacré, c'est-à-dire sur l'art au service d'une religion préalablement posée. Mais la question est maintenant de savoir si l'art est sacré, s'il y a — et sans doute comme condition de possibilité de l'art sacré — un sacré de l'art. Cette question, on peut l'éclairer à la lumière du témoignage qu'apporte Olivier Messiaen dans ses *Entretiens avec Claude Samuel* [22]. Messiaen nous dit qu'il est « né croyant », qu'il est « sensible à l'amour humain », qu'il « admire parfois la nature ». (Peut-être ce mot nous justifie-t-il d'avoir discerné l'admirable à la source de l'expérience esthétique) : « Il y a dans sa musique cette juxtaposition de la foi catholique, du mythe de Tristan et Yseut, et l'utilisation excessivement poussée des chants d'oiseaux [23]. » Cela signifie que la religion — le dogme et la liturgie — existe et vaut pour Messiaen au même titre, mais aussi en priorité, que les amants et les oiseaux : il peut donc vouer son art à « exprimer », comme il le dit, « l'existence des vérités de la foi catholique ». Peu importe qu'il soit plus sensible à ce qu'il y a de merveilleux qu'à ce qu'il y a de vrai dans ces vérités [24], le contenu de la religion est un donné qu'il s'emploie à célébrer : sa tâche est d'apporter à ce donné une musique sacrée. Tout différent serait son témoignage s'il disait : j'ai été sensible à la beauté des amours humaines, sensible aussi à la beauté de la nature à laquelle s'associent les chants d'oiseaux [25] ;

---

22. Olivier Messiaen, *Entretiens avec Claude Samuel,* Paris, P. Belfond, 1967.
23. *Ibid.,* p. 12.
24. « Il est certain que j'ai trouvé dans les vérités de la foi catholique cet attrait du merveilleux multiplié par cent, par mille, et il ne s'agissait plus d'une fiction théâtrale, mais d'une chose vraie. » Olivier Messiaen, *Enetretiens avec Claude Samuel,* p. 19.
25. Nous ne résistons pas au plaisir de citer ici ce texte étonnant : « Mais il existe une troisième catégorie de chants, qui sont absolument admirables et que je place au-dessus de tous les autres, ce sont les chants gratuits, sans fonction sociale, généralement provoqués par les beautés de la lumière naissante et de la lumière mourante. Ainsi, j'ai remarqué dans le Jura une « Grive musicienne » spécialement douée dont le chant était absolument génial quand le coucher de soleil était très beau avec de magnifiques éclairages rouges et violets. Lorsque la couleur était moins belle ou que le coucher de soleil était plus bref, cette Grive ne chantait pas ou chantait des thèmes moins intéressants » (p. 97).

cette beauté a pour moi quelque chose de religieux, et l'expression que j'en ai donnée est elle-même religieuse. C'est à comprendre — et à discuter — cette religiosité de l'expérience esthétique que nous voudrions nous appliquer ici. C'est aussi, de surcroît, à condition de la comprendre qu'on pourrait comprendre la démarche même de Messiaen. Car pour que l'art puisse vraiment « exprimer les vérités de la foi », ne faut-il pas qu'il ait par lui-même, ou qu'on croie pouvoir lui attribuer, quelque chose de religieux ?

Cette religiosité de l'art — ou, si l'on préfère, cette sacralité du beau — a souvent été invoquée, dans des langages et avec des intentions très diverses. Mais elle est plus facile à affirmer qu'à analyser. Nous prendrons pour preuve un article de l'esthéticien anglais J.P. Hodin, « La permanence du sacré dans l'art. L'artiste parle [26] ». L'auteur y évoque les entretiens qu'il a eus avec certains artistes. Son propos est de répondre, par l'affirmative, à cette question : « Certains artistes de notre temps ne prouvent-ils pas que Rodin avait raison de dire que les vrais artistes sont les plus religieux parmi les mortels ? » Or que disent ces artistes ?... D'abord, très généralement, que l'art arrache l'homme au quotidien : à la prose du monde, au souci de l'utile, à la recherche des satisfactions matérielles. Spiritualité de l'art liée au désintéressement, qu'avait souligné Kant, de la pratique et de l'attitude esthétiques. Mais cette notion est pour le moins vague et l'on peut dire aussi bien que l'art remet l'homme au monde, dans la vérité du sensible qui n'est pas en effet la vérité du savoir et de la technique. L'art est alors invoqué pour dévaloriser le monde et l'avenir qu'il réserve. Comme dit Ensor, « je ne vois pas d'évolution. Tout ce que je vois est une grande incertitude. Et par-dessus tout un malaise [27] ». Mais plus positivement, s'il arrache l'homme

26. « The permanence of the sacred in art. The artist speaks », *in* : Société hellénique d'esthétique, édit., *In memoriam Panayotis. A. Michelis,* Athènes, 1972.

27. *Ibid.*, p. 13.

au monde, s'il le ravit, c'est pour le conduire où ? Dans la région du mystère, Messiaen dirait du merveilleux. « Car il y a des choses sous le soleil qui ne peuvent être exprimées par des mots, m'a dit une fois Marino Marini [28]. » Certes le mystère a partie liée avec la religion. Mais à condition qu'il ne soit pas simplement de l'inconnu et de l'inconnaissable, à condition qu'il ouvre la dimension du profond ou de l'infini, qu'il donne lieu à une certaine révélation d'un ailleurs, d'un autre. Ce que dit Chagall, par exemple : « Quelque chose qui arrive dans l'instant peut ouvrir sur l'éternité [29]. »

Cette révélation ne peut être exprimée par le langage. Elle ne se livre qu'au sentiment ; et c'est pourquoi le même Chagall déplore que les « intellectuels ne saisissent jamais la pleine signification de son art [29] ». Mais ce sentiment est d'abord le fait de l'artiste ; et son nom est alors amour. « Ma religion, dit Marino Marini, c'est l'amour de la vie. Toutes choses faites avec amour deviennent religieuses [30]. » Amour, c'est aussi consentement et louange : « Toutes les vraies œuvres d'art sont une action de grâce [31] », (*an act of praise*), dit Barbara Hepworth. Pareillement Brancusi qui, rapporte Hodin, connaissait la qualité sacrée de la vie : « Toutes les choses que nous faisons sont en relation directe avec notre foi et notre amour [32]. » Manessier — dont on sait qu'il est catholique — apporte plus de précision et de nuance : « Il me semble qu'il y a une différence entre les actes de la violence et ceux de l'amour. Les premiers, comme avec Picasso, portent le meilleur de leurs fruits au commencement ; les seconds, comme avec Bonnard, mûrissent et s'enrichissent jusqu'à la fin. Pour moi, j'appartiens au groupe des doux. Je me dirais un primitif, si j'osais [33]. » Mais il ajoute : « Je sais qu'il y a

28. *In memoriam Panayotis A. Michelis,* p. 10.
29. *Ibid.,* p. 16.
30. *Ibid.,* p. 19.
31. *Ibid.,* p. 18.
32. *Ibid.,* p. 20.
33. *Ibid.,* p. 24.

aussi de la violence en moi. Et je ne veux pas choisir. Je veux préserver une intensité en moi, car je veux exprimer en même temps la frénésie de mon siècle et la lumière de l'Espérance, dont je sais que je suis porteur [34]. »

À suivre toutes ces confidences, qu'est-ce qui est ainsi révélé et célébré ? Est-ce la transcendance du Dieu des théologies ? Non, c'est plutôt une certaine vérité du monde et de l'homme, celle que livre le sentiment, une vérité plus secrète que celle que livre la science. Ainsi Miro : « Peindre n'est pas seulement recourir à une expression poétique. L'art est quelque chose de plus. On voit le caché, l'âme des choses [35]. » De même, Manessier : « Vous voyez, plus je progressais dans la non-figuration, plus j'approchais de l'intériorité des choses [36]. » Et encore B. Hepworth : « La force n'est ni vue, ni connue ; mais elle est le principe inviolable qui parle à tous les hommes en tout temps [37]. » Dévoiler le secret caché au cœur des choses, l'éternel au creux du temps, c'est découvrir aussi l'homme, si la vocation de l'homme est d'approcher de ce secret. C'est ce que dit Manessier : de travailler, « votre vie prend un sens. Vous témoignez pour l'homme... Ici comme ailleurs le destin de l'espèce est en jeu [38] ».

Cet homme à qui l'on en appelle, c'est l'*homo religiosus*. Sa religion devient la vérité de l'art [39]. Et cela autorise Henry Moore à dire : « tout bon art est religieux » ; ce à quoi il ajoute : « tout bon art ne convient pas à une église. Je ne mettrais pas un Boucher dans une église, mais j'y mettrais un Watteau ; et certaines œuvres de Klee, de Braque, de Picasso,

---

34. *In memoriam Panayotis A. Michelis*, p. 25.
35. *Ibid.*, p. 20.
36. *Ibid.*, p. 17.
37. *Ibid.*, p. 19.
 Et ici comment ne pas évoquer Klee ?
38. *Ibid.*, p. 26.
39. N'est-ce pas ce que voulait Hegel ? Mais la religion pour Hegel n'était pas le dernier mot : dans la dialectique de l'Esprit absolu, elle conduisait à la philosophie, seul savoir absolu.

comme les abstractions de Soulages ou d'autres [40] ». Pourquoi cette restriction ? Moore ne s'en explique pas ; mais nous dirions volontiers qu'ici la religion même est soumise au contrôle d'un certain puritanisme : préjugé plus impérieux que la foi même. Dans tous les cas, même si les œuvres n'ont pas place dans les lieux du culte, elles sont récupérables par l'apologétique. Dubuffet, par exemple : « Certes, dit Hodin, si l'obscurité de Giacometti tend au mysticisme, l'attitude provocante de Dubuffet conduit à la mystification », mais il conclut son réquisitoire : « Dionysiaque ? Le culte de la nature brute, de la vile matière, oui, pour lui — pour nous, l'angoisse du sacré [41]. » Mais on a pu voir aussi à quel prix ces récupérations s'opèrent : au prix d'une grande confusion. La religion intervient ici en prêtant à l'artiste ou à son interprète un langage : de grands mots comme vision, absolu, amour, éternité [42]. C'est ce langage, élaboré dans la civilisation occidentale par une longue tradition philosophique religieuse, que l'artiste trouve à sa disposition, au moins tant qu'il n'a pas élaboré un autre langage qui serait peut-être, nous le dirons, celui de l'utopie. Ce langage d'ailleurs lui sert moins à décrire son expérience qu'à lui trouver, pour la recommander, un patronage ; c'est le langage de l'apologie plutôt que de la description, et il vaut plus pour ses connotations que pour ses dénotations. De fait, dans la bouche des artistes, ce langage dit-il ce qu'il veut dire ? Que signifient exactement ces grands mots ? Peut-on par exemple identifier aussi vite religion et amour de la vie ? Nous avons cité Marino Marini ; voici encore Henry Moore : « Je crois que l'art est apparenté à la religion ; l'art est en fait une autre expression de la croyance que la vie vaut d'être vécue, et cela est la base de la religion [43]. » Comme cela est

---

40. *In memoriam Panayotis A. Michelis,* p. 14.
41. *Ibid.,* p. 22.
42. Nous aurions pu l'observer déjà dans le chapitre sur expérience et discours. Mais nous mettions alors l'accent sur l'expérience esthétique elle-même, en tant qu'elle est exprimée, et non sur le langage dans lequel elle s'exprime.
43. *In memoriam Panayotis A. Michelis,* p. 14.

vite dit ! Faut-il tenir si peu compte du témoignage de ceux pour qui ce monde est une vallée de larmes et cette vie une épreuve ? Et si la religion ne se ramène pas à cet optimisme facile, elle ne s'identifie pas davantage à la recherche d'un secret dans ce monde, ni à l'exaltation d'un amour mondain. Quant à l'harmonie ou à la paix de l'âme, nous avons déjà dit que l'art n'était pas nécessairement réconciliant ; et il n'est pas sûr que la religion le soit davantage, qu'elle apaise toujours l'angoisse dont elle procède. Le recours au langage religieux ne suffit donc pas à nous convaincre de la religiosité de l'expérience esthétique.

Cependant d'autres analyses seront-elles plus convaincantes ? Empruntons les premières à des théologiens catholiques contemporains, influencés sans doute par des esthéticiens du premier tiers du siècle. Dans le contexte de la réforme de l'art sacré, ces théologiens se cherchent une justification pour recourir à des artistes athées ou en rupture avec la tradition. Ainsi le P. Régamey, que l'on peut considérer leur porte-étendard, défend-il l'appel fait à Delacroix pour décorer la chapelle des Saints-Anges à Saint-Sulpice. Qu'importe, dit-il, que Delacroix soit un croyant si, par son œuvre, « nous sommes arrachés au train vulgaire de la vie [44] ». Le sacré ne consiste-t-il pas dans la rupture avec le quotidien ? « Devant l'œuvre sacrée, ajoute-t-il, nous comparaissons, elle nous rappelle à l'ordre, à notre destinée éternelle, elle nous met en jugement... » Pourquoi en est-il ainsi ? C'est que le génie artistique a nécessairement sa source en Dieu : « (L'expérience de Delacroix)... Dieu seul peut dire dans quelle mesure elle fut surnaturelle. Il nous suffit qu'elle ait été analogue à celle de la foi. Le peintre-poète fut docile à tout ce que, grâce aux intuitions de son sens intime, il percevait de la Parole divine et il ne dit rien au-delà de ce qu'il en a pâti... L'appel au génie fut l'appel aux profondeurs et la peinture, au cours de longues années, se

44. Pie-Raymond Regamey, *la Querelle de l'art sacré,* Paris, Cerf, 1951, p. 18.

tissa sur ces murs, éternellement vivante, comme l'expérience spirituelle dont elle naissait [45]. » Autrement dit, il n'y a qu'une inspiration : que ce soit celle du chrétien ou celle de l'artiste, c'est toujours l'esprit de Dieu qui souffle ! Aussi l'Église peut-elle embaucher sans aucun scrupule des artistes comme Bonnard, Rouault, Matisse, Bazaine, etc. C'est ce qu'ont fait le Chanoine Devemy et le P. Couturier ; et le P. Régamey leur donne raison : « On vient à Assy, dit-il, en croyant trouver un musée, et l'on reçoit le choc du sacré [46]. » L'art est donc nécessairement sacré où qu'il se trouve. Et le P. Régamey poussera plus loin son analyse du génie artistique, à propos de Rouault qui veut suivre son « ordre intérieur ». Le texte vaut la peine qu'on le cite : « Et combien énigmatique cet « ordre intérieur » ! Sujet à des « nuits » comme la foi. Pauvreté suprême de l'esprit. Dépouillement analogue à celui des mystiques. Il y a déjà quelque chose de sacré dans cette « sortie de son pays et de sa parenté », dans cette rupture, au nom de l'absolu, avec les habitudes grossières... Et c'est dans ces profondeurs que l'artiste atteint au sacré, à ce *nescio quid horrendum* que percevait saint Augustin en descendant en soi. Plus le monde matérialiste rationalisé, concentrationnaire, totalitaire, mécanisera l'homme social, plus l'esprit cherchera son salut en des œuvres qui lui soient l'occasion d'un approfondissement intérieur, d'une pure gratuité, d'un témoignage rendu aux valeurs ineffables par le sens intime. De plus en plus, c'est le rôle que jouera l'art [47]. » Ce texte affirme clairement deux choses : la communauté d'expérience première entre le mystique et l'artiste et la sacralité de l'œuvre esthétique, produite par cette expérience. Nous devinons aisément les sources du P. Régamey : l'œuvre d'art, « surcroît d'âme » capable de spiritualiser un monde matérialiste, rationalisé, mécanisé, nous ramène au Bergson des *Deux Sources de la morale et de la religion* et à ce vaste courant des convertis du début du XXe siècle, pour

45. Pie-Raymond Regamey, *la Querelle de l'art sacré,* p. 17.
46. *Ibid.*, p. 28.
47. *Ibid.*, p. 23.

qui la mystique, comme nous le disions, est l'autre du positivisme matérialiste du XIXe siècle. Plus précisément, nous retrouvons ici des idées chères à Brémond, qui, dans son livre, *Prière et Poésie,* rapproche singulièrement la poésie de la mystique, mais au profit de cette dernière, car il fait des prêtres des « intermédiaires » entre les mystiques et le commun des hommes [48]. Finalement nous demeurons toujours dans l'esthétique chrétienne de Von Balthasar où toute la création devient signe, « éclat » de la transcendance divine.

Venons-en donc à un second type d'analyse, celui que fait P.A. Michelis dans son étude sur *l'Esthétique de l'art byzantin* [49]. Nous avons déjà observé que l'expérience du sublime — qui colore souvent celle du beau —, dans la mesure où elle a son origine dans une sorte d'effroi, ramène peut-être à la source de la religion et autorise à évoquer une racine commune des deux expériences. L'analyse de Michelis ne suit pas exactement celle de Kant, car elle ne convie pas le sujet à revenir sur lui-même, à découvrir sa dignité d'être rationnel ; mais elle a le même point de départ : le sentiment du sublime est suscité par les deux images conjointes de l'immensité et de la puissance, dans l'art comme dans la nature : immensité de l'océan, déchaînement de la tempête. Selon la prépondérance de l'un ou de l'autre des éléments, deux modes de sublime se distinguent, qu'illustrent le byzantin et le gothique : « Sainte-Sophie suscite en nous le même sentiment que lorsque nous regardons la voûte céleste, ou l'océan immense et calme, tandis que devant la cathédrale gothique, nous éprouvons le même sentiment qu'en face de l'orage ou des vagues d'une tempête... L'art byzantin peut suggérer le sublime même dans l'intensité secrète qui se dégage de ses chapelles minuscules, tout comme la nature le suggère dans le murmure d'un ruisseau [50]. » Mais

48. Cf. Henri Brémond, *Prière et poésie,* Paris, Grasset, 1926, p. 91.
49. Traduction française, Flammarion, 1959.
50. *In memoriam Panayotis A. Michelis,* p. 38, 39. Le grand intérêt du livre de Michelis vient de ce que cette analyse de l'expérience

dans les deux cas, et c'est le point essentiel, le sentiment du sublime apparaît à Michelis comme le reflet du sentiment religieux. H. Osborne, commentant ce livre, insiste sur ce point en invoquant Otto et en confrontant l'analyse du sublime et l'analyse du numineux ; si le numineux est un autre nom du sacré, on est fondé à dire que le sentiment du sublime peut éveiller le sentiment du sacré. Avec une réserve toutefois : « dans l'expérience religieuse, nous sommes pleinement engagés. L'attitude esthétique, au contraire, comporte un certain dégagement : une distinction esthétique doit être maintenue pour que le sublime soit éprouvé comme sublime et non seulement comme terrible ou écrasant [51] ». Mais si les attitudes diffèrent — et en effet, on ne saurait trop insister sur ce qu'il y a de jeu et de jouissance dans l'expérience esthétique —, le « contenu » peut être le même.

Mais l'est-il vraiment ? Ce qui le donne à penser, c'est encore une fois le langage dans lequel on exprime ce contenu : qui, partout où la religion est instituée, est le langage, disponible et respecté, de la religion. De même que la religion, nous l'avons vu, en appelle à l'art pour donner place et lieu au sacré, de même l'art en appelle à la religion pour lui emprunter ses mots et ses concepts ; c'est souvent le même jeu de langage, comme dirait Wittgenstein, qui sert à expliciter l'expérience religieuse et l'expérience esthétique, et qui confère à la seconde une gravité et une respectabilité dont l'art se pare volontiers [52].

---

est appuyée et éclairée par une analyse formelle des œuvres dont nous ne pouvons faire état ici. Ainsi montre-t-il longuement comment, à Sainte-Sophie, « chaque élément contribue à créer l'illusion d'un espace incommensurable » (p. 123).

51. « On the concept of religious art » dans le même livre : *In memoriam Panayotis A. Michelis,* p. 93. Osborne ajoute que « cette qualité dans les œuvres d'art est liée à ces traits que nous appelons formels... (Il faudrait) chercher comment les propriétés formelles constituent la sublimité ou y contribuent ». C'est précisément ce qu'a tenté Michelis.

52. Cela ne signifie pas que le mot emprunté au vocabulaire de la religion corresponde nécessairement à une expérience religieuse de

Mais si nous regardons d'un peu plus près, nous retrouverons entre les deux expériences la différence que nous avons déjà observée.

Et d'abord, l'expérience esthétique est bien celle d'un ravissement : elle arrache au quotidien, à l'insignifiance et à la monotonie de l'habituel ; elle emporte vers les parages du fond : elle ouvre à la profondeur ou à l'immensité qui sont ce que Simondon appelle des caractères de fond. Mais, répétons-le, le fond n'est pas un arrière-fond inaccessible comme pour l'expérience religieuse. Il est immanent à la figure — à l'objet ou à l'événement —, il rayonne en elle, il est en elle la force et l'éclat de son apparaître. Ce fond n'est pas seulement présent, il est la plénitude de la présence. L'imaginaire n'est pas un irréel, il est le surréel qui donne au réel toute sa puissance expressive. Il ne s'agit donc pas de fuir le monde, mais de le découvrir et de le goûter, comme à l'état sauvage, par-delà l'écran des habitudes et des codes.

D'autre part, que cette expérience puisse provoquer un oubli et comme une perte de soi, c'est possible. Mais cet em-

---

la part de celui qui l'utilise. Prenons par exemple le mot « création », tiré des premières pages de la Genèse. L'artiste de la Renaissance y a recours pour désigner son travail, tout comme il utilisera des concepts empruntés aux arts poétiques d'Aristote et d'Horace. Il s'agit alors pour l'artisan qui devient artiste de valoriser son statut social, quand sa *praxis* n'a pas encore droit au titre d'art libéral, en se comparant aux poètes et même à Dieu. L'emploi du mot : « création » correspondrait donc beaucoup plus à un besoin sociologique que religieux. De même, ce qui expliquerait davantage à notre avis, le choix de la « représentation » pour l'artiste et plus spécialement du procédé de la perspective, c'est l'importance que prend à cette époque la science : l'homme regarde la nature comme coupée de Dieu, — justement en dehors de l'idée de création —, comme un objet qu'il veut circonscrire théoriquement pour en expliquer les lois ou la représentabilité. Cette démarche est nettement désacralisante. Que le mot se soit chargé de connotations théologiques sous l'influence de Ficin et d'une idéologie platonisante est fort possible, mais il a été utilisé dans la suite même par des artistes incroyants.

portement a un autre sens que dans l'expérience religieuse. S'abolir dans la transcendance, ce peut être pour y renaître, et c'est sans doute ce que vise le désir ; car il faut mourir d'abord pour renaître, et faire l'épreuve de son anéantissement ; et c'est bien dans le désir qui se voue à la religion, plutôt que dans celui qui anime l'art, que *Thanatos* se mêle à *Eros*. Ce qui permet de supporter l'épreuve, c'est peut-être justement cette proximité de l'expérience esthétique que soulignait Von Balthasar ; le sacré n'est pas seulement *tremendum,* il est *fascinans*. Mais l'expérience esthétique est moins celle de la fascination que celle de l'exaltation : d'un entraînement qu'on peut dire joyeux, même quand il s'y mêle de l'angoisse. Si le sujet s'y perd, c'est à force de présence. Et il garde l'impression de s'y accomplir : comme créateur, assurément, car l'inspiration est comme l'exercice d'un nouveau pouvoir ; mais aussi comme récepteur, car à se laisser investir et saisir par l'objet esthétique, on se sent un nouveau corps capable d'une nouvelle relation avec le monde.

Cette relation trouve sa meilleure illustration dans le jeu. Ce qui caractérise le jeu, c'est son innocence et sa liberté. Certes le jeu met entre parenthèse le monde de l'utile, qui est le monde de l'aliénation autant que du travail. Mais il ne se situe pas dans l'irréel ; les règles du jeu instaurent un autre réel, qu'il faut accepter, comme la contingence dans les jeux de hasard, et qu'il faut maîtriser, comme la montagne dans l'alpinisme, ou le terrain et l'adversaire dans les sports de compétition. Le jeu est une aventure qui ouvre un avenir immédiat ; son enjeu est un possible : un gain possible, une victoire possible. Ce possible signifie à la fois un il se peut et un je peux [53] : le hasard est affirmé, mais aussi le pouvoir du sujet d'accepter l'événement, et parfois de le forcer. Ce hasard, c'est ce que Fink appelle le jeu du monde ; et c'est à ce jeu que le joueur s'associe. De ce jeu du monde, il y a une

53. Nous nous inspirons ici d'un article de Mikel Dufrenne, « Le jeu et l'imaginaire », *Esprit,* juin-juillet, 1971.

dimension esthétique : l'imprévisibilité de l'événement, la prodigalité et l'éclat de l'apparaître, en bref l'admirable sont les manifestations de ce jeu, de la force naturante de la Nature. Et ce que produit le joueur inspiré, créateur ou récepteur, atteste encore cette puissance naturante à l'œuvre en lui. La liberté ludique, c'est l'exercice de ce pouvoir. Et c'est à partir du jeu qu'il faut comprendre la tonalité propre de l'expérience esthétique : jouer, c'est jouir ; et c'est être ravi dans un monde ouvert sur le possible.

Nous avons dit pourtant qu'à l'exercice du jeu peut se substituer le sentiment d'un impouvoir. Le jeu n'est pas seulement sérieux, il peut être tragique, ou si l'on préfère anxiogène ; certains des discours que nous avons évoqués en témoignent. Par exemple, celui de Michaux, à propos duquel Gilbert Lascault dit bien que « l'œuvre naît d'une certaine dépossession de soi [54] ». Et peut-être tout jeu comporte-t-il le sentiment d'un risque : jouer avec le péril, — le péril de l'ivresse et de l'égarement. C'est dire que la jouissance n'est pas le plaisir. Le plaisir appartient à une expérience esthétique codée, apprivoisée et contrôlée par l'institution. La jouissance est éprouvée dans une expérience plus sauvage, où s'éprouve un contact proprement charnel, plus immédiat et plus intime à la fois, avec l'objet — avec la chair de l'objet —, dirait Merleau-Ponty.

Et c'est par là, en dernière analyse, que l'expérience esthétique diffère de l'expérience religieuse. Il se peut que l'expérience religieuse reste liée à quelque chose de charnel ; mais ce lien est toujours équivoque, et la religion s'en défie : la chair pour elle est toujours métaphorique, et l'esthétique n'est admis qu'à condition de figurer le sacré, et de procéder de lui. Mais l'esthétique n'a pas besoin du sacré, et même le discours qui l'utilise devrait disparaître ; et la jouissance est désacralisante parce qu'elle communie avec son objet au lieu de le goûter à distance. C'est pourquoi nous pouvons, en

54. « L'impouvoir producteur », *l'Art vivant,* nº 36.

conclusion, retrouver la question que nous posions : si l'art n'a pas besoin de la religion, peut-il aujourd'hui la relayer et l'abolir ?

Conclusion

La religion trouve-t-elle aujourd'hui sa vérité dans l'art ? Aujourd'hui disons-nous, et nous pourrions ajouter, évoquant encore une fois le Québec, en certains lieux ; car les expériences et les institutions s'actualisent dans l'histoire et y ont leur destin. Or, il semble que ce mouvement s'annonce dans notre présent. Pour le vérifier, il faudrait une étude sociologique comparative des institutions, de leur vitalité, de leurs fonctions, de leur impact, que nous ne saurions même amorcer, puisque nous nous en tenons aux expériences. Mais précisément, il apparaît qu'aujourd'hui ces institutions craquent, subissant une contestation interne, sous la poussée d'un germe nouveau. Et c'est ce germe qu'il faudrait penser et aider à éclore.

En effet, si la religion dépérit, il n'est pas sûr d'une part que toute l'expérience religieuse doive disparaître ; et d'autre part que l'art soit prêt, tel qu'il existe, à se substituer à elle. Car s'il ne dépérit pas — si les proclamations de sa mort signifient autre chose que son abolition pure et simple —, l'art aussi change. S'il doit être la vérité de la religion, c'est selon ce qu'il devient, ce qu'il veut être, plutôt que selon ce qu'il a été et qu'il est encore. C'est sur cet avenir de l'art qu'il faut porter notre attention ; s'il est lui-même l'avenir de la religion, c'est qu'il n'est pas totalement étranger à l'expérience religieuse et qu'il en préserve quelque chose — peut-être ce que l'institution, le dogme, la hiérarchie trahissaient en prétendant le traduire. Et c'est bien à l'art qu'appartient la responsabilité de cet avenir, c'est lui qui mérite cette priorité parce qu'il est plus libre et plus ouvert que la religion. Ces promesses d'avenir, l'art les porte parce qu'il est travaillé par l'utopie : l'esprit utopique est aujourd'hui ce qui anime et transforme l'art, et qui lui permet de se substituer à la religion.

L'esprit utopique, disons-nous, et non l'utopie comme discours utopique [1]. Dans le discours utopique que nous livrent des œuvres qui parfois s'intitulent utopie comme celle de Morus, l'esprit utopique se perd : ce qui est proposé, c'est une nouvelle société, souvent plus rigide, plus irrespirable que l'ancienne : un possible entièrement actualisé à force de règlements et de prescriptions ; tout est dit, et rien n'est à mettre en question, ni à inventer. L'esprit utopique est bien lui-même affirmation d'un ailleurs, d'une autre société, d'un autre monde. Mais d'une part cette affirmation se fonde sur un refus violent de ce monde vécu comme inique, invivable, et d'autre part, elle ne comporte pas, dans son premier mouvement, de programme rationnellement établi et dont la réalisation soit confiée à une organisation autoritaire. L'utopie ne se cristallise pas dans un système : elle est l'autre possible de toute organisation, de tout programme. Tant qu'elle est vivante, elle est ce qui inspire et motive l'action, ce qui empêche les moyens d'occulter et de pervertir la fin. Elle n'est pas sage : elle fait crédit à l'imaginaire. Mais elle n'est pas folle non plus : elle veut lucidement, et déjà elle entreprend ; elle s'instruit en transformant le réel qu'elle nie. Mais dès que tendent à se figer en structures les transformations qu'elle inaugure, elle prend du champ, non pour les désavouer nécessairement, mais

1. Nous nous inspirons du séminaire de M. Mikel Dufrenne, intitulé : *Art et politique*. Peut-être que le mot d'hétérotopie désignerait mieux ce qu'il appelle utopie.

pour garder à leur égard la distance qu'implique la visée de la fin. Elle redevient le vis-à-vis critique. L'utopie ne va pas sans la stratégie et la politique, mais elle n'a pas partie liée avec elles. Elle garde ses coudées franches. Par contre, à regarder les choses du dehors, nous pouvons concevoir déjà que l'art soit une forme de l'utopie. Au moins dans nos sociétés, là où il n'est plus au service d'une religion qui a elle-même dans la culture une fonction intégrante [2]. Car s'il est lui-même institué, il est l'autre des autres institutions ; il se déploie dans une zone marginale où lui est tolérée une certaine liberté ; il ne refuse peut-être pas violemment le réel, mais il s'en tient à l'écart pour jouer : il joue avec des possibles, il ouvre à des mondes différents. Il provoque ainsi le spectateur, le presse de devenir lui-même producteur ; il déconstruit sans cesse les formes établies, les siennes en premier : en un mot, il crée de l'insolite. Non seulement l'expérience de l'extraordinaire est à son origine, mais son œuvre même vise à susciter de l'insolite.

Mais aujourd'hui, il semble bien que sa relation à la réalité sociale soit plus nette et plus exigeante, surtout dans la mesure où il se politise (et très généralement « à gauche »). D'une part son refus du système est plus décidé ; d'autre part ce qu'il affirme n'est pas seulement une velléité d'évasion, mais une volonté de changer le réel : et par exemple, en même temps que l'artiste se range aux côtés des travailleurs et des dominés, d'insérer l'œuvre dans l'environnement pour le modifier, pour

2. Et c'est ce qui explique, croyons-nous, l'impact sur la société québécoise des artistes et des poètes à partir du *Refus global* de Borduas et du groupe automatiste. Le Manifeste de Borduas est une utopie, comme le démontrent C. Bertrand et J. Stafford dans un très intéressant article de *la Barre du Jour* de janvier-août, 1969, intitulé : « Lire le *Refus global* ». Borduas avait compris que les aliénations dans l'ordre de la création étaient les mêmes que celles de la vie sociale. C'est pourquoi le *Refus global* et l'automatisme seront « création de valeurs et de normes nouvelles : la recherche de ce qui est vital pour l'homme, ses désirs et ses passions, exprimés dans un imaginaire collectif ». C'est bien là, il nous semble, l'esprit utopique dont nous parlons.

modifier à la fois l'aspect du réel et la trame des rapports humains, bref pour « changer la vie » comme le voulait Rimbaud. Changer la vie, changer *hic et nunc,* sans attendre la Parousie, sans s'en remettre à une Providence, sans invoquer un surnaturel, — c'est bien le mot d'ordre de l'utopie ; et c'est aujourd'hui celui de l'art, lorsqu'il a la nostalgie de la fête.

Nous le comprendrons mieux si nous revenons, comme cela a été notre propos, aux expériences qui suscitent l'art et la religion. Ces expériences ont une origine commune, disions-nous, dans l'expérience de l'extraordinaire, qui éveille, ou en tout cas oriente, le désir comme désir d'un ailleurs : d'un autre monde, surnaturel, ou d'un monde autre, surréel, selon que l'insolite est effrayant ou admirable (et encore que, dans le sublime, l'effrayant puisse se mêler à l'admiration). Or aujourd'hui, dans le monde technicisé et technocratisé des sociétés industrielles, la nature est apprivoisée, et ce qui est sauvage ou plutôt barbare, c'est le champ social : à l'expérience de l'effrayant se substitue l'expérience de l'inique, et le désir qu'elle suscite est un désir de justice ; le désir qui animait la religion n'a pas disparu, mais il a changé de sens : l'individu ne rêve plus de se fonder en Dieu, mais de se fonder dans un ordre social nouveau. Ce rêve, c'est l'utopie qui l'exprime. Et c'est dans l'art — dans un art nouveau qui se cherche — qu'il tend à se réaliser.

Faut-il dire alors que, dans l'expérience esthétique qui sollicite aujourd'hui l'artiste — dans la jouissance que suscite le jeu —, c'est le désir de justice qui s'accomplit ? Peut-être, au moins pour un recommencement. Car ce désir ne vise pas l'objet précis d'un concept ; l'idée utopique de la justice n'impose pas un programme, elle est avant tout la négation de l'injustice vécue. C'est pourquoi quelque chose de la justice peut se réaliser dans la fraternité de la fête ou dans la liberté de la création autant que dans un nouveau régime juridique ou dans des nouveaux rapports de production : ce qui se réalise, c'est un nouveau rapport des hommes entre eux, un peu comme dans l'effervescence sur quoi Durkheim fondait la religion ; et c'est aussi un nouveau rapport des hommes au monde, un rapport qui fait justice au sensible au lieu de lui faire violence.

Ainsi l'expérience esthétique qui suscite l'artiste de demain ne risque plus de se confondre avec l'expérience religieuse. Le visage des dieux s'efface, l'autre monde disparaît de l'horizon. L'art prend l'utopie en charge, et l'espoir qui anime l'utopie porte sur ce monde qui est notre seul séjour. L'utopie à son tour prend l'art en charge : elle nous assure que l'art nous aidera à habiter ce monde.

Bibliographie

Cette bibliographie n'est nullement exhaustive : n'y figurent que les titres d'ouvrages auxquels nous nous sommes référés explicitement dans notre thèse.

ALAIN, *Vingt leçons sur les Beaux-Arts,* Paris, Gallimard, « N.R.F. », 1931, 300 p.
ALQUIÉ, Ferdinand, *l'Expérience,* Paris, P.U.F., « Initiation philosophique », 1957, 102 p.
ALTHUSSER, Louis, « Les appareils idéologiques d'État », *la Pensée,* nº 151, juin 1970, p. 3-38.
AUDET, Jean-Paul, *le Phénomène religieux,* résumé photocopié d'un cours donné à l'Université de Montréal, 1969-1970.
BALTHASAR, Hans Urs von, *la Gloire ou la croix ou les aspects esthétiques de la Révélation,* 2 t., Paris, Aubier, 1965.
BARTHES, Roland, *le Degré zéro de l'écriture,* Paris, Gonthier, « Bibliothèque médiations », 1953, 181 p.
BARTHES, Roland, *Sade, Fourier, Loyola,* Paris, Seuil, « Tel Quel », 1971, 187 p.
BARTHES, Roland, « De l'œuvre au texte », *la Revue d'esthétique,* nº 3, 1971, p. 225-232.
BATAILLE, Georges, *la Littérature et le mal,* Paris, Gallimard, « Idées », 1957, 231 p.
BATAILLE, Georges, *l'Expérience intérieure,* t. 1 de *la Somme athéologique,* Paris, Gallimard, 1954.
BAUDRILLARD, Jean, *la Société de consommation,* « Le point de la question », S.G.P.P., 1969, S.P.A.D.E.M. et A.D.A.G.P., 1969, 304 p.
BERTRAND, Claude, et Jean STAFFORD, « Lire le *Refus global* », *la Barre du Jour,* nºs 17-20, janvier-août 1969, p. 127-185.

BIBLE (La Sainte), traduite en français sous la direction de l'École biblique de Jérusalem, Paris, Éditions du Cerf, 1955, 1 669 p.

BLANCHOT, Maurice, *l'Espace littéraire,* Paris, Gallimard, « Idées », 1955, 382 p.

BOURDIEU, Pierre, « Champ intellectuel et projet créateur », *Temps modernes,* nº 246, novembre 1966, p. 865-906.

BOUYER, Louis, *Dictionnaire théologique,* Tournai, Desclée de Brouwer, 1963, 653 p.

BOUYER, Louis, « Histoire de la spiritualité chrétienne », vol. 1, *in* : *la Spiritualité du Nouveau Testament et des Pères,* Paris, Aubier, 1960, 635 p.

BOUYER, Louis, Préface au livre, *les Écrits apostoliques,* Paris, Cerf, 1963.

BRÉMOND, Henri, *Prière et poésie,* Paris, Grasset, 1926, 221 p.

BRISSON, Marcelle, « La représentation dans l'art et la religion », communication publiée dans les *Actes du 7e congrès d'esthétique à Bucarest,* août 1972.

Bulletin de la Jeune Peinture, novembre 1971.

CERTEAU, Michel de, *la Possession de Loudun,* Paris, Julliard, « Archives », 1970, 347 p.

CERTEAU, Michel de, *l'Étranger ou l'union dans la différence,* Tournai, Desclée de Brouwer, 1969.

CERTEAU, Michel de, *la Correspondance de Jean-Joseph Surin,* Tournai, Desclée de Brouwer, « Bibliothèque européenne », 1966.

CERTEAU, Michel de, *l'Homme devant Dieu, Mélanges offerts au Père de Lubac,* Paris, Aubier, 1964.

CERTEAU, Michel de, « Jean-Jacques Surin, interprète de saint Jean de la Croix », *Revue d'ascétique et de mystique,* nº 46, 1970.

CERTEAU, Michel de, « Mystique », *in* : *l'Encyclopaedia Universalis,* France, S.A., 1968, vol. 11, p. 521-526.

DARBON, André, *Une philosophie de l'expérience,* Paris, P.U.F., 1946, 264 p.

DELEUZE, Gilles, et Félix GUATTARI, *l'Anti-Œdipe,* Paris, Éditions de Minuit, « Critique », 1972, 494 p.

DUBUFFET, Jean, *Asphyxiante culture,* Paris, J.J. Pauvert, 1968, 152 p.

DUFRENNE, Mikel, *Phénoménologie de l'expérience esthétique,* 2 t., Paris, P.U.F., « Épiméthée », 1953, 692 p.

DUFRENNE, Mikel, *la Notion d'a priori,* Paris, P.U.F., « Épiméthée », 1959, 292 p.

DUFRENNE, Mikel, *Jalons,* La Haye, Martinus Nijhoff, « Phaenomelogica », 1966, 221 p.

DUFRENNE, Mikel, *Esthétique et philosophie,* Paris, Klinsieck, « La collection d'esthétique », 1967, 312 p.

DUFRENNE, Mikel, *Pour l'homme,* Paris, le Seuil, « Esprit », 1968, 251 p.

DUFRENNE, Mikel, « Pour une philosophie non théologique », *in* : *le Poétique,* Paris, P.U.F., 1973.

DUFRENNE, Mikel, « Phénoménologie et ontologie », *in* : *l'Œuvre d'art et les sciences humaines,* Bruxelles, La connaissance s.a., 1969.

DUFRENNE, Mikel, « Le jeu et l'imaginaire », *Esprit,* juin-juillet 1971, p. 79-96.

DUFRENNE, Mikel, notes polycopiées du *Séminaire 1972-1973,* Paris X, « Art et Politique ».

DURKEIM, Émile, *Formes élémentaires de la vie religieuse,* Paris, P.U.F., 1960, 647 p.

ÉLIADE, Mircéa, *Traité d'histoire des religions,* Paris, Payot, 1959, 405 p.

FRANCASTEL, Pierre, « Problèmes de la sociologie de l'art », *in* : Georges Gurvitch, *Traité de sociologie,* Paris, P.U.F., 1958, p. 278-297.

FREUD, Sigmund, *Essais de psychanalyse appliquée,* Paris, Gallimard, « Idées », 1971, 251 p.

FREUD, Sigmund, *l'Avenir d'une illusion,* (traduction de Marie Bonaparte), Paris, P.U.F., 1971, 100 p.

FREUD, Sigmund, « Malaise dans la civilisation », *la Revue française de psychanalyse,* janvier 1970, p. 9-80.

FREUD, Sigmund, *Totem et tabou,* Paris, Payot, « Petite bibliothèque Payot », 1970, 185 p.

GAGNON, François, « Réflexions sur la peinture populaire à Montréal », *la Revue d'esthétique,* nº 3, juillet-septembre 1971, p. 281-293.

GAUVREAU, Claude, « Lettre à un fantôme », *la Barre du Jour,* janvier-août 1969, nºs 17-20.

GENETTE, G., « Vraisemblable et motivation », *Communications,* nº 11, 1968, p. 5-22.

GILSON, Émile, *Peinture et réalité,* Paris, Vrin, 1958, 368 p.

GIMPEL, Jean, *Contre l'art et les artistes ou la naissance d'une religion,* Paris, Seuil, 1968, 187 p.

GIRARD, René, *la Violence et le sacré,* Paris, Grasset, 1972, 451 p.

GOGH VAN, Vincent, *Lettres de Vincent à son frère Théo,* Paris, Grasset, 1971, 304 p.

GRANGER, Gaston, *Essai d'une philosophie du style,* Paris, Armand Colin, 1968, 312 p.

GURVITCH, Georges, *la Vocation actuelle de la sociologie,* 2 vol., Paris, P.U.F., 1957.

GURVITCH, Georges, *Traité de sociologie,* 2 vol., Paris, P.U.F., 1958.

HAUSER, Irénée, *Direction spirituelle en Orient autrefois,* Rome, Pont. Institutum Orientalum Studiorum, 1955.

HEGEL, Georg Wilhelm Friedrich, *Esthétique* (traduction de S. Jankélévitch), 4 vol., Paris, Aubier, 1944.
HODIN, J.-P., « The permanence of the sacred in art — the artist speaks », *in* : Société hellénique d'esthétique, édit., *In memoriam Panayotis A. Michelis,* Athènes, 1972, p. 9-26.
IGNACE d'ANTIOCHE, *Lettres,* Paris, Cerf, « Sources chrétiennes », 1944, 148 p.
JAMES, William, *Philosophie de l'expérience,* Paris, Flammarion, 1910, 368 p.
JUNG, Carl et Ch. KERENYI, *l'Essence de la mythologie,* Paris, Payot.
JUSTIN, *Première apologie* (an 67), *Sources chrétiennes,* 1944.
LAPLANCHE, Jean, et J.B. PONTALIS, *Vocabulaire de la psychanalyse,* Paris, P.U.F., 1967, 520 p.
LASCAULT, Gilbert, « L'impouvoir producteur », *Art vivant,* février 1973, p. 2.
LAUDE, Jean, *les Arts de l'Afrique noire,* Paris, Librairie générale française, « Le livre de poche illustré », 1966, 381 p.
LE BOT, Marc, *Peinture et machinisme,* Paris, Klincksieck, « La collection d'esthétique », 1973, 260 p.
LE BRAS, « Problèmes de la sociologie des religions », *in* : Georges GURVITCH, *Traité de sociologie,* Paris, P.U.F., 1958, vol. 2, p. 79-103.
LEEUW Van der, *la Religion dans son essence et ses manifestations,* Paris, Payot, 1953.
LEROI-GOURHAN, André, *les Religions de la préhistoire,* Paris, P.U.F., « Mythes et religions », 1964, 155 p.
LEROI-GOURHAN, André, *Évolution et techniques,* 2 vol., Paris, Albin Michel, 1935.
LÉVI-STRAUSS, Claude, *Anthropologie structurale,* Paris, Plon, 1958, 452 p.
LÉVI-STRAUSS, Claude, Introduction à l'œuvre de Marcel Mauss, *in* : *Sociologie et Anthropologie,* Paris, P.U.F., 1950, 389 p.
LYOTARD, Jean-François, *Discours, figure,* Paris, Klincksieck, « La collection d'esthétique », 1971, 428 p.
MAKARIUS, Laura, « Qu'est-ce que le mana ? », *Raison présente,* nº 21, janvier-mars, 1972.
MALINOWSKI, Bronislaw, *Une théorie scientifique de la culture,* Paris, Maspéro, « Points », 1968, 183 p.
MALRAUX, André, *les Voix du silence,* 2 vol., Paris, La galerie de la Pléiade, 1952.
MARCUSE, Herbert, *Contre-révolution et révolte,* Paris, Seuil, « Combats », 1972, 167 p.
MAUSS, Marcel, *Sociologie et anthropologie,* Paris, P.U.F., 1950, 389 p.

MERLEAU-PONTY, Maurice, *l'Œil et l'Esprit,* Paris, Gallimard, 1964, 93 p.
MICHAUX, Henri, *Émergences-Résurgences,* Genève, Skira, « Les sentiers de la création », 1972.
MICHELIS, Panayotis A., *l'Esthétique de l'art byzantin,* Paris, Flammarion, 1959, 289 p.
MOULIN, Raymonde, *le Marché de la peinture, en France,* Paris, Éditions de Minuit, 1967.
ORIGÈNE, *De la prière : exhortation au martyre,* Paris, J. Gabalda, 1932.
OSBORNE, Henry, « On the concept of religious art », *in* : Société hellénique d'esthétique, édit., *In memoriam Panayotis A. Michelis,* Athènes, 1972, p. 87-95.
OTTO, Rudolph, *le Sacré,* Paris, Payot, 1949, 238 p.
PASCAL, Blaise, *Pensées,* Paris, Seuil, « Livre de vie », 1962, 442 p.
PAUL VI, « Satan est venu gâter et dessécher les fruits du concile », *le Monde,* 17 novembre 1972.
RAMNOUX, Clémence, *la Nuit et les enfants de la nuit,* Paris, Flammarion, 1949, 274 p.
REGAMEY, Pie-Raymond, *la Querelle de l'art sacré,* Paris, Cerf, 1951, 48 p.
RÉGNAULT, Lucien, Introduction, *les Sentences des Pères du désert,* Abbaye Saint-Pierre-de-Solesmes, 1966.
REVAULT d'ALLONES, Olivier, *la Création artistique et les promesses de la liberté,* Paris, Klincksieck, « La collection d'esthétique », 1973, 301 p.
SAINT ATHANASE, « Vie de saint Antoine », *in* : *Patrologie grecque,* Paris, Migne, 1847.
SAINT BENOÎT, « Règle des moines », *Sources chrétiennes,* Paris, Cerf, 1971.
SAINT JEAN DE LA CROIX, *Œuvres spirituelles,* (traduction du R.P. Grégoire de S.-Joseph, c.d.), Paris, Seuil, 1947, 1 305 p.
SAINT JEAN DE LA CROIX, *Œuvres spirituelles,* présentées par le Père Jacques de Jésus, Paris, Veuve Pierre Chevalier, 1652.
SAMUEL, Claude, *Entretiens avec Olivier Messiaen,* Paris, Éditions Pierre Belfond, 1967, 237 p.
SANSOT, Pierre, *Poétique de la ville,* Paris, Klincksieck, « La collection d'esthétique », 1971, 422 p.
SECHEHAYE, Marguerite-Albert, *Journal d'une schizophrène,* Paris, P.U.F., 1950, 138 p.
SIMONDON, Gilbert, *Du mode d'existence des objets techniques,* Paris, Aubier, 1969, 265 p.
SOURIAU, Étienne, *Pensée vivante et perfection formelle,* Paris, P.U.F., 1952, 277 p.

TREVOR-ROPER, Hugh-Redwald, *De la réforme aux lumières,* Paris, Gallimard, 1972.
VERNANT, Jean-Pierre, *Mythe et pensée chez les Grecs,* Paris, Maspéro, 1965, 331 p.
ZOLA, Émile, *l'Œuvre,* « Le livre de poche », nº 29430.

TABLE DES MATIÈRES

Achevé d'imprimer le 6 novembre 1974
par l'Imprimerie Gagné Ltée